走向神聖

現代宗教學的問題與方法

走向神聖

現代宗教學的問題與方法

走向神聖

現代宗教學的問題與方法

走向神聖

現代宗教學的問題與方法

張志剛

序

本書是一種引論性的學術讀物，試以基本理論問題、尤其是方法論觀念為經緯，簡要評述當代宗教學的研究狀況。

對宗教現象的學術探討由來已久，然而，嚴格意義上的「宗教學」是一門新學問，若以麥克斯·繆勒（Friedrich Max Müller）的《宗教學導論》（1873年）為標誌，其歷史僅有百餘年。在這不長的時間裡，宗教學確實有很大的發展，形成了諸多活躍的研究方向，如比較宗教學、宗教人類學、宗教社會學、宗教心理學、宗教現象學、宗教哲學、宗教對話等等；更引人注目的是，宗教學所研討的對象之重要、涉獵的課題之複雜、引發的爭論之熱烈，使其日漸成為當代人文研究領域的一門「顯學」，透過反省以往的宗教觀念乃至歷史思維方式，促使人們意識到整個歷史或文化研究裡存在的一些深層難題，諸如宗教與歷史傳統、宗教與文化差異、宗教與文化結構、早期文化與近現代文化的關係、傳統價值觀與後現代精神困境等等。

但就總體研究狀況而言，宗教學遠不是一門成熟的學科，既沒有在研究對象、方法、目的等方面達成共識，更沒有構造出某種影響廣泛的理論體系，而是仍處於不斷發現問題、轉換視角、深化爭論的過程之中，甚至與其他人文學科相互交叉融合。這或許是當代宏觀學術背景之多元化的反映，或許是一門綜合性學科興起階段的特徵，也許像這樣一個跨文化、跨學科的學術批判領域原本就不該有傳統意義上的「基本原理」或「邏輯體系」……無論如何，有一點可以肯定：這門新興學科潛力巨大，前景可觀。

研究市場經濟有一個如何與國際接軌的問題，人文研究也應強化類似的意識。對國內剛剛起步的宗教學研究來說，閉門造車，急於推出一種「原理」或「體系」，恐怕不符實事求是的學風。我們的目標無疑在於創造有中國特色的宗教學理論，可在此之前也無疑需要開放視野，步入國際學術氛圍，以批判的眼光考察研究現狀。譬如，討論過哪些基本問題，形成了哪些主要觀點或解釋傾向；這些問題是在什麼學術背景下提出來的，有關的解釋傾向又引起了哪些理論分歧，其背後是否還暗藏著值得深思的方法論困境。簡言之，瞭解別人說過什麼，才知道自己有可能說些什麼。

治學如做人，道理並不複雜，完全付諸實踐卻難上加難，因而，筆者雖有以上說法，但絕不敢言本書達到了什麼程度。它僅僅屬於一種初步嘗試，大體思路是這樣鋪開的：由當代宗教研究的幾個基本問題交織而成討論線索，貫穿哲學方法論批判；每個問題的評介又大體包括如下內容：幾種有代表性的解釋觀點或傾向，現有主要爭論，學術背景分析和方法論問題點評。

出於上述思路，書中的選材不求面面俱到，突顯的是同一個問題的不同觀點。這些觀點大多來自本世紀著名的或較有影響的學者。當然，個別選材超出了這種時限，那是因為有些學者儘管生活於近代，可他們提出的問題與觀點卻屬於

「現代的」。此外還要說明本書的部分章節，特別是第四章和第五章利用了兩部拙著的資料和觀點，即《宗教文化學導論》（人民出版社，1993年）和《貓頭鷹與上帝的對話——基督教哲學問題舉要》（東方出版社，1993年第一版）。這要感謝出版社的允許。就這三本書的關係來說，前者試圖從當代人文研究的前列學科探索某種超前性的方法論意識，第二本涉及的是一個宗教哲學批判的典型，後者的最初構想是在前述工作的基礎上展開較普遍性的研討，即宗教研究的一般理論，可現在看來這是筆者個人的知識能力遠遠達不到的。儘管如此，本書還是努力邁出那一步，透過一些問題、材料和觀點的重新整合，側重就當代研究狀況來闡發第一部書裡主張的學術批判意識，即「宗教文化觀」。這種由尚不成熟的方法論觀念而做的嘗試，侷限或欠缺自然很多，懇望讀者斧正。

所謂的「序言」是在脫稿時寫的。最後幾筆理應留給那些關心、幫助過這部書稿的朋友們。初稿曾幾次用作「宗教學導論」一課的講義，北京大學哲學系宗教學專業的同學，在課堂討論中提出了不少有挑戰性的問題，對筆者深有啟發。原始資料的收集得到國

內外許多同行的幫助，儘管在此不能詳列名單，我是不會忘記他們的。整個書稿是在舊金山大學中西文化歷史研究所訪問的研究期間修改完成，對此要特別感謝該所所長Edward Malatesta 教授和吳小新博士的多方面支持。最後要提到摯友居德利，在舊金山期間若沒有他的熱心關照，本書也不會順利完成。

1995年7月記於舊金山

331 Balboa St.

目錄

第一章
宗教起源問題

近代人文學術形成以來，「起源」與「本質」這兩個概念一直被認為是有「血緣關係」的。就一事物來說，若想揭示其本質便需追究起源；甚至可以說，不瞭解起源就無從認識本質。這一歷史主義的認識原則也對宗教學產生極大的影響，以致於可把宗教起源問題看做是當代宗教研究的「一個雙重意義上的開端」——歷史的與邏輯的。

回顧關於起源問題的探討，也的確是本世紀前半葉宗教研究中的一大焦點。環繞著這個焦點問題所形成的研究方向之多，出現的名家名著之多，他們（它們）的理論影響之大，以及有關的爭論之激烈，都遠不是其他問題的研究現狀所能相比的。這一章所評介的雖然只是幾位著名思想家的觀點，但以上情形還是可以部分反映出來。

第一節　比較宗教學的嘗試

「比較宗教學」這名稱本身就令人玩味，其含有一種歷史感，因為它從一開始就是區別於傳統意義上的宗教研究的一個學術旗幟。一般認為，最早舉起這面學術大旗的是麥克斯·繆勒（Friedrich Max Müller, 1823～1900年）。繆勒作為一個旗手或先行者，不但能告訴我們現代意義上的宗教學應研究什麼、如何研究，而且他的觀點也能具體表明：比較宗教學起初是怎樣探討宗教起源問題的，當時所面臨的主要難點又為何。

對一個思想家來說，不知其人恐怕也難以深知其觀念。繆勒是一位德裔英國學者。他之所以被看做宗教學的創始人，是因其率先明確地提出了宗教學的研究對象、方法和目的，這些觀點主要反映在被譽為「宗教學奠基之作」的《宗教學導論》一書中。他論及宗教學一般理論的著作還有《宗教的起源與發展》、《自然宗教》、《物質宗教》、《人類宗教》、《心理宗教》等。同時，繆勒還是一位集比較語言學、比較神話學、比較宗教學於一身的著名的東方學家。他長期在東方學、尤其是梵文和佛學這類艱深的領域辛勤耕耘，所收穫的果實僅數量而言就叫人驚嘆。比如，主編了長達50多卷的《東方聖書》，校勘、翻譯了《阿彌陀經》、《三量壽經》、《金剛般若經》、《般若心經》、《法集經》等等；其他主要著譯有：《古代梵文文學史》、《梵文文法入津》、《吠檀多哲學》、《印度六派哲學》、《吠陀與波斯古經》、《印度寓言與密宗佛教》、《佛教》、《孔夫子的著作》、《中國宗教》、《比較神話學》、《論語言、神學與宗教》等等。由以上概略的背景材料襯托出來的多重學術角色，是我們在討論繆勒的宗教起源觀點時不能忘卻的。

作為比較宗教學的開創者，繆勒將宗教起源問題提昇到了相當重要的位置。他指出：「有一個非常古老的格言說，我們如果不知道一個事物的起因，就永遠不瞭解這個事物。我們可以大量地瞭解宗教，我們可以讀許多聖經、信經、教義問答手冊，世界各地的禱文，然而除非我們能夠追溯到宗教賴以產生的最深刻的根源，否則就不能完全理解宗教。」* 這就是說，為了理解宗教是什麼，必須先弄清宗教曾經是什麼，以及宗教是如何演變成現在這個樣子的。

然而，繆勒在當時就清楚地意識到一個難題：只有揭示宗教的起源，才能認識宗教的本質；可若要探討宗教的起源，又不得不先指出宗教的本質，亦即你所要考察其起源的那個東西是什麼，這在當時主要不是一個純邏輯問題，而是宗教研究的現狀所致。一打開《宗教的起源與發展》即可看到，繆勒試圖解決的就是這個難題。

繆勒指出，宗教和關於宗教問題的思考都是很古老、很重要的。宗教即使不是和人類一起產生的，至少也和我們已知的人類生活一樣古老。可以說，「哪裡有人類生活，哪裡就有宗教。而哪裡有宗教，由宗教產生的問題就不可能長久地隱而不露。」** 譬如，現存最古老的文獻幾乎都是關於宗教的；哲學史上最古老、最基本的問題也是由宗教提出來的。但另一方面，「如果說有個介詞在各個世紀都有變化，並且各個時代在運用它時都有其不同的含義；不僅如此，當那個介詞被某個男人、婦女或兒童使用時，它又表達了各具色彩的意義，那個介詞就是宗教。」*** 這就無怪乎為

---

* 繆勒：《宗教的起源與發展》。上海人民出版社1989年版，第154頁。

** 同上書，第5頁。

*** 同上書，第6頁。

什麼討論宗教問題的人時常會相互誤解，爭吵不休，因為他們並沒有搞清楚各自所說的宗教是指什麼。顯然，造成上述情形的原因是複雜多樣的。

例如，歷史的原因。古希臘哲學家赫拉克利特所講的宗教，無疑不同於我們現在所指的宗教。又如，語言的原因。英文裡的「宗教」一詞是很難譯成希臘語或梵文的。即使在拉丁語裡「宗教」的涵義也不同於英文中的同一個詞。至於思想觀念上的分歧，那就更明顯了。在康德看來，所謂的宗教就是道德，即人所直接意識到的絕對命令；費希特雖是康德哲學的繼承者，可他認為宗教並不是實踐性的，而是一種認識自我的最高知識。施萊爾馬赫提出過一個很有影響的宗教定義，宗教是一種絕對的依賴感；黑格爾則反唇相譏，認為若要說依賴感就是宗教，那最有宗教感者非狗莫屬了。

僅以上幾方面的例子即可表明，若就宗教的本質達成某種共識確是一件難上加難的事情。繆勒不無感嘆地指出，世界上有多少種宗教，看來就會有多少種定義；而每個定義一提出來，都難免引發出另一種否定的說法。問題的複雜性還在於，面對如此多、如此混亂的定義，我們既不能靠詞源的考證來澄清「宗教」的本義，也不可能去綜合歷史上的所有說法。那麼，還有沒有可能就宗教的定義達成某種一致的看法呢？若無這種可能，那就無法或不可能有意義地探討宗教的起源。但繆勒認為，還是有這種可能性的。這就是闡明某些特徵，以把「宗教意識的對象」與其他意識活動的對象區別開來。

由某種難以否定的特徵入手來界說宗教信仰，這是繆勒的一貫思想。早在《宗教學導論》一書中，他就指出：「正如說話的天賦與歷史上形成的任何語言無關一樣，人還有一種與歷史上形成的與任何宗教無關的信仰天賦。如果我們說把人與其他動物區分開的是宗教，我們指的並不是基督徒的宗教或猶太人的宗教，而是一種心理能力或傾向，它與感覺和理性無關，但它使人感到有「無限者」（the Infinite）的存在，於是神有了各種不同的名稱，各種不同的形象。沒有這種信仰的能力，就不可能有宗教，連最低級的偶像崇拜物神崇拜也不可能有。只要我們耐心傾聽，在任何宗教中都能聽到靈魂的呢喃，也就是力圖認識那不可能認識的，力圖說出那說不出的，那是一種對無限者的渴望，對上帝的愛。」* 當然，繆勒很明白，上述定義同樣也避免不了這樣或那樣的批評甚至否定。所以，在《宗教的起源與發展》裡再次提出這個定義時，他主要做了以下幾點辯解：

首先，有一種批評意見是對「信仰的天賦或精神的本能」的質疑。按常用說法，「本能」就是某種實在的東西。繆勒認為，所謂的本能並不等於實體本身，不應理解為神或靈，而是和能力或力量一樣，是實體的一種活動方式。但無論作何理解，如果「本能」不是個通俗的概念，容易產生誤解，可改用「潛能」一詞，以說明人在主觀上有這麼一種潛能，使人能夠理解「無限」。

其次，批評者認為，若承認感性與理性之外還有第三種自我意識，這難免導致一種神秘的宗教觀。可繆勒指出，任何宗教都有嚴格的基本要素，就是承認神靈的存在，而這既不是感性能領悟也不是理性能認識的。因此，如果沒有第三種自我意識，擺在我們面前的宗教事實便無法解釋。有關宗教起源問題的考察將表明，所謂的第三種自我意識並不比感性或理性神秘多少。它和理

---

* 繆勒：《宗教學導論》，上海人民出版社1989年版，第11～12頁。

性一樣，是人的感性知覺在特定條件下的發展，而這條件也就是「信仰的潛能」。

第三，關於「無限」的涵義。無論就時空還是質與量而言，感性經驗以及據此形成的理性認識都是有限的。這種有限性是實證性知識的一般屬性。與此相對，「無限」則是泛指超越於感性與理性的東西，像不確定的、不可見的、超感覺的、超自然的、絕對的或神聖的等等。一言以蔽之，作為一種最高的概括，該詞就是指宗教意識的對象及其特徵。

最後，有限的人能理解無限嗎？這是來自實證主義哲學的詰難。實證主義者強調感性與理性是知識的唯一來源，他們不但對任何宗教定義不感興趣，而且從根本上否定有什麼宗教意識的存在。作為一門新學科的開創者，況且要在實證主義思潮達及鼎盛之時來探究宗教現象的起源，繆勒切身體驗到上述詰難的嚴峻挑戰，將之稱做「一場生死搏鬥」。他指出，在展開論戰之前，先讓我們看看雙方劃出的「戰場」，亦即都能認可的條件是什麼吧。我們都承認，人的意識是以感官知覺為出發點的，也就是說，人是根據所聽到、所看到、所觸到的而產生感性認識，並進一步形成理性認識的。繆勒接受以上條件後想做的就是：透過對宗教起源過程的具體考察，拿出即使連最極端的實證主義者也無可辯駁的「感官證據」來，以證實所謂的宗教史也就是人類由感官知覺始發，不斷努力探尋著「無限」的歷史。

儘管我們在此把繆勒的「開題論證」大大簡化了，可還是能看出他僅為提出問題便花費了多少筆墨，克服了多少曲折。同樣，他在選擇角度以切入正題時，也是十分謹慎地獨闢蹊徑。這在很大程度上得助於他在東方學和語言學方面的功力。

對於宗教起源這樣一個龐雜的課題，面面俱到顯然是不可能的，空泛而論也是缺乏歷史感、沒有說服力的。繆勒所選擇的角度是，僅從宗教起源與發展的歷史源流中遠溯一條支流，即古印度宗教。這種選擇的理由主要有二：首先，就史料而言，其他任何一種宗教均無法和古印度宗教相比。繆勒稱，如此豐富的古印度文獻能保留至今簡直是個奇蹟。這就使後人有可能藉助古印度的聖書和梵文，來探討宗教思想及其語言是如何產生、如何傳播、又是如何與其他宗教的起因保持著聯繫的。其次，各種宗教雖然有其獨特的發展過程，可它們的「種子」即「起因」卻是相同的，而這就是「無限之觀念」，所以，關於古印度宗教的尋根溯源不失普遍意義。

約18世紀末以來的百餘年間，幾乎所有的宗教史學者都不懷疑一個定論：拜物教是一切宗教現象的起點。繆勒認為，當時仍在流行的這個看法是很難成立的。除去其本身的許多邏輯破綻不說，最大的一個問題就是缺乏史實。從最早的古印度聖書來看，那時不但還沒有出現拜物教的蹤跡，甚至也找不到原始啟示論的影子；一切都是自然的、可理解的。因而，真正可信的歷史線索在於，看看能否從這些古老的聖經裡發現「一個人人皆有的起點」，即感性經驗，而古亞利安人又是如何由此慢慢地產生了信仰，相信某種感官無法完全提供的東西，也就是超自然、神聖的或無限的對象。以上線索意味著繆勒要「從頭說起」。

原始人和我們一樣也把五官感受到的東西看做是明顯的、真實的。譬如，對一個生活在第四紀或第五紀的穴居人來說，一塊能看到、聞到、摸到、嚐到、而且敲碎時能聽到聲音的肉骨頭，是絕對真實的。按進化論的觀點，觸覺在所有的感覺裡是最原始、最低級的，但它所提供的又是最不可懷疑的證據。大致來說，感覺尤其是觸覺的對象可分為三類：

（1）「可觸知的對象」，如石頭、骨頭、果殼等；（2）「半觸知的對象」，如樹木、山川、河流、大海、大地等；（3）「不可觸知的對象」，如蒼天、星空、太陽、黎明、月亮等。繆勒正是基於以上分類觀點轉入了古印度聖書的考察。他首先想回答的一個問題是：亞利安人最古老的讚美詩和祈禱文是獻給誰的？

《梨俱吠陀》所讚美的主要是自然神祇。據繆勒的分析，在這部最古老的宗教文獻裡，幾乎沒有一處讚美過「可觸知的對象」，像石頭、骨頭、香草、果殼等。這類事物受到讚美，是後來的事情，主要見於《阿闥婆吠陀》。而第二類對象在《梨俱吠陀》中所處的地位卻非同尋常，可以說幾乎所有的「半觸知事物」都是神聖的，都大加讚美，像山川、河流、大海、樹木、大地等等。繆勒從數千首詩裡選譯了一些片段。為形象化起見，下面轉錄幾句：

「願山嶺、水、豐盛的植物，上天，願大地綠樹蔥蔥，願兩個世界保佑我們生活富裕。」

「願光芒萬丈的太陽吉利慈悲，願四季吉祥如意，願堅固的山慈悲為懷，願江河湖海善良溫順。」

「願我們高度頌揚的山嶺和閃閃發光的河流保我們平安無事。」

「願升起的黎明保護我！願滾滾的河流保護我！願堅固的山嶺保護我！當我上籲諸神時，願父親們保護我！」*

繆勒認為，這一類祈禱文顯然是「獻給那些依然很可以理解的

---

* 可詳見《宗教的起源與發展》，第138～140頁。

事物，即半觸知的物體，或半神的東西」的。下一個要回答的問題是：這些事物能被稱為「神」嗎？照繆勒的解釋，假如我們和生活於《梨俱吠陀》時代的人面對面地交談，向他們提問：河流、山嶺、大地等是不是你們信奉的神呢？他們肯定不明白我們的意思。因為這就像我們從兒童那裡得到的某些否定答案一樣，年幼的兒童還不會把人、馬、鳥、魚等認做動物，或者將幾種不同的花木概括為植物。也就是說，那時的讚美詩或祈禱文裡還沒有形成比較抽象的概念。關於神祇的概念是在潛移默化的過程中逐步形成的，就是在這一過程裡人們對那些「半觸知的」乃至「不可觸知的」事物有了越來越明確的感知。不過，拿古亞利安人來說，從半觸知的事物過渡到不可觸知的事物，亦即從自然物到超自然物，還經歷了一些不可忽視的中介環節。

提到這些中介環節，第一個就是「火」。繆勒強調，這裡說的「火」，不是指我們現在所瞭解的，而是指人類還沒有發明「取火技藝」前的，也就是人類祖先感受到的那種「火」。比如，令人迷惑的閃電，突如其來的森林火災。不難想見，如果對人類祖先來說有一種「幽靈」那就是「火」。它時隱時現，來去無蹤。它是來自雲裡嗎？是藏身於海裡嗎？是住在太陽那裡嗎？還是在空中遊蕩呢？所以，那時人們談論到火，只能根據一些現象來對之命名，把火叫做「燃燒者」、「發光者」，形容它是「飛快的」。這就無怪乎為什麼在古亞利安人那裡「阿耆尼」（Agni，火）的故事何其多。譬如，講火是兩塊木頭的兒子，一生下來就吞沒了父母；一碰到冷水就變得精疲力竭乃至無影無蹤；它能橫掃整座森林，能把供品從地上帶到天上……這些古老的故事告訴我們，火裡有一種不可見不可知的卻又不可否認的東西。

在古亞利安人那裡，僅次於火出現的另一個中介環節是「太陽」，甚至可以說這二者有時就是同一個東西。繆勒一向看重「太陽神話」，以致有的學者批評他傾向於把古代神話都歸結為「太陽的幻想」。這種評論並非無中生有。為什麼古亞利安人有那麼多太陽神話呢？繆勒回答，除了太陽還能是什麼呢！古亞利安人天天講的就是太陽，對太陽的稱呼很多，故事也特別多，因為對他們來說太陽一直是個謎。太陽幾乎天天可見，可他到底是誰呢？他從哪裡來，又到哪裡去呢？儘管古亞利安人天天仰視著太陽，渴望看到太陽的內心世界，渴望得到靈魂的回報，而這類渴望又總是無法實現，但他們卻熱愛太陽，崇拜太陽，從不懷疑太陽哪裡有一種不可見、不可理解的東西。

除了「火」和「太陽」外，「黎明」、「雷」、「風」、「雨」等也是一些重要的中介環節。繆勒對之逐一做分析後總結說：透過這一連串中介可以看到，《吠陀》詩人們所描述的「萬神殿」是如何形成的。「那就是從可感知的東西到不可感知的東西的真實變化，從那種可觸及（如江河）、可聽到（如雷聲）、可看到（如太陽）的提婆（光明物），轉變成不再能觸及、聽到和看到的提婆（即諸神）。在提婆這類詞的變化中，我們找到了我們的祖先從感官世界跨越到感官不能把握的世界的實際足跡。這條路是自然本身勾畫出來的，或者，如果自然本身也已成為喬裝的提婆，那就是比自然更偉大和更高的東西勾畫的。這條古老的道路（至今猶存）引導古代亞利安人從已知到未知、從自然到自然的上帝。」* 為加強上述論點，繆勒接著又考察了古亞利安人的幾個基本宗教觀念的產生過程。

* 《宗教的起源與發展》，第149頁。

繆勒再三強調，「無限」的觀念是所有宗教意識的根基，是各種宗教形式得以發展的最基本的「史前動力」*。如果把現存最古老的宗教文獻《吠陀》比做「古亞利安人探視無限的窗口」，同樣可以證實，所謂的「無限」並非是從理性那裡無中生有的，而是有其原始的感覺依據。

在《吠陀》裡，有一個神叫「阿底提」（Aditi）。「阿底提」一詞是由詞根「底提」和詞頭「阿」組成。「底提」在梵文裡一般指「捆綁」，衍生的詞義是「界限」；「阿」是個否定性的前綴。所以，該詞的原意就是「無界的、無邊的、無窮的、無限的」。據繆勒的語言分析，「阿底提」最早是用來稱呼「黎明」的，或更準確些說，是指「世界之光與生命每日清晨閃耀而出時的天空」，而並非像有些《吠陀》專家判斷的那樣屬於後來產生的抽象概念。對古亞利安人的先知來說，似乎是黎明打開了另一個世界的「金門」。這扇門向太陽敞開，陽光冉冉升起，撩起了漫漫長夜的黑色面紗，使天空變得透明，大地生機勃勃。可當古印度先知們的眼睛遠眺黎明時的天空，天真幼稚地力圖超越有限世界的邊際，可「光海或火海」卻總是藏在黎明的身後，令人無法探明原由。這難道不就是一種發生在眼前的「不可見的無限」嗎？繆勒指出：「這是《吠陀》教給我們的偉大的教訓！我們的一切思想，即使看來是最抽象的思想，全都從我們感官所經歷的日常事物中取得其自然的根源。」同樣的道理，《吠陀》裡的另一個基本的宗教觀念——「法則」或「秩序」（利塔，Rita），也是如此起源的。

在繆勒看來，繼以上歷史考察後，便可以確定最古老的宗教形

* 參見《宗教的起源與發展》，第31、34、38、155等頁。

式是什麼了。自中世紀以來就流行著一種觀點，認為宗教起源於原始的啟示，因而宗教的原始形式也肯定是「唯一神教」的。繆勒對此持否定態度。他指出，如果非得用一個名稱來概括吠陀時代出現的最古老的宗教形式，那麼，這種形式既不能叫做「唯一神教」（Monotheism），也不能稱作「多神教」（Polytheism），而只能定性為「單一神教」（Honotheism），那麼，何謂「單一神教」呢？或者說其特徵是什麼呢？它是怎樣產生的呢？按繆勒的觀點，這些問題同樣可以在古亞利安人獻給太陽的大量讚美詩裡找到答案。

概覽《吠陀》，太陽有很多名稱，諸如「蘇利耶」、「沙維德利」、「密多羅」、「普善」、「阿底提」等等。圍繞這類名稱所形成的無數讚美詩或祈禱文，可引導著我們一步步地追尋「太陽的線索」，即看看太陽在古亞利安人的心目中是如何從「一個發光體」逐步演變成整個世界的創造者、統治者、保護者乃至至上神的。繆勒認為，這一演變過程大致經歷了如下幾個步驟：

第一步，太陽被稱為「日常意義上的生命賦予者」。對古亞利安人來說，是陽光把人從睡夢中喚醒，給人與大自然以新生。

第二步顯得更大膽，太陽上升為「一般意義上的光明與生命的賦予者」，陽光是一日之始，是生命之始，所以太陽是光明與生命的創造者，是整個世界的統治者。

第三步，太陽是一切生命的保護者，是它趕走了漫漫黑夜，使整個大地重現生機。

最後一步，太陽是無所不見、無所不知的主宰，它能看清人間的一切，不論是對是錯、是善是惡。

對於上述演變過程，繆勒一如前面所做的一些考察，也從《吠陀》裡引證了許多讚美詩或祈禱文。此外，他還探討了古亞利安人其他神祇觀念的起源過程，以支持有關單一神教的判斷。

總括起來，繆勒認為「單一神教」的主要特徵有這樣幾點：（1）古亞利安人最早崇拜的是諸多「單個的對象」，無論這些對象是半實體的還是非實體的，他們都相信其中存在著某種不可見的、無限的東西。（2）當古亞利安人讚美某個對象，譬如太陽，把最高的權能賦予太陽時，並不意味著他們只崇拜太陽。與此同時，他們也在盡其所能地讚美其他的對象，諸如山川、河流、大地、蒼天、風雨、火等等，因為在他們眼裡這些對象也擁有最高的權能。（3）據《吠陀》的記載，作為單個崇拜對象的眾神靈，雖然各有不同的起源，但他們一開始是在互不相干的情形下產生的，並無孰高孰低或孰優孰劣之分。也就是說，他們在各自的領域裡都是神聖的、完美的，各占據著崇拜者們的全部視野的。（4）因此，單一神教與多神教的區別之處即在於，前者是對眾神靈的輪流崇拜，是在用能表達的神性來讚美一個又一個的神； 而後者所崇拜的眾神中間卻有一位至高無上、無與倫比的主神。*

綜上所述，對單一神教的溯源，在繆勒那裡實際上也就是對傳統的宗教起源觀點的否定。他認為，最原始的宗教形式既不是多神教更不是唯一神教，而是單一神教。對於這種原始的宗教形式，我們雖然只有藉助於《吠陀》才能得以瞭解，但可以肯定，它是其他宗教信仰也都經歷過的一個初始階段。就宗教起源與發展的全過程而言，這個階段可比作「帝國出現前的無政府狀態」，是「區別於帝國宗教的公社宗教」，或者說是「宗教語言形成過程中的方言階

---

* 以上觀點是綜述的結果，可詳見《宗教的起源與發展》第184、189、190～191、196、200等頁。

段」。繼此之後，才依次出現了多神教和唯一神教。

繆勒是這樣解釋的：「正如先有方言，後有語言，然後才有民族共同語言，宗教也是這樣。宗教出現在每個家庭的爐邊。當一些家庭統一為部落時，單個的爐灶於是變成全村的祭壇。而後，各個部落又聯合而為國家，於是不同的祭壇就變成全民族共有的聖殿或聖廟。這個進程是自然發展而成的，所以是普遍存在的。」*

---

* 《宗教的起源與發展》，第200～201頁。

第二節　文化人類學的探討

前面提過，宗教起源問題是早期比較宗教學的「一大熱點」。對比較宗教學的早期研究狀況有這樣一種評論：自19世紀70年代到20世紀20年代，這門新興學科主要是由文化人類學的理論控制著的，因為那時的學術重點放在古代宗教研究，是以考古的、實地的或文獻的證據來追溯古老宗教傳統的起源 *。這種評論基本屬實。回顧那段時間的宗教起源問題論壇，最有影響者確是文化人類學的一批名家的著名觀點。例如，泰勒（Edward Burnett Tylor, 1832～1917年）首倡的「萬物有靈論」，科德林頓（Robert H. Codrington, 1830～1922年）發現的「瑪納」（mana）現象，史密斯（Robertson Smith, 1846～1894年）所作的圖騰尤其是動物圖騰儀式研究，馬累特（Robert R. Marrett, 1866～1943年）提出的「前萬物有靈論」，弗雷澤（James G. Frazzer, 1854～1951年）總結出的巫術原理，等等。這些學說的廣泛影響不僅一直持續到本世紀中期，甚至到今天也仍在宗教學界留有餘音。

若想就宗教起源問題來整理一下這麼多名家的成果，恐怕是一部專著也難以包容的。在這一節，我們只從他們中間選擇一位略加評介，他就是弗雷澤。弗雷澤在很多方面都是有代表性的，比如，他利用了當時所能找到的大部分資料，他所概括出的宗教起源模式，「從巫術到宗教」，也在很大程度上綜合了同一時期文化人類學的主要論點；更令我們感興趣的是，他一生的工作都在實踐著泰勒主張的比較研究方法，這不光是因為泰勒被譽為宗教研究領域「人類學派」的先行者，被弗雷澤視作治學楷模，主要原因在於比較研究方法本身就是文化人類學的精神所繫。所以，我們希望透過評介弗雷澤，能對文化人類學的宗教起源觀點有一種方法論的把握。

弗雷澤其人其學術是與《金枝》連在一起的。後來的學者們提起《金枝》大多都禁不住地美譽幾句。這部材料豐富、文風飄逸、名噪人類學界、宗教學界、文學界等諸多領域的巨著，不知耗費了作者多少心血。該書於1890年首版，兩卷本；1900年二版，三卷本；1911年至1915年推出了第三版，已長達十二卷，近5000頁；1922年的第四版是節略本，保留了基本論點和必要的例證，只剩700多頁。據弗雷澤的回憶，他起初構思此書時，只是想簡要解釋古羅馬的一則傳奇，可沒料到卻由此引出了一些帶普遍性的、未曾有人提出過的問題，於是便有了篇幅一再擴充的《金枝——巫術與宗教之研究》。我們可沿著作者本人提供的線索，大致再現他有關宗教起源問題的解釋。

在臨近羅馬的內米湖畔，有一片聖林裡坐落著森林女神狄安娜神廟。按傳說中的古老習俗，這座神廟的祭司職位總是留給一個逃亡的奴隸，他一旦成為祭司，同時也就成了「森林之王」，當然主人便不能再追究了。可他的位子很不保險，或者說很危險，他不得不時時刻刻手持寶劍，不分晝夜也不分寒暑地守住一株高大的聖樹。為什麼呢？只要有另一個逃奴折取了樹枝，就有權和他搏鬥，奪取他的聖職。

弗雷澤想要解開的就是這古老傳說深含的古老信仰之謎。他主要提出了這樣兩個問題：第一，為什麼狄安娜神廟的祭司兼森林之王，非得殺死他的前任呢？第二，為什麼他在搏鬥之前又必須先折一節樹枝，也就是古羅馬人所公認的「金枝」呢？弗雷澤概括出的宗教起源模式，主要是解答頭一個問題的結果。

弗雷澤指出，狄安娜神廟的祭司同時也擁有一種王位，這種將王位與聖職集於一身的現象並不罕見，而是古代文化的一種普遍特徵。例如，在古希臘、古羅馬、古代小亞細亞等地的文化傳統中可以發現，古代的君主、國王或皇帝們一般都身兼祭司一類的聖職。值得重視的是，籠罩在古代統治者們頭上的神聖光環絕不是虛幻的，而是反映著特定的宗教內涵。在很多文化背景下，統治者們受到尊崇，不只是由於他們是祭司，是人與神之間的聯繫者，他們甚至直接就被看作是「超人」，是「神」。因為在一般人的眼裡，他們擁有凡入所不及的權能，能賜富於臣民，能使一個國家或地區風調雨順、五穀豐登。這種對統治者的過高期望，現代人肯定會不可思議，但對古代人來說卻是一種再自然不過的思維方式了。

按照弗雷澤的觀點，「自然」與「超自然」之間的區別，對文明人來說是明顯的，可野蠻人還無法想像出來。也就是說，在未開化民族看來，世界在很大程度上是由超自然的力量支配著的，這些超自然的力量就是具有人性的神靈，因為它們和人一樣，行動時有衝動也有意志，也很容易為某些事情所感動。正因為如此，原始人透過祈求、許諾、討好和威脅等多種方式，期望能從神靈那裡得到好天氣、好收成。假如某個神靈能像他們相信的那樣，化作凡人肉身，他們也就不必再求助於更高的神靈了，因為這位化作凡人的神靈即統治者，已能滿足他們的全部期望了。

但弗雷澤指出，上述情形還只是產生「人──神」觀念的一種途徑。此外還有一條更原始的途徑，這就是「交感巫術」。這種古老的巫術曾是普遍流行的一種迷信體系，是它使最早的統治者們同時扮演著巫師的角色，叫人們相信世俗的權力來源於巫術或法術。因而，若想理解王權與神性之結合的進化過程，便需要進一步分析巫術現象及其原理。這大致就是弗雷澤為什麼由巫術來追究宗教起源的根據所在。

關於弗雷澤著名的巫術原理，可先藉一個圖示留下大體印象：

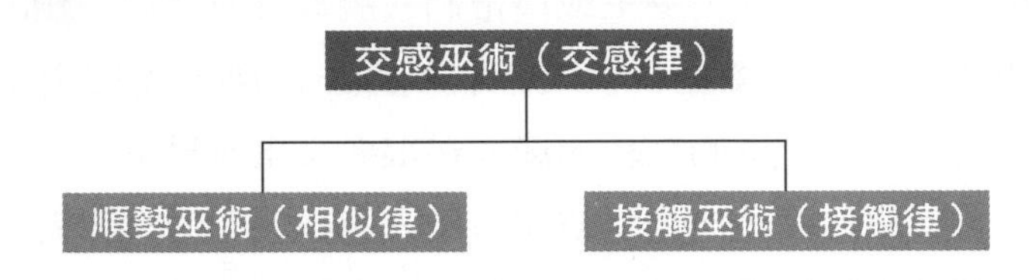

所謂的巫術就總體而言相信的是一種「交感律」，即相信兩個或多個事物透過某種神秘的交感可產生遠距離的相互作用；或用古代哲學語言來說，可透過「不可見的以太」將某物的力量傳達給他物。若加分析，巫術的思維原則主要有二：(1)相似律，同類的事物相生，或者說，相同的原因產生相同的結果。據此形成的法術可稱為「順勢巫術」或「模擬巫術」，即巫師僅僅藉助於模仿來達到目的；(2)接觸律，也叫「觸染律」，相互接觸過的事物即使分離以後也還會產生相互作用。根據這個原則，只要某人接觸過某物，巫師就能透過該物而對該人施加影響，這類巫術可叫做「接觸巫術」。

弗雷澤認為，巫術的兩個原則或原理純屬「聯想」的兩種誤解或濫用。順勢巫術依據的是「相似聯想」，它誤把相似的東西看成同一個東西；接觸巫術的聯想根據則是「接觸」，誤以為凡接觸過的事物總是保持接觸的。在實踐中，這兩類巫術及其思維謬誤經常是混而不分的。順勢或模仿巫術還能單獨進行，可接觸巫術一般要藉助於順勢或模仿的原則。

按邏輯的分析，巫術可分為「巫術的原理」與「巫術的應用」。但弗雷澤著重指出，最早的巫師僅僅是從應用的角度來看待巫術的。他們從不思考抽象的巫術原理，也不分析相關的心理過程，他們雖然也作推理，但根本不是我們所講的邏輯推理。也就是說，在原始巫師那裡，巫術始終是一種技藝，而並非什麼理論，原因就在於他們還沒有任何科學的概念，他們的理智還是未開化的。接下來的評介可使我們看到，這種觀點對弗雷澤界定巫術、科學與宗教三者的關系有很大影響。

所謂的巫術是對自然規律的一種歪曲，是一種「偽科學」，這是弗雷澤就巫術與科學二者關係所作的基本判斷。他認為，人類從一開始就在探索著大自然的奧秘。自然現象有規律的重覆，或者說自然界的一系列大循環，不用多久就會銘刻在原始人的遲鈍的大腦裡。但那時，原始人並不能真正了解自然過程，也根本意識不到自己的無知和駕馭自然之能力的低下。相反地，他們盲目自信，自以為能夠控制自然，使之造福於自己，加禍於敵人。這無知的企圖就是巫術活動。

有大量資料表明，無論在什麼地方，交感巫術都隱含著一種信仰，即確信自然現象是有嚴格次序的。巫師們從不懷疑相同的原因必然導致一樣的結果，用特定的法術必定產生預期的功效。因此，他們儘管自以為神通廣大，不祈求於任何更高的權能，但同時又是十分小心的，嚴格遵照自己所信的「自然法則」，因為一旦違背法則或規矩，哪怕是很小的失誤，也會敗招，甚至連巫師本人也陷入危險境地。所以說，巫師駕馭自然的能力，一般是嚴格限制在一定範圍內的。

由此可見，巫術在基本觀念上是與科學相近的。巫術觀念早就認定自然界是有規律、有秩序的，事物的演變是可預見、可推算出來的。因而，和科學一樣，巫術也對人有強烈的吸引力。它以美好的憧憬，引誘著那些困乏了的探索者們，穿過現實這片失望的荒野，登上理想的峰巔，使滾滾迷霧、層層烏雲都落在腳下，遠眺著天國之都的輝煌。

但正如前面指出的，巫術是對自然規律的曲解、對思維原則的誤用。弗雷澤認為，巫術的謬誤並不在於對客觀規律及其作用的一般性假定，而在於完全誤解了自然規律的性質。這就導致了對思維原則的濫用。聯想原則本身是優越的，是人類思維的基本規律，加以合理應用可結出科學之果，而濫用只能產生「科學的假姐妹」──巫術。所以，弗雷澤在巫術與科學的關係問題上更強調的是二者的差異性。「巫術是一種被歪曲了的自然規律的體系，也是一套謬誤的指導行動的準則；它是一種偽科學，也是一種沒有成效的技藝。」*

巫術與宗教的關係，是弗雷澤進一步追究的問題，也是其整個研究工作的一個重點。和前一節討論過的繆勒一樣，弗雷澤也切身感到，如何定義宗教，這是當時宗教學研究中最棘手的一個難題。他說，每個學者在著手考察宗教與巫術的關係問題之前，都要先提出自己的宗教概念，可世界上也許沒有比「宗教的性質」更眾說紛紜的研究課題了。顯然，要想擬定一個大家公認的宗教定義是不可能的。一個學者現在所能做的只是：先說明自己理解的宗教是指什麼，然後前後一貫地使用這個定義。

弗雷澤的回答十分簡明：「我說的宗教，指的是對被認為能夠指導和控制自然與人生進程的超自然力量的迎合或撫慰。這樣說

---

* 弗雷澤：《金枝──巫術與宗教之研究》（上、下），中國民間文藝出版社1987年版，第19～20頁。

來，宗教包含理論和實踐兩大部分，就是：對超人力量的信仰，以及討其歡心、使其息怒的種種企圖。」* 在這個定義裡，「信仰」（理論） 和「討好」（實踐） 兩個因素相比，首要的是信仰，即相信整個宇宙或世界的統治者是神靈，其次才有可能形成討好的企圖。據此，弗雷澤指出了宗教與巫術的兩點主要差異。

第一，關於自然過程的可變性與不可變性。宗教信仰顯然是在相信這樣一點：自然事物的產生過程在一定程度上是可塑造或可改變的；也就是說，崇拜者們透過討好或取悅於自然進程的主宰，有可能說服或誘使神靈來按照人的利益改變某些事物。如前所述，巫術和科學的基本原則恰好與之相反，二者都認為大自然的運行過程是客觀的、不變的，對此人為的討好、哀求、說服、恐嚇等等一概無濟於事。所以說，上述不同信念所表現的就是兩種矛盾的宇宙觀。

第二，整個宇宙或世界的統治力量是有意識、有人格的，還是無意識、無人格的？弗雷澤認為，這是問題的關鍵所在，是宗教之所以區別於巫術的原因。宗教作為一種取悅超自然力量的企圖，其本身就暗示著那個被討好者是有意識、有人格的，他的所作所為在某種程度上是不確定的，是可被說服或被打動的，只要人們能投合他的興趣、情感和意志。巫術與科學在這一點上也是和宗教信仰對立的。巫術與科學都相信，自然過程是由機械的、不變的法則支配著，而根本不取決於任何意志或人格。巫術與科學在認識上的不同在於，前者是隱含的，後者則是鮮明的。巫術的確經常和神靈打交道，這類神靈也可以說是有人格的。可實際上，巫師對待神靈的方

---

* 弗雷澤：《金枝——巫術與宗教之研究》（上、下），中國民間文藝出版社1987年版，第77頁。

式和對待有生命的東西完全一樣，是用儀式和咒語來加以強迫或壓制，而不像宗教信徒那樣去討好或取悅。換言之，在巫術那裡，一切有人格的對象，不管是人還是神，最終都受制於非人格的力量。

正是根據巫術與宗教的上述差異，弗雷澤作出了那個著名的判斷：巫術早於宗教。因為如前所述，巫術只不過是誤用了人類最簡單、最基本的思維原則，即相似的或接觸的聯想；而宗教卻假定大自然的幕後還存在著一種有意識、有人格的力量，即神靈。顯而易見，人格神的概念較之原始的相似或接觸觀念複雜得多；認定自然過程取決於某種有意識的力量，較之把事物間的因果聯繫簡單歸結於相似或接觸，前者的理論也深奧多了。弗雷澤比方說，即使連野獸也會把相似的東西聯繫起來，否則就沒法生存；可誰會認為野獸也有一種信仰，也相信大千世界是由某個強大無比的怪獸在背後操縱著呢？與巫術那原始的聯想、愚昧的信念相比，宗教顯然是以更高一級的心智和概念為基礎的。因此，合乎邏輯的判斷很可能是：「在人類發展進步過程中巫術的出現早於宗教的產生，人在努力透過祈禱、獻祭等溫和諂媚手段以求哄誘安撫頑固暴躁、變幻莫測的神靈之前，曾試圖憑藉符咒魔法的力量來使自然界符合人的願望。」*

文化人類學家對澳洲土著人所作的實地考察，已能證實上述判斷。據現已掌握的詳實材料，巫術在當地十分盛行，而宗教卻無人知曉。甚至可以概略地講，在那裡，人人都是巫師，卻沒有神父；人人都自以為擁有巫術，可沒人夢想過用祈禱和祭品去討好神靈。

---

* 弗雷澤：《金枝——巫術與宗教之研究》（上、下），中國民間文藝出版社1987年版，第84頁。

那麼，能否把這個已得到部分證實的判斷推而廣之？就像肯定石器時代的普遍性那樣，也推測所有的文明民族都在精神上經歷過一個巫術的時代？在弗雷澤看來，對此完全有理由作出肯定的回答。

從格陵蘭到火地島，再從蘇格蘭到新加坡，走遍人類現存的各個民族，可以發現很多宗教。宗教現象的複雜性不單單表現為其種類猶如人類種族一樣繁多，而且還滲透到每個聯邦、國家、都市、村莊乃至家庭。但弗雷澤認為，各種宗教體系所影響的主要是知識階層。只要走出紛紜複雜的宗教現象就會發現，那些「無知的、愚昧的、軟弱的、迷信的人們」，即「智力低下階層」，在信仰上是完全一致的。問題在於，正是這些人構成了人類的大多數。19世紀學術研究的一項重大成果就是把眼光轉向了社會下層，發現了世界各地的「智力低下階層」 的共同信仰，即巫術是一種名副其實的全民性或世界性的信仰。弗雷澤以一個文化人類學家的現實態度說，如果可採取「舉手表決」 的方式來測定真理的話，巫術肯定比天主教會更有理由言稱：自己是絕對正確的，是「無所不在、無人不知」的。總之，對弗雷澤來說，與宗教現象的複雜多變性相比，巫術的單一性、普遍性以及恆久性，使之更有根據成為人類精神發展史上的原始階段。此論點可看作是弗雷澤建立宗教起源模式的關鍵一環。為此，他提供的論據真可謂是遍及古往今來、東西南北，是整整一部《金枝》，令我們無法在這裡隨意抽取幾例。

為論證其宗教起源模式，弗雷澤還回答了一個問題：巫術是怎樣演變出宗教的。應當說，弗雷澤對這個問題抱有十分謹慎的態度。在他看來，對於這樣一個深奧的問題，需要解釋的事實是很龐雜的，現有的調查也是很不充分的。因而，目前所能做的只是提出一個近似合理的假說：宗教是對巫術之謬誤的一種認識，是對人類之無知與無能的一種反思。

年復一年，日久天長，那些善於思考的或較聰明的人終於察覺到，巫術的儀式和咒語並不能獲得期望的結果。這對原始人來說是一次重大發現。它在思想上產生的革命意義即在於，人類有史以來第一次認識到自己是不能任意控制自然力量的。人們原先以為是動因的東西並非如此，憑藉巫術所作的一切都是徒勞的。雨點還是落在乾旱的地上，太陽依舊早出晚落，月亮仍漫游於夜空，四季照樣默默無聲地交替；一代又一代的人降生在這個世界上，辛勤勞作，飽經苦難，最後還是棲身於祖墳……萬事萬物儘管照舊發生，但並非巫術的功效。因此，人們不再沉溺於巫術的幻想，一點一點地意識到還有其他的力量，遠比人類強大，也遠非人所能控制的。

弗雷澤用散文語言接著描述，大致就是這樣，原始哲學家的思維之船被砍斷了錨繩，顛簸在滿布疑雲的海面上，他們原有的自信被粗暴打碎了，他們悲哀，他們困惑。這情形一直到暴風雨過後，古老的思維之船又駛進一個平靜的港灣，進入了一種新的信仰與實踐體系，就是能消除疑慮和困惑、能取代巫術的宗教。於是，原始哲學家開始相信：如果眼前的偉大世界無須人的推動而能照常運行，背後必定存在著某些更神奇更偉大的力量。這些力量雖然隱而不現，但大自然與人世間的千變萬化似乎都在顯現著他們的意志、人格和權能。這就使原始人不得不低下頭來，把以前寄予巫術的美好期望統統轉化為對眾神靈的祈求，諸如風調雨順，五穀豐登，生前平安，死後解脫，升入極樂世界。

總的看來，從巫術到宗教的巨大轉變，就是在上述這類思想狀況下完成的。關於這個轉變過程，弗雷澤還作了兩點不可忽視的說明。首先，這種轉變主要體現在古代智者的認識上。換句話說，只有那些知識層次較高的人才具有寬闊的視野，能意識到宇宙之博大和人類之渺小，從而皈依於神靈意志，形成較之巫術更深刻的宗教觀念。而那些愚昧無知、眼光近視的人，是很難達到宗教思想高度的。因為對他們來說，除了自我或個人，似乎沒有其他更重要、更偉大的東西了。所以，宗教不可能根除巫術。即便宗教出現以後，巫術也還是深深扎根於大多數人的心靈。這是巫術至今仍在流行的主要原因之一。

其次，巫術之轉變為宗教的過程可能是極其緩慢的。要剝奪巫師或古代智者們的統治權，要打破他們的無知與幻想，要他們承認自己的無能，肯定不是一件容易的事情。因而，宗教信念起初只是對超自然力量少許的或部分的臣服，譬如，一開始可能是風，後來是雨，是陽光和雷電等等，隨著知識的一點點增長而逐漸認識到人對神靈的絕對依賴性，直到把神靈意志視作最高的道德準則。

弗雷澤將其整個巫術與宗教研究比作一次探索性的遠航。他充滿詩意地想像著，乘一葉輕舟駛離內米湖畔，環游世界各大洋，最後又風塵仆仆地回到了充滿神秘情調的內米湖畔。在這一節裡，我們儘管沒能伴隨著這位浪漫的思想家走完全程，更沒有跟隨著他走進數不過來的原始材料徵集地，但還是大體追尋了他探索宗教起源的學理縱跡。作為一種必不可少的補充，我們不妨把他「遠航日誌的最後一頁」摘錄下來，以觀全貌：

「人類較高級的思想運動，就我們所能見到的而言，大體上是由巫術的發展到宗教的，更進而到科學的這幾個階段。在巫術的思想階段，人依靠自己本身的力量應付重重艱難險阻，他相信自然界一定的既定秩序，覺得肯定可以信賴它、運用它、為自己的目的服務。當他發覺自己想錯了，傷心地認識到他所以為的自然秩序和自信能夠駕馭它的能力，純粹都是幻想的，他就不再依靠自己的才智和獨自無援的努力，而謙卑地委身於自然幕後某一偉大而不可見的神的憐憫之中，並把以往狂妄地自以為具有的廣大能力都歸諸於神。於是，在思想比較敏銳的人們心目中，巫術思想逐漸為宗教思想所替代，後者把自然現象的更迭解釋為本質像人、而能力無限超過人的神的意志、神的情感或願望所規定的。」

「隨著時間的推移，這樣解釋又令人不能滿意，因為它假定自然界的活動，其演變更迭，不是取決於永恆不變的客觀規律，而是在一定程度上變易無常的。這是未經慎密考察的臆說。相反，我們愈仔細觀察自然界的更迭現象，愈加倍感到它們嚴密的規律，絕對的準確，無論在什麼地方觀察它們，它們都是照樣準確地進行著。我們的知識每取得一次偉大的進步，就又一次擴大了宇宙間的秩序的範疇，同時也相應地限制了宇宙間一些明顯的混亂的範疇。時至今日，我們已經能夠預見：人類獲得的更多的知識，將會使各方面看來似乎真實的混亂，都化為和諧，雖然在某些領域內命運和意亂似乎還繼續占統治地位。思想敏銳的人們繼續探索宇宙奧秘以求得更深一層的解答，他們指出：自然宗教的理論是不適當的，有點兒回到了巫術的舊觀點上；他們明確地以為（過去巫術只是明確地假定）自然界現象有其不變的規律性，如果周密觀察就能有把握地預見其進程，並據以決定自己應採取的行動。總之，作為解釋自然現象的宗教，已經被科學取代了。」*

* 弗雷澤：《金枝——巫術與宗教之研究》（上、下），中國民間文藝出版社1987年版，第1,005～1,006頁。

第三節　宗教社會學的解釋

對宗教起源問題，許多著名的社會學家作過理論嘗試，像孔德、斯賓塞、杜爾凱姆等等。其中，尤以杜爾凱姆的觀點影響較大，也很有典型意義。

艾彌爾・杜爾凱姆（Emile Durkheim, 1858～1917年）是著名的法國社會學家、哲學家，一位有猶太血統的無神論者，現代意義上的宗教社會學的開創者，是他最先使用了「宗教社會學」一詞，並對這門學科基本理論的系統化作出了突出貢獻。他關於宗教起源問題的探討，主要見於已成為宗教社會學經典之作的《宗教生活的基本形式》（1912年）。

《宗教生活的基本形式》長達600多頁，全書的大部分篇幅用於對澳洲某些原始部落的氏族制度和圖騰體系的描述與分析，副標題又叫做「澳洲的圖騰體系」。這些表象很容易使一般讀者產生誤解，以為該書屬於研究原始圖騰現象的專著。因而，在具體評介杜爾凱姆的宗教起源觀點前，有必要先指出他的理論主旨所在。和同時代的許多宗教史學家、文化人類學家不一樣，杜爾凱姆並非專就圖騰現象而探討宗教起源問題，或換一種更準確的說法，他的主要學術興趣並不在於闡明宗教現象的生成過程，而是以其探討打下基礎，建立一種關於宗教的科學，即宗教社會學，甚至進一步建立一種更具普遍意義的「知識社會學」。此一理論主旨在《宗教生活的基本形式》的「導言」部分有明顯反映。

該書的「導言」討論的是「研究主題」，首先列出的小標題就叫「宗教社會學與知識」（Sociology of religion and theory of knowledge）。杜爾凱姆開宗明義： 本書所研究、所分析並試圖解釋的是現知最古老、最簡單的宗教現象，澳洲原始部落的圖騰體系。我們的研究儘管也會像人種學家或歷史學家那樣，儘可能準確地描述這種原始宗教體系，但我們的目的並不止步於此。和所有的實證科學一樣，宗教社會學的目的首先在於解釋「人的實在」，也就是和我們密切接觸著的、並對我們的觀念與行為有影響的那種實在。因此，我們的樂趣並不在於描述這種古老宗教的奇特之處。「如果我們把它作為研究主題，那是因為我們認為它較之其他任何宗教更適合用來完成我們的任務，即闡明人的宗教本質，也就是說，揭示出人性中的一個本質的、永存的方面。」* 所以，在杜爾凱姆的大量論著中，《宗教生活的基本形式》一般被看作是最能反映其學術建樹的一本書。首先把握住該書的理論主旨，我們便易於理解杜爾凱姆探討宗教起源問題的特有邏輯思路了。

宗教現象的特徵何在，或者說宗教是什麼？杜爾凱姆認為，這是在分析圖騰體系前，不得不先解答的一個基本問題。顯然，對這個問題的不同回答將直接影響到對宗教起源問題的解釋。杜爾凱姆不同意對宗教現象加以任何非客觀性的解釋，譬如以「神靈的存在」或「神秘的事物」之類的字眼來定義宗教信仰。在他看來，已知的一切宗教現象，無論是簡單的還是複雜的，都有一個共同的特徵，即把人所了解的全部事物（現實的或理想的）一分為二，劃分為兩大類別，也就是截然不同的兩個「種」（genera）；前者可稱為

---

* 杜爾凱姆：《宗教生活的基本形式》，引自W. S. F. Pickering編：《杜爾凱姆論宗教——原著選讀與文獻提要》（Durkheim on Relion, A selection of readings with bibliographies, London and Boston: Routledge & Kegan Paul, 1975），第103頁。

「世俗的」(profane)，後者可叫做「神聖的」(sacred)。「把世界分成兩個領域，一個包括所有神聖的事物，另一個則包括所有世俗的東西，這是宗教思想獨具的特色。」*

上述分類之所以成為宗教思想的特徵，就是因為它所依據的是「神聖事物」與「世俗事物」二者之間特有的那種絕對的「異質性」(heterogeneity)。杜爾凱姆指出，在人類思想史上恐怕再也找不到兩個範疇，能像「神聖」與「世俗」那樣把所有事物一分為二，並使之截然不同。和這兩個範疇相比，即使連傳統觀念就「善」與「惡」所作的區分也顯得沒有意義了，因為善與惡猶如一枚硬幣的兩面，無非是指道德行為的兩個相反方面；或者說，善與惡作為對立的品行，就像健康與疾病一樣，指的是同一事實即生命現象的兩種不同狀態。然而，不論何時何地，「神聖的事物」與「世俗的事物」卻總是被人們想像為兩個不同的「種」，或兩個不同的「世界」，二者之間毫無共同之處可言。儘管二者的區分在不同的宗教那裡有不同的表達形式，但這一事實卻是普遍存在的。

據此，杜爾凱姆試圖提出一個判斷宗教現象的「初步標準」(preliminary criterion)。他認為，宗教現象所具有的真正特徵在於：假定整個已知的與可知的宇宙由兩大部分構成，即分為兩個從根本上相互排斥的「種」——「神聖的」與「世俗的」，這二者包容了世上的萬事萬物。所謂的神聖事物就是指那些由禁律隔離開來

---

* 杜爾凱姆：《宗教生活的基本形式》，引自W. S. F. Pickering編：《杜爾凱姆論宗教——原著選讀與文獻提要》(Durkheim on Relion, A selection of readings with bibliographies, London and Boston: Routledge & Kegan Paul, 1975)，第113頁。

並受之保護的東西，而世俗事物則是那些必須與神聖事物保持一定距離的東西，它們是禁令施與的對象。因而，與宗教相關的信念、教義、神話、傳說等，是一些表象或表象的體系，所表現的是神聖事物的本質，它們所具有的美德與力量，它們的歷史，它們相互間的關係，以及與世俗事物的關係。各種宗教儀式事實上就是行為的準則，它們所規定的是人們在與神聖事物的關係中必須做些什麼。

為補充以上觀點，杜爾凱姆又進一步指出了宗教與巫術的差異。一般說來，巫術也是由信念與儀式構成的，而且和宗教一樣，也擁有這樣或那樣的教條與神話，只不過更簡單或原始些罷了。那麼，宗教何以區別於巫術呢？照杜爾凱姆的看法，二者的主要差異在於宗教信仰具有群體性或社會性。真正意義上的宗教信仰都是某一特定群體所共有的。也就是說，整個群體立誓信奉一種宗教，並實踐其儀式。可這不僅僅是指一個群體裡的每個人都有宗教信仰，更重要的是這種信仰已成為整個群體生活不可分割的一部分，以致使大家感到你我不分，合而為一。換言之，共有的信仰所帶來的是群體或社會的統一性。如果一個群體或社會的成員，他們對「神聖的世界」及其與「世俗世界」的關係有著共同的信仰、共同的想像，而且這種「共同的表象」又是透過同一的實踐表達出來的。那麼，這樣一個團結的群體或社會就是所謂的「教會」。可以肯定，沒有教會的宗教在歷史上是不存在的。

而巫術卻根本起不到類似於宗教的作用。不能否認，巫術廣為流傳，和正統的宗教一樣也有眾多信奉者。可巫術信念並不能將其信奉者結合在一起，形成一個擁有共同生活的群體。因此，在巫術那裡並無教會可言。也就是說，在巫師與求助者之間不存在什麼長久的聯繫，能像宗教那樣使信奉者們結合成一個道德團體。

主要就是透過這些分析，杜爾凱姆推導出了他關於宗教的定義。「任何一種宗教都是一個與神聖事物相關的信念與實踐的統一體系，這裡說的神聖事物是劃分出來的、帶禁忌性的，信念與實踐則使所有的信奉者團結為一個叫做教會的道德團體。」* 按他的解釋，這個定義裡有兩個因素，即「宗教觀念」和「教會觀念」。相比之下，後者決不比前者次要，因為它表明的是這樣一個事實：宗教肯定是一種群體的或社會的東西。

到此為止，我們用了大量篇幅來整理杜爾凱姆的宗教定義，就是因為這個定義不但是他探討宗教起源過程的前提，同時也已內含著最後的結論。正如一開始指出的，這種出發點與目的的同一是其宗教社會學的理論主旨所致。因而可以說，看到這定義就幾乎接觸到杜爾凱姆有關宗教起源問題的基本結論了，他接下去對原始圖騰體系的解釋主要是些論證而已。

在杜爾凱姆看來，宗教現象的特徵十分簡明地反映在圖騰體系那裡。因此，透過考察這種最原始、最單純的宗教現象，足以揭示出宗教信念及其實踐的起因所在。「圖騰首先是一種象徵，是對某種他物的實體化表達」**。問題在於，形形色色的圖騰所象徵或表達的到底是什麼呢？藉助對澳洲一些原始部落的分析不難看出，所謂的圖騰所表達或象徵的是兩類不同的東西。一方面，它是被稱為

---

* 杜爾凱姆：《宗教生活的基本形式》，引自W. S. F. Pickering編：《杜爾凱姆論宗教——原著選讀與文獻提要》（Durkheim on Relion, A selection of readings with bibliographies, London and Boston: Routledge & Kegan Paul, 1975），第123頁。

** 同上書，第124頁。

「圖騰本原」或「神」的外在的、可觸知的形式；但另一方面，它又是我們稱之為「氏族」的那種特定社會的象徵。由此看來，圖騰可以比作氏族的「旗幟」，它是一個氏族藉以與其他氏族區別開來的符號，亦即該氏族之個性的鮮明標誌。此類符號或標誌可產生於任何存在物，諸如人、獸、事物等，但作為圖騰崇拜對象的任何存在物均必須以某種方式成為氏族生活的一部分。

杜爾凱姆就圖騰的象徵意義指出：「如果它既是神的象徵又是社會的象徵，這豈不是因為神與社會是同一個東西嗎？假若群體與神是性質截然不同的兩個實體，該群體的符號又怎能變成這種半神（quasi-deity）的型態呢？所以說，這種氏族之神、圖騰之本原不可能是別的什麼東西，而只能是被人格化了的、並由想像體現出來的氏族本身，其體現形式也就是作為圖騰的植物或動物的那些可觸知的種類。」* 剩下的問題就是，上述神化過程是何以成為可能的，又是如何以這樣一種方式產生的呢？我們可把杜爾凱姆對這些問題的解釋概括為兩個方面：社會力量的外在化與社會力量的個體化。

(1) 社會力量的外在化。

一個社會與其成員的關係，事實上也是一個神與其信仰者之間的關係。所謂的神首先是一種被人想像為高於自己的存在物，人相信自己依賴於它。不論神是一種有位格的存在者還是一些抽象的力量，比如耶和華、宙斯、各種圖騰等，崇拜者們都會認為自己與某

---

* 杜爾凱姆：《宗教生活的基本形式》，引自W. S. F. Pickering編：《杜爾凱姆論宗教——原著選讀與文獻提要》（Durkheim on Relion, A selection of readings with bibliographies, London and Boston: Routledge & Kegan Paul, 1975），第125頁。

種神聖的原則有聯繫，該原則是強加於他自身的，令他必須如此行動。同樣，社會也在我們身上培養起一種永恆的依賴感，也具有在我們心裡喚起一種神聖感所必需的一切因素。社會就本質而言不同於個人，所追求的種種特殊目的也不同於個人。然而，任何一個社會若要達到目的，都必須透過作為個體的我們，專橫地強求我們合作。譬如，不顧及個人利益，強令我們變成社會的僕人，順從強權，忍受貧困乃至作出犧牲。若無這些，社會生活便無可能。正因如此，我們才不得不日復一日地受制於這樣或那樣的思想法則和行為規範，可這些東西既不是我們制定的也並非出於我們的願望，它們有時甚至與我們的本能完全相反。

杜爾凱姆指出，上述社會強制只有假借精神方式才能真正收到效果。如果一個社會只是藉助物質上的強制而令其成員作出退讓或犧牲，那它在人們心裡喚起的不過是關於物質力量的觀念，使人完全出於物質需要而不得不順服，而絕不會是那種宗教徒所崇拜的道德力量。實際上，社會之所以能控制我們的良心，依靠的主要不是物質上的霸權，而是它被賦予的道德權威。也就是說，如果我們認同一個社會的秩序，首先是因為它是一個真正值得敬重的對象，而不單單在於其武力能鎮壓我們的反抗。既然如此，人們便不難想見在自身之外還存在著一種或多種道德的力量，以及其他不得不依賴的力量，因為這些力量總是以命令的口吻向他們發話，有時甚至命令他們做些違背本能的事情。當然，假如人們從一開始就認識到上述強制性的影響產生於社會，作為神話解釋體系的圖騰便不會問世了。可社會活動所走的道路太曲折、太不明確，社會統治所利用的心理技巧也太複雜，這就使一般的人不可能認識到其真面目。因此，在科學分析方法形成前，人們感到自己是受擺佈的，但並不了解誰是幕後的操縱者。於是，對這些和社會生活相關的力量，人們只好無中生有，構造出一些概念。這一點在原始圖騰崇拜那裡有明顯的反映。圖騰均是經過思想美化了的，是以異己的形式表現出來的。

(2) 社會力量的個體化。

這實際上是同一神化過程的另一個方面。講明了前一個方面，後一方面也就不難理解了。杜爾凱姆指出，所謂的神不但是人所依賴的一種權威，同時還是人們賴以獲取力量的泉源。一個人皈依於神，他會因此而相信神與自己同在，感到自身有取之不盡的能量，十分自信地面對生活、面對世界。同樣，社會活動也不僅僅限於強制，只要求其成員付出努力，作出犧牲；群體的或社會的力量也並不是絕對外在於個體，完全從外部來驅使其成員。與此相反，任何一個群體或社會都只能存在於個體意識之中，透過個體意識體現出來。因而，群體的或社會的力量也必然得以個體化，即滲透到其個體成員身上，在他們中間發揮作用。可以說，社會力量就是以這種方式而成為我們自身存在的不可或缺的一部分，也正是由於這一事實才得以增強，得以崇高化的。

社會力量的外在化與個體化，也就是社會力量得以崇高化和神聖化的過程，在很多場合下反映得非常明顯。杜爾凱姆就此作了大量的描述與分析。我們僅從中選取兩例，一個是原始的，另一個是近代的，即圖騰儀式和法國大革命。

杜爾凱姆文筆生動地描述道：夜幕降臨了，火把點燃了，澳洲土著人擺出了形形色色的儀式陣容，他們勁歌狂舞，四處是越來越強烈、越來越興奮的場景。12個人手持熊熊的火把，他們中間突然有一人衝向人群，手中的火把就像是刺刀，一場混戰出現了，可這襲擊最後被長矛與棍棒阻擋住了。人們時而歡騰雀躍，時而挺直身軀，模仿著野獸發出一陣陣叫聲。滿眼望去，火把熊熊，劈啪作響，濃湮滾滾，火星飛濺，濺在他們的身上頭上，可沒人在意，一個勁兒地唱著跳著……

由這一切交織而成的野性景象，是沒法用我們的語言來形容的。可我們不難想像，一旦達到如此興奮的程度，人是無法控制自己的。這時當地土著人的思想和行為顯然不同往常了，乃至忘卻了自我，彷彿感到確有某種外在的力量推動著自己，支配著自己。這異常的感覺帶來的似乎是一種新生。此情此景下，甚至連一個人的外表也在激發著內心的轉化，像怪誕的服飾，恐懼的面具，瘋狂的動作等等。一切好像都在表明，人變成了另一個人，他被這場景裡充斥著的強大力量完全占有了，這世界也彷彿真的變成了另一個很特殊的世界。

在澳洲土著人那裡，有的圖騰儀式可以持續幾個星期。杜爾凱姆指出，由此產生的那種強烈的、持續的持殊體驗，怎能不使當地土著人相信有兩個根本不同、沒法相比的世界呢？一個是他們平時無精打采地活在裡面的世界，即世俗的世界；另一個就是只有透過特別的集體活動和群體力量才能走人的世界，也就是神聖的世界。

一個社會能夠創造出「神」，或者說「自封為神」，這種傾向在法國大革命初期表現得再明顯不過了。在那個特定的歷史時期，在那種狂熱的氛圍下，一些就本質而言純粹是世俗的東西，卻假借公眾輿論而被神聖化了，比如「祖國」、「自由」、「理性」等等。一種宗教在當時就這樣建立起來了，有自己的教條、自己的象徵、自己的祭壇以及神聖的節日。這種宗教並沒有存活多久，因為那股一開始曾抓住群眾想像力的愛國狂熱逐漸消退了。原因消失了，其結果當然也就不會久存。但在杜爾凱姆看來，儘管如此，這場宗教實驗卻至今不失社會學研究價值。它的重要意義就在於記錄了這樣一個史實：在某種特定的情形下，一個社會及其基本觀念能直接變成真正的崇拜對象，而根本無須加以改頭換面。

上述事實在整個人類歷史上絕非個例，而是不勝枚舉的。杜爾凱姆認為，「所有這些事實提供了某些跡象，它們可表明氏族是如何在其成員心裡喚起這樣一種觀念的：在他們之外存在著某些力量，既統治著他們同時又支持著他們；簡言之，它們是宗教的力量。對原始人來說，那種更直接更緊緊地依賴於其他氏族的社會尚未出現。將他們與部落聯繫起來的紐帶是比較鬆散的，也是不太容易清楚感受到的。儘管部落對他們來說的確不陌生，可是和他們最有共同之處的還是他們本氏族的人。他們直接意識到的就是這種意義上的群體的影響，因而也正是這種群體的影響較之所有其他的影響更重要，是他們必須以宗教象徵來給以表達的。」*

綜合本節的評介可見，從探討宗教現象的界說到分析圖騰體系的起因，杜爾凱姆始終在貫徹一個基本原則，這就是宗教與社會二者之間的互動性。在這種互動關係裡，他注重的是社會對宗教的決定性作用。因而，在杜爾凱姆就二者關係所作的一系列判斷中，社會是本源、起因或原形，後者則屬於表象、產物或變體，因為對群體或社會生活有如此重要功能的宗教，絕不可能是虛幻的，不可能

---

* 杜爾凱姆：《宗教生活的基本形式》，引自W. S. F. Pickering編：《杜爾凱姆論宗教——原著選讀與文獻提要》(Durkheim on Relion, A selection of readings with bibliographies, London and Boston: Routledge & Kegan Paul, 1975)，第132頁。

是超自然、超社會的，而只能是客觀實在的，是以神化的形式表達著既定的社會生活狀況、尤其是社會的道德力量、思想觀念、經驗情感。關於這些，杜爾凱姆的一段帶總結性、也更富哲學意味的論述，可加深我們的印象：

「我們現在可以理解了，圖騰原則，或更廣而言之，每一種宗教的力量是如何外在於它所寄居的那些事物的。這是因為，關於宗教力量的觀念並不是由該事物直接加之於我們的感官與大腦的印象所構成的。宗教力量只不過是集體在其成員那裡喚起的思想情感，可它被群體意識經驗到後又被客觀化，即在群體意識之外得以形象化。由於這種客觀化，它便把自身附著於某種客體，而該客體結果也變成神聖的了；可這種角色是任何客體均能扮演的。原則上講，沒有任何東西就本質而言是優先於其他事物的，是注定要成為這種客體的，同樣；也沒有任何東西必然被排除在外。任何事物都依賴於環境，是環境允許產生宗教觀念的思想情感出現在這裡或那裡，出現在此地而不是別處。一個事物所呈現出的神聖性，並不內含於該事物的固有屬性中：這種神聖性是外加於它的。宗教的世界並不是可經驗到的自然界的一個特殊方面：它是附加於自然界。」*

---

* 杜爾凱姆：《宗教生活的基本形式》，引自W. S. F. Pickering編：《杜爾凱姆論宗教——原著選讀與文獻提要》（Durkheim on Relion, A selection of readings with bibliographies, London and Boston: Routledge & Kegan Paul, 1975），第138頁。

第四節　深層心理學的猜測

所謂的深層心理學一般是指精神分析學說。論及深層心理學有關宗教起源問題的研究，最引人注目、同時也最有爭議的當然還是精神分析學說的創始人西格蒙德・弗洛伊德（Sigmund Fre-und, 1856～1939年）的觀點。他在這方面所作的研究集中反映在兩本書裡，即《圖騰與禁忌》（1912年）和《摩西與一神論》（1939年）。這兩本書的出版時間雖然相隔近30年，可弗洛伊德的觀點不僅沒變，甚至可以說後者不過是前者「略有發揮的複述」。

關於弗洛伊德的生平、著述以及精神分析學說的基本觀點，都是大家多少聽說過的。可愈是眾所周知的東西，往往愈是欠缺具體內容的。這恐怕是思想史上的一大怪狀。一個思想家名聲大了，他發現的東西近乎婦孺皆知了，大多數人也就不必去讀他的書，更不必去追究他的思路，這樣他的學說也就被抽空了，即除了結論好似別無他物。在一些教科書裡，弗洛伊德關於宗教起源問題的觀點也落入了類似的境況。考慮到這些，我們還是有必要略為具體地再現弗洛伊德有關看法的基本特徵。對於這些特徵，可按以下線索來把握兩個環節：

首先，弗洛伊德的宗教起源觀點是其精神分析學說的一種推廣，也就是說，他是以精神分析理論為基本出發點的。構成這一出發點的主要是這樣幾個假設：

（1）任何精神或心理現象的發生都有其深層原因，所以有可能藉助於深入而具體的精神分析來發現心理活動的原初面目。

（2）與傳統觀點相反，人類的全部精神活動主要是由潛意識而並非意識構成的。人類心理活動的根本原因也不在意識，而在於潛意識，尤其是深含於潛意識中的「性本能衝動」。更準確些講，性慾是人類最基本的慾望，是支配一切心理活動的根本原因。正是作為心理動因的性本能衝動、對整個人類精神生活作出了重大貢獻。但是，社會生活習俗、尤其是傳統道德觀念，卻殘酷無情地壓抑了人類的慾望特別是性衝動，這是導致精神病的主要原因。

（3）就實質而言，心理活動是一種力的活動，這種力可稱為「裡比多」（libido）。按弗洛伊德的解說：「裡比多和飢餓相同，是一種力量，本能——這裡是性的本能，飢餓時則為營養本能——即藉這個力量以完成其目的。」* 因此，所謂的深層心理學也就是對這種「裡比多」加以探討的一門學問。

其次，弗洛伊德由上述出發點而對宗教起源問題的探討，又是對諸多人文研究成果的一種解釋。或者說，他作為一個精神分析學家，是利用這些材料來類比宗教現象的歷史起源的。據弗洛伊德本人的晚年回憶，「在那本書中（指《圖騰與禁忌》，引者注），我利用了查爾斯・達爾文、J.J.阿特金森和羅伯特森・史密斯等人的理論，特別是利用了羅伯特森・史密斯的理論，並且把他的理論與精神分析學實踐中的發現和設想結合起來。」** 在後面的討論中我們會看到，此處提到的「利用」並非一般性的引證，而是構成了一系列重要的假設。

在上述線索提供的兩個環節中，前者一般是不易忽視的，也是許多研究者反覆強調的。但需要指出的是，後一個環節同樣也是不

* 弗洛伊德：《精神分析引論》，商務印書館1984年版，第247頁。

** 弗洛伊德：《摩西與一神論》，三聯書店1989年版，第119頁。

可漠視的，因為它相當於「中介」，一旦對之忽視，那就如墜五里霧中，使弗洛伊德的研究思路變得虛無飄渺，無從把握了。指出這一點的意思是說，假若像有的研究者那樣忽視第二個環節，難免造成理解與評價的寬泛。

弗洛伊德十分重視文化人類學在圖騰研究上取得的進展。自19世紀後期以來，圖騰現象就是文化人類學的一個研究重點，因為它被看作是人類文化發展進程中的一個必經階段，是一種原始的信仰體系，是原始社會結構的基礎。然而，圖騰現象是如何產生的呢？又如何解釋圖騰的本質呢？照弗洛伊德的看法，儘管有一大批知名的文化人類學家進行了廣泛的探討，但他們並沒有得出令人滿意的答案。在圖騰現象的起源問題上，與文化人類學的諸多理論相比，更值得重視的還是「歷史的觀點」，亦即以達爾文為代表的進化學說。

透過觀察類人猿的生活習性，達爾文曾作過這樣一個推斷：和類人猿一樣，人類一開始也是以小群體或小部落的方式群居的。在其中小範圍的群居生活中，總是由一個年長的、強壯的男性當頭領的，他占有所有的女性，禁止亂倫；可每當一批男性長大成人，便不可避免地發生暴力之爭，最強壯者成為新頭領，其他的男性成員或被殺死或被驅逐。總的看來，弗洛伊德就是在上述假設的基礎上建立起了一個新的理論結合點，即把精神分析學說及其實踐與文化人類學的圖騰研究結合了起來。

作為圖騰對象的大多是動物。弗洛伊德指出，小孩子對動物的看法和原始人有明顯的相似之處。比如，小孩子還沒有把自己與動物截然分開，對某些生理需要的自然表達，像飢渴感，也使他們覺得自己很接近於動物。可是，小孩子也會對動物、尤其是他們所喜愛的動物突然產生畏懼心理。從精神分析的角度來看，對動物的畏懼可能是兒童最早發生的心理病症了。儘管目前對這種兒童畏懼症的研究還沒有取得根本性的突破，但已有不少精神分析個案表明：此症的患者都是男孩，他們的恐懼從心理深處來看都與父親有關。也就是說，他們對動物的恐懼只不過是對父親畏懼的一種替代現象。

為驗證上述說法，弗洛伊德舉了幾個精神分析的例子，其中最典型的一則病例出自他的專著《對一個五歲男孩恐懼症的分析》（1909年）。弗洛伊德指出，我利用的材料都是由男孩的父親提供的。這個男孩害怕馬，怕馬闖進家裡咬他，所以很希望街上的馬跌倒（意指摔死）。在心理治療過程中，經過再三保證，消除了他對父親的恐懼。結果表明，原來他是在暗地裡希望自己的父親失蹤（意指外出旅行甚至死亡），因為他認為父親是和他爭奪母愛的對手（意味著母親是他最早的、朦朧的性愛對象）。弗洛伊德的分析結論是，這個男孩所犯的正是精神病的核心症結，即陷入了「俄狄浦斯情結」的劇烈衝突之中*。

但更重要的是，由這類病例可以發現「一個新的事實」，即男孩們會把對父親的畏懼情感轉換到動物身上。這就使我們可以探究出隱藏於替代作用下的「動機」。「一般而言，在小男孩與父親競爭母親喜愛的過程中，要使他對父親的敵意毫無保留地發洩是不可能的，因為，他首先必須克服長期以來對父親所建立的那些仰慕和親近的情感。在這種情感的矛盾中，為了減輕和克服內心的衝突，

---

* 弗洛伊德例舉的其他幾個精神分析個案也頗有戲劇性，可參見《圖騰與禁忌》，第四章。

於是，他開始尋求一個父親的『替代物』來發洩他的敵意和恐懼。不過，此種替代作用並不能使心理的衝突消失，因為，它無法很清楚地劃分喜愛和憎恨二種情感。相反地，此種衝突往往一直延伸到替代物身上。」*

透過這些分析，弗洛伊德強調，前面提到的事實與原始的圖騰觀有重要的關聯。這主要表現在兩點：（1）兒童對動物的完全認同；（2）這種認同所產生的雙重情感，敬仰與畏懼。這兩點聯繫至少可以證明，原始圖騰觀中的動物乃是父親的一種替代現象。上述推斷並沒有什麼新奇之處，原始人事實上早就講明白了。在原始人的心目中，圖騰動物所象徵的就是他們的祖先或原始的父親。現在的問題即在於，文化人類學家們恰恰忽視了這一事實。因而，弗洛伊德想做的就是，從這個事實出發，把精神分析學說和文化人類學的有關研究成果結合起來，以解開「圖騰之謎」。這樣一來，宗教現象的起因也就明朗化了。

著名的人類學家史密斯在《閃米特人的宗教》（1889年）裡提出了「圖騰餐」的概念，認為這種特殊儀式是原始圖騰信仰的重要組成部分。弗洛伊德接受了這個假說。所謂的圖騰餐說的是，原始部落周期性地屠殺作為圖騰對象的動物，分食它的肉，分飲它的血。但在此之後，全部落的人還要進行哀悼，舉行狂歡般的慶典。此時，所有的人都裝扮成圖騰現象的模樣，模仿著這動物的叫聲、動作等，好像他們自己就是圖騰動物一樣。對於圖騰餐，弗洛伊德綜合史密斯的觀點，主要作了如下幾點解釋：

第一，屠殺圖騰動物原本是一種禁忌，是一種暴行。但這種違

* 《圖騰與禁忌》，中國民間出版社1986年版，第162頁。

背禁忌的暴行被看作是接受神聖喻示的結果，所以，只有透過全部落的儀式，亦即每一個部落成員都在場，才能得到認可。

第二，分食被屠殺的圖騰動物則意味著，全體部落成員藉以獲得圖騰對象的神聖性，增強與圖騰對象之間的認同感。

第三，隨後進行的哀悼是有強制性的，反映的是一種對可能遭到報復的恐懼。因而，其目的在於解脫屠殺圖騰動物的罪責。

最後，慶典上的狂歡表現的則是一種對本能的許可，是將違反禁忌的暴行合法化、神聖化。所以說，暴行是慶典的本質，狂歡就是打破禁忌後的快感。

總之，這種特殊的圖騰餐主要反映出兩種相反的現象，屠殺圖騰動物在通常絕對是一種禁忌，可這種暴行卻變成了一種哀悼方式、一種慶祝儀式。顯而易見，由此表現出來的情感矛盾和前述兒童恐懼症一樣，也屬於「俄狄浦斯情結」。因此，所謂的圖騰就是父親形象的一種替代物。

在弗洛伊德看來，分析到這裡便可以重返達爾文所作的假設，對宗教現象的起源過程作一大致描述了。這個描述很像是一個古老的神話傳說，而且有些宗教學教科書或專著在講到弗洛伊德的宗教起源觀點時也傾向於把它當作「一個故事」簡述一遍。但為了如實反映出弗洛伊德的原本觀點，我們還是引用他在其晚年著作裡所作的歸納為好，這樣不僅可以避免常見的「自我理解式的覆述故事」，同時還可以使我們前面評介過的幾條線索匯集到一塊兒。

弗洛伊德是這樣總結的：「從達爾文那裡，我借用了下述假設：人類最初是在小群體中生活的，每一群體都在一個年長的男性統治之下，他用野蠻的暴力實施統治，獨占所有的女性，並奴役或殺害所有的年輕男性，包括他自己的兒子。從阿特金森那裡，我接受了下述設想：由於兒子們的反抗，這種父權制度走到了末路，兒子們團結起來反抗父親並戰勝了他，一起分享了他的屍體。遵循著羅伯特森・史密斯的圖騰理論，我認為這種原來由父親統治的群體後來被圖騰制的兄弟部落所取代，為了能夠相安無事，那些取得勝利的兄弟們放棄了群體內的女人，同意實行族外通婚。父親的權力被打破了，家庭開始由母權來管理。兒子們對父親的矛盾情緒在整個發展階段都起著作用。某種動物被定為圖騰來代替父親，它代表著他們的祖先和保護神，任何人都不准傷害和殺掉它。然而，每一年中整個部落都要匯集起來舉行一次集會，在這次宴會上，那種被尊崇的圖騰動物被宰殺來吃掉。每個人都必須參加這次宴會，它是謀殺父親的情景的莊嚴重演，在這當中，社會秩序、道德法律、宗教等都得以誕生。」*

最後應提到這樣兩點：

（1）弗洛伊德對自己運用精神分析學說得出的上述結論十分自信。早在《圖騰與禁忌》裡他就指出：「我可以肯定地說，宗教、道德、社會和藝術之起源都繫於俄狄浦斯症結上。這正和精神分析的研究中認為相同的此症結構成了心理症之核心不謀而合。最令我驚奇的是，社會心理學必須對一種最基本的事情，即人們與其父親間的關係做進一步研究以找出其中的解決之道。」**

（2）弗洛伊德並不滿足於上述結論，還試圖據此進一步解釋宗教現

---

*　《摩西與一神教》，第119頁。

**　《圖騰與禁忌》第192～193頁。

象的演變過程，尤其是基督教的產生過程。有興趣的讀者可參見《圖騰與禁忌》的結尾部分和《摩西與一神教》，會發現一些別出心裁的論點。

第五節　歷史哲學觀念檢討

這一節要做的是一種整體比較，尤其是歷史哲學觀念的反思。在進行這種一般性的討論前，有必要再次提醒讀者別忘了本章落筆時所交的底。宗教起源問題可看作是現代宗教研究的「一個雙重意義上的開端」——歷史的與邏輯的，是眾多知名思想家試從不同角度加以探討的一個學術焦點。相對於那半個多世紀的百家爭鳴局面，前面評介過的幾位學者只是「諸子百家」裡的幾個最典型的人物，或者說幾大學派的開路先鋒。因此，我們所作的整體比較和一般方法論反省，在很大程度上也將是典型意義上的，或借用韋伯的說法，是「純粹類型」或「理想類型」的。

典型的意義在於其極富代表性。即便憑藉前述幾位思想家留下的縮影，我們仍不難想見起源問題在當年的宗教學論壇上是何等顯要，由它引出的觀點、方法及其爭論又是何等異彩紛呈。比如，僅就探討同一問題的觀念或方法而論，就有語言學的、神話學的、文化人類學的、宗教社會學的、深層心理學的、歷史學的、考古學的、文化哲學的，等等。幾乎在我們評介過的每位學者那裡，這諸多研究方法或認識角度都不是單獨出現的，而是互為交織、相輔相成的，或者說是以某種方法或角度為主線，同時穿插著其他觀點或材料的。拿宗教學的開拓者繆勒來說，後來的評論者們恐怕很難斷定，他主要運用的是哪種方法，是比較語言學的還是比較神話學的；除此之外，東方學、人類學、神學與哲學等方面的觀念又對他有多大影響呢？毋寧說，這就是由起源問題鮮明反映出來的現代宗教學研究的複雜性、包容性或綜合性。

更值得注意的是，由錯綜複雜的認識角度或研究方法揭示出的宗教起源問題的全局性意義。前面的評介表明，對起源問題的高度重視，是宗教學早期研究的一個最重要的特徵。幾乎可以這樣來形容，在早期研究者們那裡，「言必稱起源」，或者說，「凡事必從起源談起」。其原因如前所述，不了解宗教之起源，便對宗教一無所知，這在當時被看作是歷史主義原則的起碼要求。正因如此我們才會看到，僅僅四位思想家的研究實例就幾乎把宗教學所涉及的方方面面都展現出來了，諸如宗教信仰的本質，宗教與神話、巫術、科學、神學和哲學，宗教與理性、情感、心理，宗教與語言、象徵或符號，宗教與自然觀、社會歷史觀乃至整個宇宙觀……如此眾多的方面或問題在某位學者那裡可能形成了一個或幾個研究重點，可一旦把它們綜合起來，我們就不會奇怪為什麼宗教起源問題會成為早期宗教學的邏輯生長點。

那麼，宗教起源問題的研究現狀又如何呢？我們不妨先利用手頭便於找到的資料，引用幾位學者的晚近評論。

「在評述學者們對宗教起源的探討時，我們看到兩個反覆出現的問題：（1）同一個證據可能會有完全不同的解釋；（2）似乎沒有足夠的證據解決諸多的分歧。其結果，使探討起源並以此作為理解宗教真諦的手段，如今已失去其學術的魅力。」

上述評論出自美國學者斯特倫（Frederick J. Streng, 1933～）所著的《宗教生活的理解》*。據中譯者介紹，斯特倫現任美國南衛理公會大學宗教史教授，全美宗教學會主席。他的這本書在美國宗教學界很受重視，已出過幾版，並有多種譯本。照此說法，他關於

* 中譯本名為：《人與神——宗教生活的理解》，金澤、何其敏譯，上海人民出版社1991年版，參見第301頁。

宗教起源問題研究現狀的評論也該有一定的代表性。由這種評論，斯特倫教授還引出了對當代宗教學演變趨向的看法。他相當明確地指出，有關宗教起源問題的研究，迄今並沒有得出任何肯定的結論。許多歷史學家、社會科學家已經堅定了這樣一種觀點：力圖發現宗教現象的最初型態，不僅是個沒有結果的問題，甚至是一大失誤。因此，「當某些學者看到人們不能在宗教的起源方面揭示其基本性質時，便由緊步其後塵而另闢蹊徑，開始探索宗教在社會相互作用中的角色或功能。」*

為支持自己的評價，斯特倫還引述了一位當代人類學家的觀點，他就是大名鼎鼎的埃文斯－普禮查德（E. E. Evans-Prichard, 1902～1973年）。「我認為當今大多數人類學家都會讚成尋找宗教起源為徒勞之舉的意見。……人們清醒地認識到，在許多原始宗教中，人的思維是在不同層次上，不同背景中，以不同的方式發揮其功能的。……在我看來，大家都會讚同下述意見：如此大量地運用於早期理論建構中的因果解釋與現代的總體科學思維（它不去尋求揭示和理解遙遠的宗教）有些格格不入。」**

現在看來，對宗教起源問題的全盤否定，已成為宗教學晚近動向中一種值得反省的現象。讓我們再來看一則評論。美國中密執安大學宗教社會學教授約翰斯通（Ronald L. Johnstone）指出：「宗教起源問題本身不再為社會科學所探討，因為任何關於宗教起源的證據，在史前便早已消失。企圖透過考察當代某些沒有文字的社

---

* 中譯本名為：《人與神——宗教生活的理解》，金澤、何其敏譯，上海人民出版社1991年版，參見第302頁。

** 參見同上書，第299～300頁。

會，以重新構造宗教的起源，事實上也無濟於事，因為這種證據即使曾經存在也已消失在古代社會裡。重要的是，必須承認科學方法在這一方面的侷限性； 事實上，人們不可能在現在甚或從過去的現實的基礎上去建立關於過去事件的絕對真實的結論。因此，即使實際的證據支持一個誘人的理論，但任何有關宗教起源的假設都注定永遠是實驗性的。」*

以上幾則評論與宗教起源問題當年的研究盛況恰成強烈反差。如果把19世紀末到20世紀上半葉比作一個豐收的季節，現在不得不說，這豐收並沒有帶來耕耘的喜悅，反倒使宗教起源問題落入了一個「撂荒期」。那麼，為什麼會產生如此強烈的反差呢，為什麼宗教起源問題會遭到冷落甚至否定呢？前引不多的幾則評論，似乎已向我們指出了足夠多的理由，歸納起來大致如下：

（1）以往的研究者們並沒有得出什麼肯定的結論。他們的研究結果不但是互不相同的，而且是相互矛盾的；（2）研究結果的分歧與抵觸主要是由於「歷史證據之不足」，甚至可以說「證據之虛無」；（3）以上現象及其原因又根源於傳統研究方法的重大缺陷，或者說，過去的歷史解釋觀念是與現行的方法論主流格格不入的。這些批評意見並非「空穴來風」，值得我們認真加以辨析。

首先需要指出的是，關於宗教起源問題的探討儘管在一個相當長的時期裡百花齊放，果實累累，在這塊學術園地上湧現出的一些名家或主要學派的觀點，也的確產生過廣泛影響甚至到今天仍不失一定的參考價值。譬如，經科德林頓、馬累特以及眾多思想家一再推敲過的「瑪納學說」，弗雷澤的巫術理論、尤其是巫術的定義和

---

* 約翰斯通：《社會中的宗教》，四川人民出版社1991年版，第36頁。

分類觀點，繆勒所指出的原始宗教與神話、語言的關係問題，杜爾凱姆所強調的宗教信仰與社會群體二者間的互動性，等等。但另一方面，所有關於宗教起源問題的主要觀點即使在當時也無一得到公認，而是一直受到這樣或那樣的批評乃至尖銳的指責。關於這一點，我們可以結合前述幾位著名學者的觀點略作考察。

身為宗教學的拓荒者，繆勒的理論勇氣無疑會載入史冊，可他在學術成就上的輝煌卻令人遺憾的短暫。按夏普的說法，繆勒這顆學術之星早在其生活歷程結束前便開始隕滅了 *。繆勒的宗教起源觀點主要得助於他在語言學和神話學方面的功力。但在許多批評者看來，繆勒顯然是過於誇大神話、尤其是「太陽神話」 在原始宗教起源過程中的作用了。糟糕的是，他的追隨者們更是就「太陽神話」 大做文章，以至演義到了近乎荒誕的地步。與此同時，繆勒在比較語言學方面作出的一些假說，很快就被新觀點取代了。這些都從根本上動搖了繆勒的宗教起源觀點。

但說到這裡有必要指出一點，很多學者在回顧宗教起源學說史的時候，顯然有些輕視繆勒的思想貢獻了，甚至在有意或無意地漫畫著繆勒的觀點，比如，過分渲染「語言謬誤或語言疾病」這類假說，也過多地糾纏於「太陽神話」。其實，我們透過前面較詳細的評介已經看到，繆勒關於宗教起源的核心論點並不是這些東西。退一步講，即使繆勒的一些具體論點都已成為「古董」，他所提出的「問題」，亦即對起源問題理論意義的歷史性闡釋，也是絕對不可小看的。筆者以為，這「問題」對後來的研究者們而言較之任何結論都意義重大，影響深遠。因此，針對以往評價存在的偏頗性，不妨

* 參見《比較宗教學史》，第58頁。

略加誇張地說：不讀繆勒，便不知宗教起源問題從何而來。

與同時代其他學者的觀點相比，弗雷澤的宗教起源學說影響較大也較長久。可在思想史上，影響較大者也易於成為眾矢之的。對於弗雷澤的批評，大多集中在他所概括出的宗教起源模式，「從巫術到宗教」。這個模式的主要漏洞在於簡單化、絕對化。批評者們一般都認為，弗雷澤把巫術與宗教截然劃分開來，並斷言巫術是人類思想史上的一個必經階段，在任何文化背景下都先於「宗教的時代」，這顯然缺乏可靠的證據或史實。相反，倒有越來越多的證據及其研究成果表明：原始人或現存土著部落的信仰不是單純的，而是複雜的或交織的。例如，巫術與宗教、甚至包括「知識」同時並存，各有其不可替代的功能；又如，巫術與宗教混雜，或者說二者本來就難以明確區分；再如，在某些特定的文化背景下，巫術不僅不是宗教的前身，反而是宗教信仰退化的結果，等等。就這些缺陷而言，馬林諾夫斯基（Bronislaw Malinowski）、本尼迪克特（Ruth Benedict）、列維－斯特勞斯（Claude Levy-Strauss）等著名人類學家的觀點，作出了更有說服力的修正或更正。關於這一點，可藉本書最後一章將討論的馬林諾夫斯基進行比較。

至於弗洛伊德心理分析學說的重大缺陷，是大多數讀者所瞭解的。一般說來，這些失誤也就是其宗教起源觀點的致命傷，對此不必贅述。接下來，讓我們看看杜爾凱姆宗教起源觀點存在的主要問題。

在杜爾凱姆學說招致的眾多批評者中，阿隆當數較強硬也較透徹的一位。阿隆（Raymond Aron, 1905～1985年）是杜爾凱姆的同胞，法國著名的社會學家、歷史哲學家。這種背景使他比其他評論者更能識透杜爾凱姆。杜爾凱姆強調，社會不但是現實的，而且就本質來說是理想的，是「理想的創造者」。阿隆抓住這個基本原則指出，把社會看作是一個由個人組成的群體，是一種可感覺到的現實，這的確有助於理解宗教是怎樣產生的；所有的人類現象都具有社會性，任何一種宗教信仰當然也不可能脫離於群體或作為共同體的教會。然而，假如進一步講，宗教信仰賴以生成的社會不僅是現實的，同時還是理想的，那就顯得自相矛盾了。

何以自相矛盾呢？阿隆指出了兩點或兩個方面：一方面，如果作為崇拜對象的群體或社會是現實的、自然的，和其個體成員一樣並非十全十美，那麼，由此產生的宗教信仰一種偶像崇拜、一種幻覺的表象，而它的崇拜者和那些崇拜動物、植物、精靈或鬼神的人一樣，也將是幻覺表象的犧牲品。另一方面，如果杜爾凱姆所講的社會是理想的，這種理想所代表的不是具體的現實，而是現實社會無法完全實現的東西，那麼，便不是現實社會產生神聖的觀念或宗教信仰，反倒是宗教信仰改變了現實的社會。

此外，阿隆還對杜爾凱姆的一些具體論點提出了批評，像產生宗教情感的典型社會環境所存在的因果解釋問題，作為崇拜對象的單個社會與宗教信仰的普世性之間的矛盾等。綜合這些批評意見，阿隆坦誠相告：我很難接受杜爾凱姆的思想方法。「歸根到底，我認為用個人崇拜集體來解釋宗教的本質是難以理解的，因為至少在我看來，崇拜社會秩序，從本質上說，恰恰是對宗教的大不敬。如果說宗教情感的對象是變了形的社會，這就不是挽救社會學要研究人類的經驗，而只能使它失去光彩。」*

當然，阿隆所作的批評並非完全客觀，連他自己也承認由於方

* 阿隆：《社會學主要思潮》，上海譯文出版社1988年版，第387頁。

法觀念的不同而對杜爾凱姆的著作缺乏必要的同情。但這些批評意見畢竟說明杜爾凱姆的宗教起源學說存在著不少需要商榷的方法論問題。

以上討論尚限於個別現象，涉及的只是幾種觀點的某些缺陷。實際上，這些個別現象還包含共性的東西，其失誤也存在著相似的原因。對這一點，筆者原則上同意斯特倫等人的前述分析，即把以往宗教起源研究中的失誤主要歸因於傳統方法論觀念的侷限性。但這種認同是有保留的。筆者認為，僅僅指出以往失誤的原因是遠遠不夠的，更不能將這些原因再加以絕對化的解釋。現在需要做的是，對這些原因尤其是方法論問題，試做更廣泛、更深入、更複雜的分析，不僅專注於起源問題或宗教學本身，還要放眼於整個歷史哲學的大背景。若能初步做到這一點，那些流行的評價觀點恐怕就要重新推敲了。下面就讓我們試做一些分析。

圍繞著宗教起源問題儘管形成了諸多不同的觀點或學派，但這些觀點或學派確曾有過某種相同的方法論觀念。斯特倫教授把這種傳統的方法論觀念較準確地歸納為以下幾條：（1）一切宗教都起源於某種唯一的源泉；（2）宗教是由簡單型態進化為複雜型態的；（3）現存未開化部落的宗教活動，展現了宗教的起源；（4）一個社會的科技越發達，其宗教活動也越發達。斯特倫指出，以上觀念顯然就是生物進化論或地質進化論在宗教起源問題上的反映。*

關於進化論觀念對早期宗教學的重大影響，夏普作過更全面的歷史分析。他指出，早期宗教學亦即比較宗教學的產生起碼依賴於三個條件：首先必須有一種比較研究的動機；其次，必須有可供比

* 參見《人與神——宗教生活的理解》，第284～285頁，第300頁。

較的資料；最後，必須有一種能把資料構成模式的方法。上述三個條件中，最關鍵的顯然還是一種公認的、科學的方法。那麼，在宗教學的形成過程裡曾擔負起這個角色的方法又是什麼呢？

按夏普的考察，1859年到1869年的十年間，宗教研究領域發生了根本變化。1859年以前，研究者們雖然有了探討宗教的熱情，也有了綽綽有餘的資料，但缺乏的是一種公認的方法。而1869年，即達爾文的《物種起源》一書出版後，宗教學有了進化論的方法＊。

當然，進化論觀念對宗教學界的巨大影響不可能是一夜之間的事情；同樣其影響到後來的減弱也是一個逐漸的過程。有趣的是，前面選作評介對象的幾個研究實例大致可以說明這樣一個過程。

據說，繆勒始終對達爾文主義持懷疑態度，可他對近代科學與哲學所提倡的發展觀卻深信不疑。後一點無論在繆勒的理論觀念還是學術用語上都能得到證實。例如，他在起源問題上首先強調的就是「起因」與「結果」二者聯繫的客觀性與必然性，認為宗教現象所經歷的是一個「由簡單的感覺到複雜的思維」的自然發展過程。

弗雷澤的學說可謂進化論觀念在宗教學領域的完美化身。品讀《金枝》，書中用以貫穿材料的邏輯線索彷彿就是「進化論觀念的宗教學注釋」。照弗雷澤的推理，人類精神發展史之所以必然經歷巫術、宗教與科學三個階段，就是因為後者總是比前者更高級、更複雜，更適合於思想與實踐的需要。更耐人尋味的是，即使被當代宗教學界拒之門外的弗洛伊德，也並非像批評者們丑化得那般荒唐，其方法論觀念就本質而言與同時代的宗教學家並無二致，同樣是在以達爾文的假設和人類學的材料，證明著宗教現

＊　可詳見《比較宗教學史》，第1～3章。

象的唯一生成過程。

在我們評介過的幾位思想家中，杜爾凱姆的方法論觀念有所不同，需要另加分析。杜爾凱姆在《宗教生活的基本形式》的「導言」裡指出：「我們正在做的研究是一種重建，也就是用不同的術語來重新解釋宗教起源這個古老問題。可以肯定，如果我們所說的「起源」是指一種絕對的開端，該問題就不是一個科學的問題，是必須馬上放棄的。宗教產生於某一根本的階段，這類事情是沒有的……和每一種人類習俗一樣，宗教未曾有過開端。因此，所有諸如此類的推測理當受到質疑，它們只能存在於毫無限制、主觀隨意的構想裡。我們想要考慮的是另一個根本不同的問題。我們想做的就是尋找一條道路，以探明最基本的宗教思想與實踐之背後的永久性原因。」*

這段話表明，杜爾凱姆已經清楚意識到了當時宗教起源研究存在的主要弊端，力圖一反主觀臆測，另闢比較客觀的解釋途徑，這就是社會現實與宗教信仰之間的互動性。因而，他要強調「術語問題」，主張放棄「起源」（時間意義上的絕對開端）轉而探討「原因」（主要是邏輯意義上的永久性根源）。杜爾凱姆所提倡的這條研究思路確有新意，也對後來的宗教起源問題研究有較大影響。但筆者以為，對思路之轉變的意義還不宜評價過高。術語本身固然鮮明標示著方法論觀念的改變，可這種轉變在杜爾凱姆那裡並不像有些評論者所誇張的那樣徹底。杜爾凱姆本人的結論證實，他仍在追究某種唯一的根源，一種普遍適用的理論模式。因此，就方法論觀念的實質而論，杜爾凱姆並沒有與同時代的其他學者決裂；或者較準確些

* 《杜爾凱姆論宗教》，英文版，第109頁。

說，進化論觀念在他那裡的影響明顯削弱了，但歷史哲學觀念的轉變尚處於半途之中。

需要著重指出，討論到進化論觀念對宗教起源研究的影響，只限於宗教學的早期背景是不夠的。進化論觀念所以能主導宗教起源研究乃至早期宗教學，還有其更廣泛、更深層的原因，這就是近代哲學精神尤其是歷史哲學觀念。

如所周知，近代西方哲學經歷過一場意義重大、影響廣泛的「認識論轉向」（Epistemological turn）。它起步於笛卡爾「確認心靈自在、講求清楚明白」，透過休謨等一大批哲學家的努力，以康德「批判純粹理性、限定認識能力」而告完成。這場轉向的主要成果就是給自然科學所培育的理性精神戴上哲學的皇冠，從而確立了理性主義的絕對權威，建立了以重「自然知識」為特徵的認識邏輯。

但這並不意味著近代哲學主要是一種「自然哲學」，而不重視「歷史哲學」。事實上，直接對當時以及後來的社會科學研究產生影響的還是近代哲學的歷史發展觀，或者說，是由「自然哲學」引申出來的歷史哲學觀念。這種歷史哲學觀念的集大成者就是德國古典哲學。從康德、赫德爾、萊辛、費希特、謝林一直到黑格爾，一種能反映整個近代哲學精神的歷史發展觀逐步成熟，以致成為德國古典哲學的一大突出特點或主要思想精華。這裡提到的幾位重要思想家都主張用歷史的、發展的眼光來反思整個人類歷史，當然也包括宗教現象的生成演變過程及其在精神發展史上的地位。若用黑格爾哲學的語言來概述這種歷史發展觀的原則，整個人類歷史就是「絕對理念」或「世界精神」的自我發展過程，從無到有，從簡單或低級的到複雜或高級的。

近代哲學精神給社會科學帶來的是一場歷史性的進步，這一點是無庸置疑的。但從另一方面來看，近代哲學的歷史發展觀對社會科學研究的邏輯走向，特別是一般方法論有無消極影響呢？實際上，自19世紀後期就有一大批思想家開始追究這個問題。譬如，在歷史哲學領域，德羅伊曾、布拉德雷、狄爾泰等人先後指出，人文科學與自然科學無論在對象上還是方法上都是截然有別的。因而，歷史研究理應擺脫自然科學的消極影響，探求適於自身的觀念與方法。從文德爾斑到李凱爾特，人文科學與自然科學的劃界問題逐漸成為一個中心論題。李凱爾特反覆論證，文化領域只有「個別」，自然領域才有「一般」，所以歷史科學運用的是個別化的方法，自然科學運用的則是普遍化的方法。隨著當代人文思潮的擴展，上述批判傾向得到了空前的強化。我們可從當代歷史哲學的兩大分支——「思辨的歷史哲學」與「分析的歷史哲學」那裡各選一例，加以具體說明。

德國學者斯賓格勒（Oswald Spengler, 1880～1936年）是當代思辨歷史哲學的先行者。他寫的《西方的沒落》曾轟動過第一次世界大戰後的西方社會，誘發了一場長達幾十年的西方文化命運之爭。斯賓格勒認為，西方文化的沒落乍看起來似乎是一種有時空限度的現象，可實際上這是一個「哲學問題」。也就是說，若想闡明西方文化之沒落，首先必須深究人類歷史的特徵、結構及其邏輯。而面對這樣一個重大課題，非放棄傳統的哲學觀念不可。在他看來，以往的全部哲學都可以劃歸為「形而上學」。這種形而上學的基本特徵就在於，只把「自然的世界」作為哲學的唯一論題，而將更為重要的「歷史的世界」全然忽視了，不僅康德及其後學是這樣，甚至連叔本華等人也不例外。從思想根源來看，這種形而上學的方法論觀念幾乎是從自然科學那裡照搬過來的。其結果是，哲學家們雖在談論自然卻自以為是在研討歷史，從而在歷史研究領域形成了一種以「偽自然科學」面目出現的實用主義。

斯賓格勒還指出，近代哲學的歷史發展觀就特徵而言是一種「直線性的思維模式」。在這種歷史思維模式裡，「三」這個用來表示世界年齡的神秘數字是很有誘惑力的。許多大哲學家不僅不經深思就認可了這個「普遍同意的模式」，而且還有意或無意地把其中的第三個詞「現代」視為人類歷史的目標或終結。例如，整個歷史被赫德爾描寫成人類教育的進步，被康德理解為自由觀念的演化，被黑格爾規定為世界精神的展開等等。總之，思想家們可以各投所好，隨意解釋。這實際上是放任個人信仰，以種種抽象的公式作為評價整個歷史的準則。更何況如此種種自封為「永恆真理」的公式只不過反映了西方文化的觀念，有的甚至僅僅表達了歐洲知識階層的願望。其實，一旦祛除這個模式的幻象，豐富的現實形式馬上就會顯露出來，我們看到的就不會是某種直線發展的歷史，而是諸種偉大文化的生動場面。「每個文化都以原始的力量從故土中生長起來，並在整個生命周期中植根不移；每個文化都把它自己的影像印在它的材料、它的人類身上；每個文化都有它自己的觀念，它自己的愛好，它自己的生命、意志和情感，它自己的死。」* 正是根據這樣一種認識，斯賓格勒強調指出：「文化是通貫於過去與未來的世界歷史之基本現象」，而所謂的世界歷史就是諸種文化的「集體傳記」**。

---

* 斯賓格勒：《西方的沒落》（The Decline of the West, Complate in One Volume, New York 1939），第21頁。

** 參見同上書，第104～105頁。

接著，我們再來看看「分析的歷史哲學」對近代學術觀念的批判。論及本世紀分析歷史哲學的代表人物，無疑首推柯林武德（Robin G. Collingwood, 1889～1943年）。柯林武德的歷史觀念主要是針對實證主義而發的。他指出，實證主義歷史觀念的表現形式主要有兩種：「剪貼式史學」和「鴿子籠式史學」。「剪貼式史學」把歷史看作「連續發生的故事」，認為歷史研究的主要工作就是首先確定故事的主題。繼而查閱有關的權威性史料，對之進行摘錄、編纂和詮釋。「鴿子籠式史學」則不滿足於此，還想從歷史事實中推導出歷史的規律和模式。事實上，這兩種治史的方式均無科學的價值。前者不過是史實的堆積，歷史的年譜，而後者又缺乏客觀根據，落入主觀臆想。它們二者共有一個錯誤的前提：以實證主義為基本原則，以自然科學為邏輯藍本，把「歷史的過程」等同於「自然的過程」，這便從根本上忽視了歷史研究的基本特點。柯林武德尖銳批評道，實證主義就本質而言是一種為自然科學服務的哲學觀念。問題就出在，近代的歷史研究方法完全是在其「長姊」自然科學方法的蔭蔽之下成長起來的。因此，若使歷史研究真正成為一門科學，首先必須擺脫「歷史科學向自然科學學徒」的狀態，明辨歷史過程與自然過程的本質差異＊。

從以上學術背景分析可以清楚看到，整個近代哲學包括歷史哲學觀念確曾深受自然科學的影響，而對這種影響的深刻反省，已成為當代歷史哲學的一個著力點。首先應當肯定，當代歷史哲學家們之所以要牢牢抓住歷史的理解問題來深入反省近代哲學傳統，其本意就是想實現一種「觀念的超越」，以尋求一種重新認識人類歷史

＊ 以上觀點詳見柯林武德：《歷史的觀念》。

的新方法。此可看作是學術觀念更新換代的一種徵兆。因而，這種就歷史觀念展開的學術批判，不僅有可能將關於歷史本性的認識提高到新的水平，同時也將全面帶動一系列重大問題的反思，像歷史研究的對象、方法、價值，人類歷史的型態、過程、模式、意義、困境，前途，等等。

但問題在於，上述意義上的學術批判迄今為止還遠遠沒有完成，當代哲學家與歷史學家在一系列基本問題上也沒有達成共識，而是處於一種空前的分歧局面。這便為一種流行思潮提供了市場，即歷史認識論上的相對主義。關於這種相對主義思潮，同樣可引斯賓格勒和柯林武德為例。

斯賓格勒在歷史認識論上提倡一種「多元價值觀」。他開誠布公：我「反對一向敗壞所有歷史思想的兩種假定：一是斷言作為整體的人類有某個終極目的，一是根本否認有若干終極目的」。就歷史價值判斷標準而言，諸種終極目的或真理「只有涉及某一特定的人類才稱得上是真理」*。因此，斯賓格勒在其歷史哲學研究中注重比較的是諸種獨立自在、各成一體的文化型態所固有的精神特徵，而不涉及它們之間的價值關係，更不去評價它們之間的高低優劣。這樣一種帶有濃厚文化多元論色彩的相對主義，後來在思辨歷史哲學的主要代表湯因比那裡得到了淋漓盡致的發揮。

在歷史認識論上，柯林武德主張的則是一種「主觀價值論」。這在他的理論體系裡所反映的就是以「重演前人之思想」為主調的史學方法論，其目的在於摒棄實證主義的歷史知識標準，充分證實「一切歷史都是思想史」的合理性。他指出，傳統的觀點在歷史知

---

* 參見《西方的沒落》，英文版，第二卷，第48頁；第一卷，第46頁。

識標準問題上一向信奉權威，以權威史料作為檢驗歷史學家的有關陳述是否真確的尺度。其實，歷史研究應是一種自律性的思維活動，而這種自律活動的顯著體現就是「想像的建構」，即歷史學家透過批判權威史料，進而再以自我想像鉤織的「理論之網」來彌補權威史料遺留的歷史裂隙。在柯林武德看來，這種「自律性的想像之網」不僅不靠既定的事實來驗證，相反地歷史學家可以將其視為「試金石」，用以衡量援引的事實是否真確＊。

如何評價相對主義，這是當代哲學面臨的一個難題。因而，對於上面提到的歷史相對主義思潮，其利弊得失也有待於日後加以深入研討，具體評說。現在我們能指出的是這樣兩個大致的方面：其一，作為一種學術批判的成果，現行相對主義的歷史認識論有其不可忽視的積極意義，有助於我們反省傳統歷史哲學觀念的嚴重侷限性。譬如，對歷史發展規律或模式的認識單一化、絕對化，甚至把歷史過程簡單等同於自然過程，以期在歷史領域發現自然法則；又如，將用作證據的歷史事實絕對客觀化，同時就歷史證據所做的選擇與解釋又帶有強烈的主觀性，等等。

其二，對傳統學術觀念的否定似乎必然引發一種副作用，這就是矯枉過正，以致各持己端，無所適從。和前幾個世紀相比，當代歷史哲學領域已沒有什麼理論主流可言，更談不上有一種類似於黑格爾歷史哲學觀念的「統治意識」了。這好似迎來了又一次歷史意識的解放，可與之伴隨的消極影響是：過分強調現有歷史知識或歷史認識的相對性與主觀性，乃至根本否認歷史認識、特別是歷史真理的客觀性。

＊　以上觀點可詳見《歷史的觀念》「歷史的想像」一節。

若把我們討論的問題放到上述宏觀學術背景之中，能否引出這樣一個判斷：目前流行觀點就宗教起源問題所作的評價，彷彿就是當代歷史哲學觀念的「微縮景觀」。斯特倫教授等人對以往宗教起源研究的批評是不無根據的，的確指出了問題的症結所在。但這種批評意見顯然是「破壞的成分有餘」，而「建設的因素不足」，即使我們不能不意識到以往學者提出的宗教起源觀點是有重大缺陷的，諸如證據之不足，解釋的主觀性，結論的絕對化，乃至整個方法論觀念的簡單化或幼稚性等等，難道就該因此而全盤否定起源問題的學術意義嗎？

是否可以這樣認為：在人文思想史上，那些帶根本性的問題當屬常思常新的。這意味著真正重大的學術問題是久存的，有關的結論則可能是暫時的。因而，假若僅僅由於結論的過時便輕易否定問題本身，其理由恐怕不會比加入「街上流行紅裙子」之行列的動機深刻多少。本章的討論表明，對宗教起源問題研究的歷史與現狀應持慎重態度，不宜人云亦云。

當然，我們的討論也表明：要重提宗教起源問題，尚需做大量的、長期的理論準備，而這又從根本上涉及到當代歷史哲學所面臨的一系列疑難，像歷史過程與自然過程的差異，歷史發展規律或模式的實質，史實或證據與歷史解釋的關係，歷史與邏輯能否完全一致，等等。可這些難題就好像是思想的搖籃，我們似乎沒有充足的理由懷疑，一種更複雜、更成熟的方法論意識會在這搖籃裡一天天成長起來。

第二章 宗教與科學

各大傳統宗教、尤其是基督教與近現代科學的關係，已成為當代人文研究中迫切需要作出解釋的諸多難題之一。因為這個問題在很大程度上可看作是傳統宗教與近現代文化劇烈衝突的根源所在，對於它的解釋不僅直接涉及宗教與科學二者間的屬性、地位與作用的評價，也會廣泛影響到對於理性、人性、文化乃至所謂「現代性與後現代性」的重新認識。對於這樣一個重大難題，我們在這一章顯然不能企求找到某種普遍認同的答案，而只能透過一種綜合性的歷史考察，透過對幾種主要解釋傾向的整理、比較與評論，以期發現更多值得反思的方法論問題，並藉此尋找一種較合理也更現實的解釋觀念。

第一節　對立論

所謂的對立論就是認為，宗教與科學屬於兩種不同的宇宙觀或真理觀，因而二者在本質上是截然對立的，它們之間的衝突或矛盾也是絕對不可調和的。這可以說是自宗教與科學的激烈衝突出現以來便較為流行的一種解釋傾向，無論在傳統宗教的維護者還是反對者中間都不乏強硬的闡釋者，只不過兩邊的闡釋者是從不同的立場來接受這同一種解釋模式。對此，我們可藉兩個典型加以說明，即基督教基要主義派的觀點和當代著名分析哲學家羅素的觀點。

基要主義（Fundamentalism），也稱「原教旨主義」，所代表的是近現代新教神學思潮中的極端保守派。大致說來，該派形成於本世紀初期，以《基本要道》為神學思想標誌。《基本要道》是一套宣教小冊子，共12本，由美國新教牧師托禮（Reuben A. Torrey, 1856～1928年）、狄克遜（Amzi C. Dixon, 1854～1925年）等人編輯發行。據統計，1910年至1915年間，這套小冊子的發行量僅在美國國內就達300多萬冊，全部免費寄贈新教牧師、傳教士、以及基督教青年會事工人員。托禮等人編輯這套小冊子的宗旨在於：重申並維護基督徒之為基督徒的基本信條。這些信條包括：（1）《聖經》是神靈之啟示，絕無謬誤；（2）耶穌基督為童貞女所生，神性無疑；（3）基督的肉體確曾死後三天復活；（4）耶穌替世入贖罪；（5）耶穌將「肉體再臨」。基要主義在宗教與科學的關係問題上之所以力主「對立論」，是以上信條必然反映。

基要主義的神學主旨在於，毫不妥協地維護《聖經》啟示的絕對神聖性與權威性。也就是說，《聖經》中的神聖啟示不僅是一個基督徒之作為基督徒的基本信條，同時也是衡量一切思想、理論或知識是否符合真理的唯一尺度。這種真理標準在約翰・賴斯（John R. Rice）那裡表達得再清楚不過了。賴斯被看作是系統闡發基要主義神學思想的代表人物之一。他一再申明，《聖經》本身就是神的話。神的話無疑是完美無缺的，因而神在《聖經》中所說的一切都是正確無訛、不可廢除的。反之，「如果聖經不是神自己絕對無謬的話，那麼耶穌就不是神。因此，倘若你喪失聖經，你就喪失了基督與救恩。我們再說一遍，基督和聖經存在與共，生死攸關。」那麼，如何解釋近現代科學與《聖經》二者之間的尖銳衝突呢？賴斯回答：「就現代專有名詞及近代理論的意義來講，聖經不必是一本科學的書，然而，當它談及論說歷史或地理的問題時卻是絕對正確的。」*

像這樣一種既保守又絕對的真理觀，必定拒斥任何有悖於《聖經》的科學觀點，並把傳統教義與近現代科學的衝突推到絕對不可調和的地步。最能說明這一點的就是那聞名於世的「斯科普斯訴訟案」。此案發生於1925年，正值基要派勢力在美國部分地區盛極一時，田納西州通城中學教師約翰・斯科普斯（John Scopes）因講授達爾文進化論而被指控，法庭以違反《聖經》關於上帝創世的啟示為依據，判處斯科普斯有罪並罰款。儘管後來的事實表明，由斯科普斯一案而達到白熱化程度的「創世論」與「進化論」之爭，是導致基要主義神學走向衰落的重要原因之一，可該派並未因此而放棄「對立論」的觀念。從近幾十年的文獻來看，有不少精通現代科學

---

* 參見賴斯：Our God - Breathed Book——the Bible, Murfreesbors, Tenn：Sword of the Lord, 1969。此處引文轉自《歷史上十大派別的聖經觀》，台北：橄欖文化事業基金會出版部1984年版，第87頁。

的基要派學者仍在力求證實：所謂的進化論不過是「偽科學」，而真正的科學是與《聖經》中的創世論相一致的*。

若從近現代科學主義一方找出一個主張「對立論」的典型，伯特蘭·羅素（Bertrand Russell, 1872～1970年）是再合適不過的人選了。他作為一個揚名於當代哲學界和科學界的大家，曾對宗教與科學的對立作過較系統的歷史考察與方法論批判。這主要見於兩本書，《宗教與科學》（1935年）和《為什麼我不是基督徒》（1959年）。

在羅素看來，宗教與科學乃是人類社會生活中長期衝突的兩個方面，而這衝突雙方所反映的又是兩種根本對立的世界觀。宗教作為一種世界觀，其歷史源遠流長，早在人類思想史初期就已佔居重要地位。而科學世界觀的真正興起則晚在16世紀，但它頗有後來者居上之勢，從確立的那一天起就對人類思想和社會制度產生著日漸重大的影響。為說明這兩種世界觀的根本對立之處，羅素先就宗教的本性進行了反省。

宗教是什麼呢？羅素以數學家與邏輯學家那特有的簡捷思路回答：「我關於宗教的觀點就是盧克萊修的觀點。我認為宗教是由於恐懼產生的病症，是人類災難深重的淵源。」** 盧克萊修（Titus Lucretius Carus，約公元前99～55年）是古羅馬哲學家、無神論者，伊壁鳩魯主義的主要代表。顯然，作為一個20世紀的大思想

---

* 可參見Morris, ed., Scientific Creationism, San Diego, CA: Creation Life Publishers, 1974；以及由the Institute for Creation Research in San Diego, CA. 組織出版的大量文獻。

** 羅素：《為什麼我不是基督徒》，商務印書館1982年版，第27頁。

家，羅素把自己的宗教觀念歸根於盧克萊修，並非是想具體詮釋盧克萊修，更無意去做「盧克萊修第二」，而是要使盧克萊修現代化，即立足於人類當代的知識水平，用自然科學的晚近成果，來發揚光大以盧克萊修為代表的無神論傳統。這是上述引文裡第一句話的意思。

第二句話的兩個分句則集中表達了羅素對宗教信仰的認識論根源和社會歷史作用的基本看法。在他看來，宗教就本性而言是一種社會現象。而作為一種社會現象的宗教之所以能吸引眾多信徒，主要原因不在理智，而在一種特殊的情感，即人們對未知世界、神秘事物、艱難世事等等人生際遇的恐懼心理。所以，「恐懼是整個問題的基礎——對神秘的事物，對失敗，對死亡的恐懼。恐懼是殘忍的根源，因此，殘忍和宗教攜手並進也便不足為奇了。」* 在羅素那裡，正是從上述宗教本性及作用的規定性中演化出了兩個批判角度，知識方面的批判與道德方面的批判，他本人也把這兩方面的批判稱為「反對宗教的兩種主要理由」。我們大致歸納一下羅素提出的理由。

羅素認為，無論何種宗教，對於其真實性的哲學思考均可歸結於一個根本問題：上帝或神靈是否存在。作為一個西方學者，羅素在這個問題上主要對基督教正統神學的基本論點進行了較全面的批判。

第一關於最初起因的論點。所謂最初起因的論點，也就是「第一因論證」。它曾是正統基督教神學關於上帝存在的諸多證明中最通俗、最流行的一種形式。羅素說，我很年輕時就對世界萬物有無

---

* 羅素：《為什麼我不是基督徒》，商務印書館1982年版，第26頁。

最初起因這個問題作過認真思考，也在很長一段時間裡讚同正統神學的觀點，相信世界萬物的最初起因就是上帝。但18歲那年，穆勒自傳裡的一段話使我發現了這個論點的謬誤。穆勒寫道：「父親教導我說，『誰創造了我？』是無法解答的難題，因為接著人們必然要問，『誰又創造了上帝』。」* 這也就是說，如果萬物都有起因，上帝也不例外，如果有某種東西並無起因，其可能性將被世界與上帝對分。

實際上，基督教神學所主張的最初起因是一種普遍的宗教成見。例如，印度教相信「世界被馱在一隻大象背上，而這象又被馱在一隻巨龜背上」，可誰又能說清楚「這隻巨龜又被馱在何物背上呢？」最初起因論點的荒誕性可藉以上二例相互印證。時至今日，透過科學家和哲學家們的大量研究，關於最初起因的說法已毫無邏輯可言了。據現有知識能肯定的是：「沒有任何理由說世界沒有起因就不能產生。另一方面，我們也沒有理由認為世界一定要有個開始。認為萬物必定都有個開始的觀念實際上是因為我們缺乏想像而造成的。」**

第二，關於自然法則的論點。這是在18世紀，特別是在牛頓的經典物理學及其宇宙進化論的影響下形成的一個論點。根據牛頓力學，行星是按萬有引力定律而繞太陽運行的，於是神學家們便論證有自然法則必有其立法者，這個立法者就是上帝。羅素指出，在牛頓生活的時代人們尚不了解萬有引力定律的原因，這就使上述神學論點成了一種貌似深刻的解釋。而在今天，愛因斯坦的研究已為我

---

* 羅素：《為什麼我不是基督徒》，商務印書館1982年版，第13頁。

** 同上書，第14頁。

們解開了萬有引力之謎，牛頓宇宙論的那種自然法則也隨之不復存在了。此外，目前認識到的許多自然法則明顯帶有隨機性。比如，物理學的研究表明，原子的活動過程遠不如我們想像的那樣有嚴格的規律性，科學家們所能把握的原子運動規律還只是隨機事件的平均統計數。由以上分析可見，所謂的自然法則在很大程度上反映的是不斷變化中的自然科學的暫時研究結論。而正統神學主張的自然法則論點，主要謬誤就在於把自然法則歸因於上帝的意志，從而將「自然的法則」和「人為的法則」混為一談。

眾所周知，人為的法則是對人類行為方式的規定，人們可以遵守也可以違背；自然法則則是對事物運動方式的反映，是求實的、客觀的。因此，正統神學家們關於上帝決定自然法則的推理並沒有可靠根據。如果說是上帝創造了自然法則，為什麼他僅僅制訂了這些法則而不創造相反的法則呢？如果說是上帝的旨意決定著一切，為什麼會有許多事物並無法則可言呢？換言之，即使承認上帝創造自然法則的說法，那麼，上帝自身能否擺脫自然法則的客觀制約呢？總之，正統神學的論點無論如何也是站不住腳的。

第三，關於事先計劃的論點。基督教正統神學提出的這個論點大致如下：世界所以被造成這個樣子，是為了讓人類能有一個適宜的生存環境。否則的話，人類就不會存在，比如，兔子生有長長的耳朵，是為了讓人易於發現，易於捕捉；人生有高高的鼻梁，是為了能架眼鏡。如此種種荒誕的說法，在歷史上不知出現過多少。但從達爾文生活的年代起，人們終於漸漸接受了一個普遍的道理，是生命在不斷適應環境，而絕非上帝預先造好了適合人類生活的環境。

羅素進一步指出，如果對所謂事先計劃的說法略加深入思考，還會發現一個令人震驚的事實：竟然有人相信我們這個暫存的、殘暴的世界是由一位全知全能的上帝創造出來的完美之物。顯然，只要接受起碼的科學規律，就應當承認地球上的生命，包括人類是一定發展階段的產物也將在一定發展階段消亡，這是整個太陽系生成演變的必然過程。另一方面，假若真像正統神學家們所說的那樣，上帝是宇宙的創造者，那我們就不免驚訝了：在宇宙千百萬年間生成與完善的過程中，難道這位全知全能的上帝竟創造不出比三K黨和法西斯更好點的東西來嗎？由此可見，正統神學企圖從所謂的事先計劃來證明上帝的存在，這種推理也是不足立論的。

第四，關於神明道德的論點。這種論點曾以多種形式流行於19世紀，羅素主要批判了兩種表現形式。第一種主要表現形式是說，如果不存在上帝，人間便沒有是非可言。羅素認為，對這種說法，真正需要追究的問題不在於人間有無是非之分，而在於是非標準是否出於上帝的旨意。若像正統神學家所說的是上帝決定了是非標準，那對上帝本身來說就肯定沒有什麼是非了，因而相信上帝至善也就沒有任何意義了；反之，如果相信上帝的至善性，那就必須承認是非標準是不以上帝的旨意為轉移的，即它在邏輯上是先於上帝而存在的，惟其如此我們才能判斷上帝是否至善。

關於上帝存在的道德論證還有一種主要表現形式，就是所謂伸張正義的論點。其大意是說，為了給世界伸張正義，人類必然需要上帝的存在。這種說法彷彿是在吐露某種良好願望，是對世界上極不公平的生存環境的一種反抗，對正義之神的渴望。可一旦我們用科學的態度來審視這種論點，其怪誕之處便一目了然了。人類目前所認識的這個世界還只是宇宙整體的一小部分。因此，根據蓋然性或許可以作出以下判斷：人類賴以生存的這個世界很可能是宇宙整體的一個樣板，宇宙的其他組成部分很可能也像我們這個世界一樣存在著不公平、不正義的現象。這可用一個通俗的例子作為比方。打開一筐桔子，要是我們發現上面一層都爛了，一般可以肯定這是一筐爛桔子，而絕不會認為下面的桔子肯定是好的。正統神學藉伸張正義來論證上帝的必然存在，其論點豈不像選擇上述比方裡的後一個有悖於科學常識的判斷一樣怪誕。

道德實踐一向被看作是宗教信仰的主要文化價值或社會功能。直到羅素生活的年代，西方社會還流行著一種看法，相信耶穌基督就是至善的化身，基督徒就是指那些追求高尚道德生活的人。這種看法由來已久，時至當代仍深入人心，以致羅素的整個道德批判也必須由此入手，首先從經典的角度去澄清耶穌基督的道德品性，據此再來揭發基督教給整個社會生活造成的深重災難。

羅素首先指出，耶穌基督對人類來說能否視為至善的化身，這是以往的理性主義者未及深入思考的一個問題。一般人的看法往往人云亦云，認為基督的至善性無須置疑。其實，問題並非如此簡單。僅就《聖經》「福音書」裡描述的基督形象來看，其道德品性便不乏兩面性：高尚的一面與低劣的一面。羅素說，就高尚的一面而言，我自信在很多觀點上我要比那些自稱為基督徒的人更讚同基督的道德箴言。例如：「不要與惡人作對。有人打你的右臉，連左臉也轉過來由他打」，「有有求你的，就給他；有向你借貸的，不要推辭」，「你若願意作完美人，可去變賣你所有的，分給窮人」*。這些箴言所傳達的都是很高尚、極完美的道德準則。可在現實生活裡又有多少基督徒真心委身於這些法則，並積極將其化為道德實踐

* 可參見《聖經・新約》，「馬太福音」，5:39，5:42，19:21。

呢？羅素以譏諷的口吻挑明，我並不標榜自己要去實踐這些箴言，但這跟基督徒們不去實踐就不完全是一回事了。

基督絕非聖賢，其道德品性中的殘缺一面集中表現在相信地獄的存在，並懷有狹隘的報復心理。據「福音書」記載，基督一貫把那些不從訓導的人們視為十惡不赦的罪犯，將其全部打入地獄，處以無期的懲罰。例如，基督曾說：「你們這些蛇類，毒蛇之種啊，怎能逃脫地獄的懲罰呢？」「唯獨說話干犯聖靈的，今生來世總不得赦免。」「人子要差遣使者，把一切叫人跌倒的和作惡的，從他的國裡挑出來丟在火爐裡；在那裡必要哀哭切齒了。」*「福音書」裡有一個故事，可謂把基督的地獄觀念和報復心理表達得淋漓盡致，這就是「馬太福音」中的「萬民受審判」一節。其大意如下：耶穌基督第二次降臨時，要像牧羊人那樣把所有的人分為兩類，即聽命於他、服侍過他的「綿羊」和違命於他、不忠於他的「山羊」。基督先把「綿羊」誇了一番，讓他們進入天國，享有永生；然後又對「山羊們」說：「你們這被咒詛的人，離開我！進入那為魔鬼和他的使者所預備的永火裡去！……這些人要往永刑裡去。」**在羅素看來，凡生性尚有丁點仁慈的人，絕不會以這樣一種恐怖的地獄及永刑作為懲罰罪惡的主要手段。上述種種說法只能給世界帶來殘忍、釀成苦難，而基督本人也無疑應對這種殘無人道的理論及後果承擔責任。

據羅素分析，對耶穌基督二重道德品性的棄善揚惡，即放棄高尚的道德箴言，張揚殘忍的地獄觀念，必然使基督教成為道德進步

---

*　可參見「馬太福音」，23:33，12:32，13:41～42。

**　參見「馬太福音」，25:31～46。

乃至整個社會生活發展的大敵。他尖銳地指出，我倒覺得歷史上的基督徒不僅不是什麼追求高尚道德生活的人，反而大多屬於極邪惡的一幫。「無論什麼時期，只要宗教信仰越狂熱，對教條越迷信，殘忍的行為就越猖狂，事態就變得越糟糕。在所謂宗教信仰的時代，當人們不折不扣地信仰基督教義時，就出現了宗教裁判所和與之俱來的嚴刑，於是也便有數以百萬計的不幸婦女被當作女巫燒死，在宗教的名義下，對各階層人民實施了各種各樣的殘酷迫害。」*

基督教不僅在過去，而且在科學知識日漸普及的今天也仍然是人類道德進步的一大障礙。只要環顧一下當今社會生活的方方面面，像改革刑法，解放奴隸，消除種族歧視，緩和戰爭等等，人類所作出的每一步努力都曾受到教會的強烈反對。羅素指出：「當代世界的不公平、殘忍和苦難都是以往遺留下來的，其淵源在於經濟，因為爭奪生活資料的生死搏鬥在以往是不可避免的，這種鬥爭在我們的時代已經不是無法避免的。憑目前的工業技術，只要我們願意，我們就能為每個人提供不錯的生活。如果不是寧要戰爭、瘟疫、飢餓也不要避孕的教會的政治影響的障礙，我們大概也有把握使世界人口保持穩定。保障世界普遍幸福的知識已經存在，而利用這種知識的主要障礙就是宗教的教旨。宗教阻止我們的孩子接受合理的教育，宗教阻止我們排除戰爭的基本原因，宗教阻止我們進行科學合作的道德教育以代替有關罪惡與懲罰的陳腐而凶殘的教條。人類也許正站在黃金時代的門口；倘若如此，首先就需要殺死那個守門的凶龍，而這個凶龍就是宗教？」** 由此可見，人類社會要不

* 《為什麼我不是基督徒》第24頁。

** 同上書，第44頁。

斷進步，走向繁榮，就必須依靠科學，摒棄宗教。

總之，宗教與科學作為兩種世界觀，是尖銳衝突、根本對立的。根據以上具體分析，羅素把這兩種新舊世界觀的對立之處概括為如下：

（一）兩種方法論的根本對立

宗教的全部教義都是從某一普遍原則演繹出來的。譬如，在基督教那裡，這一普遍的原則就是相信上帝的存在及《聖經》的絕對權威。按照托馬斯·阿奎那的經典解釋，基督教教義所傳布的基本真理完全能夠不藉上帝的啟示而僅靠人類的理性得以證明。造物主的存在就是一個可以證明的基本真理。既然作為造物主的上帝是全知全能的，他肯定會讓自己的造物——人類具有足夠的能力來理解神聖的旨意。也就是說，只要相信上帝的存在，我們所需知道的任何東西皆可由此普遍原則推論出來。而科學藉以獲得知識的方法則與基督教神學的方法完全相反。科學方法的出發點不是普遍的原則而是特殊的事實。因此，科學活動是一種依靠觀察或基於實驗的推理過程。這一過程首先是去發現關於世界的各種特殊事實，然後再於諸多事實的相互聯繫之中發現普遍規律。一言以蔽之，神學方法與科學方法的根本對立在於，前者充作出發點的普遍原則，在後者那裡只是表現為過程的結果。

（二）兩種真理觀的根本對立

宗教的教義體系總是自稱包括著永恆的、絕對的真理。譬如，在中世紀經院哲學家們看來，《聖經》、天主教教義、以及亞里士多德哲學均是毋庸置疑的絕對權威。地球之外是否還有人類，木星是否有衛星，自由落體的速度是否與質量成正比，諸如此類的問題根本無需透過觀察或實驗來回答，更容不得任何獨立的、有創見的思考，而只能依據《聖經》或亞里士多德哲學的權威解釋。與這種唯權威獨尊的神學真理觀相反，科學歷來就承認現有知識的暫時性，期待著人們透過不斷發現對之加以修正。自近代科學以來，由於人類知識的進步主要表現為在已有理論的基礎上日漸精確化，科學真理觀的基本精神就是鼓勵人們拋棄所謂的絕對真理，轉而追求一種不失實踐意義的「技術真理」。總之，在真理問題上，科學家們的態度絕不取決於什麼絕對權威，他們所相信的是經驗證據，並僅僅堅持那些以事實為根據的理論學說 *。

---

* 以上觀點詳見羅素：《科學與宗教》，商務印書館1982年版，第一章。

第二節　相關論

與前述「對立論」觀點相反，不少近現代思想家認為，宗教與科學並非截然對立、彼此衝突的，而是相互關聯、相互依存的。「科學撇開宗教便成了跛子，宗教撇開科學則成了「瞎子」，愛因斯坦的這句名言已被看作是「相關論」的座右銘。顯然，這種相關論觀點之所以不容忽視，首先是因為它擁有一大批來自科學陣營的支持者，況且他們中間又有許多近現代科學巨匠。例如，波義耳、帕斯卡、牛頓、麥克斯韋、盧瑟福、愛因斯坦，等等。他們為何要把科學與宗教聯繫起來呢？相關論的基本觀點又是什麼呢？這裡，我們首先藉一本新著來考察一下相關論的晚近傾向。

1989年，出版了一本系統論證相關論的書，名叫《上帝玩骰子嗎？》* 作者霍頓（John Houghton）曾任牛津大學教授、大氣物理系主任，後又擔任英國氣象局局長，國家太空中心地球觀測計劃董事會董事長等職。作為一個資深的科學家，霍頓想要反省的是這樣一些問題：在當今科技進步的時代，為什麼科學家還會信仰上帝？上帝與宇宙有沒有關係、有什麼關係？科學與宗教（信仰）都在追求真理，這兩種方法有什麼異同又有何種關係呢？他指出，在科學與宗教的關係問題上主要有四種態度：（1）認為科學是探求真理的唯一方法，這種觀點在科學界相當普遍，在不懂科學的人中間更為流行。（2）認為只有憑藉基督教信仰，亦即《聖經》的啟示才能找到真理。（3）認為科學研究與宗教信仰根本無關，這是不少

* 英文版，Does God Play Dice? Inter-Varstity Press, 1989；中譯本，Christian Communications Inc. of U.S.A.，1992。

有宗教信仰的科學家們的實踐原則。（4）認為科學方法與宗教信仰二者是相通的，即科學家的經驗是與這二者有聯繫的。霍頓力求論證的就是以愛因斯坦為代表的第四種觀點。總括起來，他提出的主要論點如下：

（一）更新思考問題的角度

近代科學發展初期，科學家們遇到不能解釋的現象，常常請出上帝來填補「知識的空缺」。比如，牛頓發現了萬有引力卻解釋不了地球為何自轉，只好把自轉現象歸因於「上帝之手」。然而，現代物理學的宇宙觀表明：宇宙間的一切事物似乎都可納入科學研究的範圍，而且靠現有的知識幾乎可以解釋宇宙生成演變的全過程，從宇宙大爆炸一直到地球的形成及其運行規律。這就產生了一系列問題，科學家為什麼還要相信上帝呢？上帝在整個宇宙中還有什麼地位呢？如果仍按傳統的做法，僅僅「靠上帝來填補知識的空缺」，即把上帝在宇宙中的地位只侷限於科學尚未征服的領域，那麼，上帝豈不太渺小而且還會變得愈來愈渺小了嗎？如此渺小的上帝觀隨著現代科學的不斷進步豈不必錯無疑嗎？霍頓指出，關於上帝與宇宙關係問題的思考原本就不該侷限於小小的宇宙，而應當換一個更新、更寬廣的認識角度，這就是超越於現代科學的宇宙觀。

（二）關於上帝與宇宙的關係

若能超越現代科學的宇宙觀去思考上帝與宇宙的關係問題，最合理的判斷就是相信上帝是宇宙的創造者。早在18世紀，著名的哲學家威廉·佩利（William Palay, 1743～1805年）就提出了關於上帝是創造者的設計論論證。他的論證大致是這樣的：如果在人跡罕至的地方發現了一只鐘錶，完全可以斷定它是由工匠設計製造的；同理，宇宙的存在也無疑表明有一位設計師，他就是上帝。在霍頓看來，這種論證儘管在邏輯上並非天衣無縫，但它為進一步探求上帝與宇宙的關係提供了一個很好的類比 （analogy）。按這個類比，發現鐘錶後怎樣才能找到鐘錶匠呢？首先可以肯定，他不會藏在鐘錶機件裡。其次可以設想，鐘錶固然需要工匠的調整或維修。可是，假若一只鐘錶設計製造得越好，需要工匠給以調整或修理的可能性也就越小；假若它的設計與製造均已十分完美，工匠就根本用不著再費心了。也就是說，鐘錶匠用不著再出面了。

以上設想完全符合現代高科技產品的一個設計原則，即「容納誤差」。比如，人造衛星、電子計算機的設計，都要充分考慮到可能發生的各種故障，設法使部件或整機能夠容納一定程度的誤差，或者增加備用配件和後備系統，以實現自動調整，盡量減少維修。這種「容納誤差」的功能事實上也是生物界乃至整個宇宙的一種普遍現象。因而，正像有了關於鐘錶的知識不能否認鐘錶設計師一樣，我們現在獲得了一些宇宙方面的知識也不能輕易斷言：這個宇宙沒有一位偉大的設計師或創造者。霍頓說：「很多科學家跟我一樣同意，宇宙萬象不能完全證明創造者的存在。但大多數的證據都指向一位智慧之神在背後推動一切。」*

（三）作為科學模式的「第五度空間」

科學家不斷發現新模式以解釋宇宙。同樣，模式也是神學解釋不可或缺的工具，比如宗教語言中大量使用了寓言、比喻、類比等解釋模式。那麼，為描述上帝與宇宙的關係，能否尋求一些有科學根據的解釋模式呢？現代宇宙學提出了「四度空間幾何模式」，即三度空間加上時間，這大大擴充了人類對物質世界的認識，並成為

* 霍頓：《上帝玩骰子嗎？》（中譯本），第38頁。

預測任何物質系統的必要工具。霍頓據此提出一個建議：可否想像「上帝比我們多一度空間」，即上帝存在於作為「第五度空間」的靈界呢？

為解說這個新模式的意義，霍頓舉了個有趣的例子。100多年前，牛津大學教授艾博特（Edwin Abbott）寫過一本書《扁平國》（Flatland）。他用「扁平國」喻指一個只有兩度空間的世界，生活在這個平面世界的人只知道東南西北，沒有上下高低的概念。終於有一天，一只圓球從三度空間世界來到了扁平國。圓球向人們解釋什麼叫球體，三度空間又意味著什麼，以及它如何能自由出入平面世界、能一覽無遺這裡的一切。可所有這些對扁平國裡的人來說簡直是神話，太不可思議了。

霍頓在邏輯意義上強調：「若空間國的圓球平常不在扁平國的範圍之內，但圓球又可以隨時出現在扁平國的話，那他對扁平國的一切事物，都必能瞭如指掌……同理，只要神比我們多一度空間，神在靈界，是在這物質宇宙之外，但他可以完全看見，完全了解我們這個物質的世界，並且隨時隨地可以在我們的宇宙出現。用神學的術語來說，神是超乎萬有之上，並且是存在整個宇宙之中的一位神。」*

（四）宗教與科學在方法上的一致性

很多人認為，科學與宗教是兩種相反的世界觀，二者的經驗也完全不同，科學研究嚴謹，宗教信仰則屬空談。其實，宗教與科學在尋求真理的方法上有很多相同之處。科學方法的運用主要有三個原則或條件：（1）熟知已有的材料或傳統的知識，此為進一步探

---

* 霍頓：《上帝玩骰子嗎？》（中譯本），第59頁。

索的首要條件；（2）應用新獲得的學說或觀念，即經受實驗或事實的檢驗；（3）能與其他方面的知識相配合，比如能充實現有的知識體系。

霍頓認為，以上三個原則與基督教神學尋求真理的方法大同小異。首先，對一個基督徒來說，要熟讀《聖經》，以了解新約時代的背景、耶穌其人的生平與教誨、還有眾門徒的經歷與書信。此外，也要了解基督徒2000多年來的經驗與見證。其次，要能應用信仰解決問題，因為基督教信仰不僅需要思考，更要求一種全身心的、個體化的投入；也就是說，要完全委身於道成肉身的耶穌，在現實世界中「活出信仰、活出意義」。最後，能否使各方面的知識連貫起來形成整體，這對宗教信仰尤其重要。很多人借助經驗發現，基督教信仰能把兩方面的啟示溶為一體，即大自然的啟示與聖經的啟示。這便意味著：信仰上帝，相信所有科學的與宗教的經驗統一於上帝之創造，既有助於我們全面認識真理，也為整個人生奠定了基礎。

（五）科學探索與宗教信仰相統一的必要性

在一般人沉溺於現代物質生活的同時，一股對科學發展現狀的憂慮與失望情緒早已醞釀於西方知識界。「物質的東西已經騎在人類頭上」（埃默森，Ralph Emerson），「『代科技統治』日漸使當今世界『可口可樂化』，使精神生活變成了沙漠」（羅斯扎克，Theodore Roszak）。這股情緒的生成有諸多現實原因，比如，科學技術受到經濟效益、軍事目的的支配，政界人物對科學家的利用，片面以應用技術作為科學發展的尺度等等，所有這些都使科學給人以工於算計、冷酷無情的形象。

霍頓認為，以上現象表明：所謂的現代人——無論科學家或非科學家，還是基督徒或非基督徒，都落入了同一個陷阱，這就是「以墮落了的人性污染了科技研究」。現代人自以為靠科學技術便可以完全把握自己的命運了，既不承認人類對宇宙的依賴性，更不相信什麼宇宙的創造者，只是盲目濫用科技，誤把自己當作萬事萬物的主宰或源頭。那麼，如何糾正這種「被污染了的或墮落了的科學觀」呢？這當然首先需要提高大眾對科學的認識，因為大多數現代人並不真正了解何為科學方法，不知道現代科學還面臨哪些難題，更不清楚科學探索成敗之關鍵何在，而作為科學研究原動力的價值觀或人生觀又是何等重要。

但在霍頓看來，更重要的一點還是必須重視科學事業中蘊藏的超越性本質，亦即明確這樣一種信念：科學的研究對象是一個「上帝授予的物質世界」。遠溯300年前實驗科學萌芽時期，我們可以發現，科學家們的靈感那時普遍產生於一種好奇精神，一種探知上帝之創造的渴望。對他們來說，科學研究是神聖的活動，其主要目的就是榮耀上帝。到今天，雖然並非所有的科學家都還懷有上述信念，可他們對宇宙及其規律之奇妙與神秘的感受卻一如從前。霍頓以為，這正是促使我們從懷疑到信仰，並把科學與信仰統一起來的最有力的證據。

相關論不僅在科學家中間有不少支持者，而且得到了史學研究的系統論證，比如，科學史角度的論證與文化史角度的論證。關於這方面的論證，我們也可藉一本近著以見一斑。這本專著名叫《宗教與現代科學的興起》（1972年）。

《宗教與現代科學的興起》一書的作者是霍伊卡（R. Hooykaas），荷蘭烏德列支大學科學史教授。他在該書中試圖從科學史的角度再現著名學者馬克斯．韋伯式的提問方式與研究思路。

「經典意義上的現代科學」興起於16至17世紀的西歐。這一歷史事實可以引出一個問題：為什麼現代科學興起於此時此地而沒有出現在他時他地呢？霍伊卡指出，這當然與西歐特有的文化源流有關。

歐洲文明有兩大源頭，古希臘文化與基督教信仰。說到這兩種傳統對現代科學的影響，一般觀點總是認為，前者曾為現代科學奠定了一種邏輯的或理性的方法，而基督教會則扮演了「絆腳石」的不光彩角色。譬如，以《聖經》為權威長期否定日心說、進化論等。所以，即使連許多神學家也因痛惜教會對科學的長期阻礙而否定教會的過去。對於上述流行觀念，霍伊卡首先從邏輯上提出了兩點異議：

第一，正像後人對亞里士多德哲學的誤解不能怪罪於亞里士多德本人一樣，我們也不能因為歷史上有人以自己對《聖經》的偏頗解釋來反對科學發現，而指責《聖經》的原始記述者們。

第二，既然歐洲思想深受兩大傳統的影響，那麼，只是肯定現學思維方式留有古希臘羅馬文化的印記，這似乎難以令人置信。因為在現代科學興起時期，基督教仍是西歐文化中最強大的力量，人們關於上帝的信仰必然影響他們探究自然的方法乃至整個科學活動。

大致就是依據以上邏輯判斷，霍伊卡對基督教與現代科學的關係問題進行了一種歷史考察。他所作的歷史分析是緊緊扣住《聖經》中的自然觀展開的。

《聖經》的自然觀與古希臘哲學的自然觀相比有一個根本差異，後者「神化自然」，而前者則是「非神化的」。對大多數古希臘哲學家來說，自然是有生命、有神性的。因而，自然本身就是萬事萬物的神聖源泉，就連神祇也源於自然或化為自然。例如，泰勒斯

（Thales，約公元前624～547年）認為水是萬物的本原，赫拉克利特（Herakleitos，約公元前540～470年）把火看作萬物的本原。再如，柏拉圖（Plato，公元前429～348年）講的「理念」，亞里士多德講的「形式」，也是用理性的語言神化了自然。這些古希臘哲學家的看法反映的是一種「有機論的自然觀」。

與上述神化自然的觀念不同，《聖經》一開篇就強調，上帝是宇宙的創造者，是他用「話語」（Word）從虛無中創造了天地萬物。除了上帝別無他神，也別無任何事物具有神性。同時，《聖經》中也啟示了人與自然的特殊關係。上帝對人說：「治理這地，也要管理海裡的魚、空中的鳥，和地上各樣行動的活物。」* 這樣一來，被古希臘哲學所神化的自然便非神化了。大自然本身並不是讓人畏懼或敬拜的神，而是讓人去珍惜、去管理、去研究的「上帝之作品」。所以說，「在《聖經》中，不是上帝和自然與人類對立，而是上帝和人類共同面對自然。否認上帝與自然重合，也就意味著否認自然具有神的特徵。」**

當然，《聖經》的自然觀之被認識、並對科學產生重大影響，經歷了一個相當長的歷史過程。即使在基督教神學十分發達的中世紀，經院哲學家們也大多是戴著「古希臘眼鏡」來詮釋《聖經》的，他們的自然觀是一種折衷的產物，是聖經的啟示加上亞里士多德的自然哲學。這就無怪乎那時的科學在方法論上仍難擺脫古希臘哲學自然觀的主要弊端，像神化自然、誇大理性、低估人類能力、

* 《聖經・創世記》，1:28。

** 霍伊卡：《宗教與現代科學的興起》（中譯本），四川人民出版社1991年版，第16頁。

鄙視體力勞動等等。一直到宗教改革時期，《聖經》的自然觀才得以徹底闡釋，開始成為科學方法論的根本原則。從帕斯卡、巴梭、波義耳到馬勒伯朗士、牛頓、貝克萊，一種經驗主義的科學觀逐步形成，乃至今天依然作為科學正統方法——理性經驗論的根基。但值得注意的是：「19世紀和20世紀的大多數科學家，當他們採納這種觀點時，也許並沒有意識到這樣一個事實，即儘管一切都已世俗化，但他們的學科的形而上學基礎，卻主要來源於《聖經》關於上帝和創世的觀念。」* 也正是為了充分揭示上述尚不明朗的史實，霍伊卡進一步就諸多具體方面展開了歷史性考察，諸如，《聖經》中的自然觀對人類技藝的肯定、對手工勞作的重視、對實驗活動的道德認可，尤其是為近現代科學的先驅者們提供的強大精神衝動。

* 霍伊卡：《宗教與現代科學的興起》（中譯本），四川人民出版社1991年版，第37頁。

第三節　分離論

分離論的基本解釋傾向在於：強調宗教與科學各有特性或不同領域，二者應當區別開來或分而治之。這種解釋傾向在當代人文研究中比較流行，其反映形式也是多種多樣的，像實證主義的、存在主義的、新正統神學的、日常語言哲學的等等。為具體化起見，我們在此不去涉及眾多派別，只是以兩位著名學者的論點為例，他們是蒂利希和湯恩比。

蒂利希（Paul Tillich, 1886～1965年）是本世紀最有影響的新教神學家、哲學家之一。他畢生致力於一種「文化的神學」（Theology of Culture），以彌合宗教信仰與世俗文化的分裂。因而，如何解釋基督教與科學之間的長期衝突，自然也就成了蒂利希十分關注的一個問題。在他看來，若想消除二者以往的衝突，首先需要澄清宗教與科學各是什麼、二者追求的真理又有什麼區別。

所謂的科學旨在說明宇宙的結構與聯繫，所用方法是實驗的與計量的。就一個科學的陳述而言，其真理性在於對實在的結構法則加以準確描述，而且這種描述要經得起實驗的反覆證實。所以說，凡科學真理均是有待深化、有待改變的，因為人對實在的把握與表述是無止境的。蒂利希認為，上述不確定因素非但不會貶低科學論斷的真理價值，反而會使科學家們避免陷入教條主義或絕對論。因此，若像歷史上有些思想家那樣，以科學論斷的不確定性為由，為給宗教真理保留地盤而拒斥科學真理，那無疑是一種落入窮途末路的神學方法，這種方法隨著科學的不斷發展不得不節節讓步，乃至最後走投無路。蒂利希指出，科學真理與宗教真理並不屬於同一意域（the same dimension of meaning），因而，「科學並無權力干預信仰，信仰也無權干預科學。一個意域是不能干預另一個意域的。」*

如果上述看法能被接受，以往宗教與科學間的衝突便可以另作解釋了。蒂利希認為，以往的衝突其實並非來自原本意義上的宗教與科學，而是「一種宗教信仰」與「一種科學觀念」之間的衝突，原因在於二者都沒有意識到各自的「有效意域」。譬如，基督教神學家激烈反對過現代天文學，因為他們當時只知道基督教使用了亞里士多德—托勒密的天文學語言，而沒有認識到這些象徵性語言與天文學本身並無密切關係。又如，假若現代物理學家們把整個實在約簡為物質微粒的機械運動。否認生命與心靈的實在性。那他們也只是在表達一種信仰，難免與基督教發生衝突。這也就是說，「科學只能與科學相衝突，信仰只能與信仰相衝突；保持為科學的科學不可能與保持為信仰的信仰發生衝突。這對其他科學研究領域來說也是如此，比如生物學和心理學。」**

由此來看，歷史上那場著名的進化論之爭，也並不是真正意義上的宗教與科學的對抗，而是某些基督教團體的神學與某些偏信進化論的學者之間的爭執。在這爭執雙方中，前者因拘泥於聖經的字面意義而曲解了基督教信仰，把聖經中的創世傳說看成關於具體事件的科學描述，這就在方法論上干預了科學研究；而後者則把人僅僅看作是低等生命形式進化的產物，以致忽視了人與動物的本質區別，否定了人性，這種解釋顯然不再是科學而是「一種信仰」了。

---

* 蒂利希：《信仰之動力》（Dynamics of Faith, New York: Harper and Row, 1958）第81～82頁。

** 同上書，第82～83頁。

蒂利希是一個極富反省精神的神學家。他指出，神學家們當從宗教真理與科學真理之區別領受一個警告：忌用科學的最新發展去證實宗教信仰。譬如，量子論和測不準原理一出來，馬上就有人用以證明人類的自由、上帝的創造及其奇蹟等等。其實，這無論在物理學還是神學上都是不能成立的。物理學說與人類自由並不直接相干，量子現象也和神蹟啟示沒有直接關係。換言之，「若以這種方式使用物理理論，神學便混淆了科學與信仰的範圍。信仰之真理是不能以物理學、生物學或心理學的晚近發現來證實的，正如它也不能被這些東西所否定一樣。」*

湯恩比（Arnold Joseph Toynbee, 1889～1975年）是英國現代著名的歷史學家、歷史哲學家，「思辨歷史哲學」的主要代表，以歷史哲學巨著《歷史研究》而聞名於當代學術界。他在探討整個人類文明史的發展模式時，也重點討論過宗教與科學的關係問題。

透過比較諸種文明型態的生成演變過程，湯恩比指出，宗教信仰實質上是文明社會的生機源泉。然而，現存的各大宗教卻都面臨著一場「情感與理智」的激烈衝突，而它們的前途也在相當大的程度上取決於如何認識和解決這場重大的衝突。顯然，解決衝突的前提在於認識衝突的根源。在湯恩比看來，這場衝突雖然直接起因於近現代西方科學對各大宗教的挑戰，但根本原因卻在宗教內部。直到今天，各大宗教所信守的仍是一整套古老的傳統，這些傳統無論從什麼角度來看都已落後於時代了。因此，對各大宗教來說，即使不出現近現代科學的嚴峻挑戰，這場衝突也是不可避免的。為什麼

* 蒂利希：《信仰之動力》（Dynamics of Faith, New York: Harper and Row, 1958）第85頁。

這樣說呢？湯恩比把我們引入了背景廣闊的歷史回顧。

在歷史上，宗教與唯理主義的重大衝突至少有過兩次。較晚的一次衝突就是現存的四個高級宗教＊在早期階段跟古代哲學的碰撞。古代哲學是以世俗的唯理主義為特徵的。當各個高級宗教興起時，以這種唯理主義為特徵的古代哲學派別已在絕大多數傳教地區的知識階層中占據了精神統治地位。在這種情況下，各個高級宗教不僅無力排斥而且還不得不吸收古代的世俗哲學。所以，這場衝突以高級宗教向唯理主義妥協而告終，而各個高級宗教現有的正統神學體系也就是這樣一種妥協的結果。例如，基督教和伊斯蘭教是以古希臘哲學語言來表達各自的神學體系的；印度教的神學體系則借用了古印度哲學的基本術語；而大乘佛教原先就是從古印度哲學的一個學派演變過來的，同時又保留了原有的哲學性質。

至於最早的那次衝突，可以追溯到古代哲學形成時期。諸種古代哲學體系在歷史上的興起所引發的是一場生機勃勃的理智運動，其發展勢頭絕不亞於近現代西方科學。這就引起了古代哲學與原始宗教的歷史衝突。譬如，古希臘哲學與古希臘文明中保留下來的原始宗教的衝突，古印度哲學和古印度文明所繼承下來的宗教因素的衝突等等。這場歷史性衝突也是以雙方和解而結束的。

表面看來，以上兩個先例令人寬慰。如果宗教信仰和唯理主義先後經過兩次衝突還能同時並存，這豈不意味著眼前的衝突也會有個不壞的結果嗎？但湯恩比認為並非如此。他的主要理由是：在第一次衝突時，現在面臨的問題實際上還沒有產生；而在第二次衝突中，這個問題又因衝突雙方找到了一種適宜的緩和辦法而被遺留了

＊　這是湯恩比的一個基本概念，相對於原始宗教而言，下文有具體說明。

下來；可這個歷史遺留問題對20世紀的文明社會來說卻是一個極待解決的難題。

具體些說，當古代哲學與原始宗教二者相遇時，並不會引起理智和情感的衝突，因為二者之間還沒有形成誘發衝突的共同基礎。原始宗教就本質而言主要不是信念，而是行動。這也就是說，判斷一個教徒的標準主要不在於他是否接受信條，而在於他是否參加祭祀。對原始宗教來說，祭祀本身就是目的，至於儀式能否轉達真理是不多加考慮的。那時人們相信，正確的儀式必然產生實際的效果，否則儀式就是沒有意義的。所以，當世俗哲學家們出現在原始宗教的社會背景裡，以理智的語言來討論現實生活的真假時，只要他們信守祖傳的儀式便不會跟原始宗教發生矛盾。況且，在早期的哲學中並沒有任何觀念有礙於他們遵守原始宗教儀式，正如傳統宗教儀式裡也沒有任何因素與古代哲學勢不兩立。

但是，到高級宗教陸續登上歷史舞台後，情形就大不一樣了。所有的高級宗教區別於原始宗教的本質特點即在於，它們的信仰無一不是基於「先知啟示」的；這些啟示像哲學命題一樣也是用來說明事實、衡量真假的。從此以後，也就有了兩種真理——「啟示的真理」和「理智的真理」；相應於此，也就有了兩個權威——「先知們的啟示」和「哲學家的理智」。而這兩大權威都力圖控制整個精神活動領域，於是情感與理智再也不能像以前那樣並行不悖、相安無事了，真理成了雙方論爭的戰場。在這種新情況下，敵對雙方在真理問題上的尖銳衝突不外兩種結局，不是雙方達成妥協，就是彼此一決雌雄。這就是湯恩比前面所指的「問題」。

湯恩比指出，在第二次情感與理智的衝突中，敵對雙方的主要代表是：基督教、伊斯蘭教、佛教和印度教所堅信的先知啟示，與古希臘哲學和古印度哲學的思想體系。結果，這兩股勢力透過碰撞實現了和解。古代哲學默默中止了對先知啟示的理性批判，其妥協條件是取得各個高級宗教的承認，以哲學語言來系統闡釋這些啟示。毋庸置疑，這在歷史上是一次真誠的和解。然而，真誠的和解並不等於真正解決了問題。這是因為，兩種真理的對立是一場真正的衝突，而借用新的神學語言來調解這場衝突只能達到一種字面上的妥協，其結果是真理本身的歧義性依然和原先一樣含混，可見上述和解實質上無異於一種虛假的和解。問題就是這樣遺留下來的。所以，對當前的衝突來說，歷史上的第二次和解不僅不是一種解決問題的辦法，反倒是一種障礙，因為它遲早會使這場衝突以更尖銳的形式再次爆發出來，眼前的情形就是如此。

面對一種由冒牌的科學真理構成的神學體系，科學家們總不能耐著性子不加以指責；而一旦把理智的語言納入神學體系，基督教教會則禁不住要獨攬知識大權。因此，等到近代科學從17世紀起逐漸脫離古希臘哲學的龐雜體系，形成了一些新的知識領域時，羅馬天主教會的第一個反應就是頒布禁令，嚴禁西方學術界攻擊古希臘哲學。這方面的一個典型事例就是當時的教會把地球中心說看作一種信條，而把伽俐略的新學說視為冒犯神靈。到本世紀50年代，近代科學與高級宗教二者之間的激烈衝突已有300多年了。在這期間，各大宗教一直眼睜睜地看著自己的地盤被近現代科學一塊塊地奪去，像天文學、宇宙學、生物學、物理學、心理學等等，而且這股勢頭至今方興未艾。但總的看來，宗教當局的強硬立場依然頑固不化，還是把自己的希望寄託於不妥協策略。例如，第一屆梵蒂岡公會議所通過的「教皇永無謬誤宣言」，北美新教教會所主張的原教旨主義，以及伊斯蘭教中出現的軍事復古主義等等。然而上述強硬立場絕非強大的標誌，而是衰弱的徵兆。

在湯恩比看來，各大宗教在近現代科學的劇烈衝擊下日漸衰退，逐步喪失了人類的信賴，這的確是一種不祥的兆頭。歷史證實，人類陷入精神絕望之日也正是深感宗教飢渴之時。也就是說，每當這時人們一般總是從宗教信仰那裡尋求精神慰藉的。因此，一旦現存各大宗教被迫退出了歷史舞台，諸多原始的或低等的宗教形式馬上就會乘虛而入。在當今世界，法西斯主義、國家主義等等新興的世俗意識型態已經爭得了大量信徒。更嚴重的是，在標榜民主的西方世界，儘管有5/6的人自稱信奉基督教，但實際上其中起碼有八成的人所信奉的是冠以愛國主義美名的原始社團崇拜。除此之外，各個世界人口中還有3/4的人生活於原始狀態，他們正受到西方世俗文明的強烈衝擊，正陸續加入現代文明的行列。可根據以往的歷史經驗，他們所沿襲的原始宗教習俗，很可能浸入西方原有的那些文明程度較高的無產者們的空虛心靈。

由此可見，要是現代科學真的壓倒各大宗教，這對雙方來說都將是一種不幸的結局：「因為理智與宗教均是人性的一種本質機能」*。在第一次世界大戰前的200多年間，西方科學家們一直抱有這樣一種天真信念：以為科學技術是近代西方社會相對繁榮的頭號功臣，只要不斷有所發明便能確保人類生活日臻美滿。毫無疑問，上述天真信念早已在兩次世界大戰的熊熊炮火中化作煙雲了。

湯恩比指出，對人類文明來說，科學所賦予的支配外部自然的能力，其重要程度顯然遠遠不及人與人、人與神之間的關係。假若

---

* 湯恩比《歷史研究》（A Study of History, Abridgement of Volume VII- X , Oxford, 1957），第99頁。

人類祖先缺乏使自己成為社會動物的天賦能力，假若原始社群並沒有不斷發展這種能力乃至最後形成科學知識的必要條件，恐怕人類的理智永遠也不可能獲得成為萬物之靈的歷史機遇。這也就是說，科學技術的重要性並不在於其自身，而在於科學的進步能夠促使人們意識到道德問題，並積極解決這些問題。事實上，近代科學的發展也曾向人類提出了一些異常重要的道德問題，但科學本身並沒有能力解決這些問題。其原因即在於，「人必須解答的那些最重要的問題都是科學說不出所以然的問題」*。

以上分析表明，科學與宗教所追求的實際上是兩種不同的真理，即「理智的真理」與「情感的真理」。因此，就眼前這場衝突而言，「除非人們認識到，同一個字眼兒『真理』，在哲學家、科學家的用法中和先知們的用法中並非指相同的實在，而是一個用來表述兩種不同的經驗形式的同形異義詞，否則其就不可能找到真正的解決辦法。」** 湯恩比認為，只要意識到真理概念的上述特點，各個高級宗教就該清楚自己在眼前這場衝突中必須做些什麼了。凡是屬於理智範圍的、包括歷史上屬於宗教範圍的那些研究領域，宗教均要讓位於科學。宗教一攬各個知識領域的大權，這在歷史上只是一個偶然的事實。因而，目前放棄這些權力不僅不是什麼損失，反而還是一種收穫。

---

* 湯恩比《歷史研究》（A Study of History, Abridgement of Volume VII- X , Oxford, 1957），第99頁。

** 同上書，第97頁。

第四節　衝突何在

關於宗教與科學關係問題的爭論由來已久。捲入這場爭論的派別之多，各派提出的論點之雜，遠不是這裡能概括清楚的。不過藉助前述三種解釋傾向，我們還是可以大致把握有關爭論，並就存在的主要問題試作分析。

從嚴格意義上講，宗教與科學的關係問題是隨著近代自然科學的興起而突出出來的。16世紀以後，西方資產階級的強大，新的生產方式尤其是社會生產力的迅速發展，為人們認識與改造自然提供了最直接的歷史動力。由此興起的自然科學本質上是一種「實驗研究」。科學家們在短短幾百年間透過實驗獲得了一系列劃時代的偉大發現，諸如日心說、血液循環理論、星雲假說、能量守恆與轉化定律、細胞學說、生物進化論等等，使傳統神學的宇宙觀受到了空前的挑戰。

但值得注意的是，宗教，這裡首當其衝的當然是基督教，在這一時期所面對的真正挑戰者並非自然科學發現本身，而是由實驗科學與世俗化哲學二者結成的新聯盟。更準確些說，是根據實驗科學的方法論總結而形成的一種新哲學思潮。這種新哲學的基本精神就在於，掙脫傳統神學觀念的長期束縛，由信仰上帝轉而依賴理性，不再以任何神學權威或超自然的原因來解釋一切，而是以實驗結果或經驗事實來重新審視自然、社會乃至宗教信仰本身。正是由於這樣一種新哲學思潮的形成及其對整個文化領域的深刻影響，作為一種傳統權威的宗教神學與新興實驗科學的關係變得緊張了，如何解釋經典教義與科學發現之間的矛盾或衝突，也就成了一個不可迴避的問題。

若從上述歷史背景來反觀「對立論」，其論爭雙方各以如此激烈、如此極端的形式出現，是再自然不過的事情了。基要主義形成之時，傳統的基督教信仰正深受內外兩方面的衝擊。一方面，在一系列重大科學發現的推動下，理性主義與人本主義匯成了近代哲學方法論的主流，批判基督教神學的哲學思潮一浪高過一浪，從衝擊個別經典教義一直到席捲整個神學體系。另一方面，傳統的基督教信仰也陷入了內部危機。19世紀與20世紀之間，自由主義神學盛行於歐美神學界。它的基本神學傾向帶有濃厚的理性主義與人本主義色彩。譬如，強調上帝與宇宙關係的內在性，突出人的理性與情感，重視人的價值與道德責任，對世俗社會的進步抱有樂觀態度，等等。尤為明顯的是，自由派神學家們從一開始就否定傳統的「聖經字句無訛說」，主張用「歷史考據學」來重新闡釋耶穌基督的啟示。這不能不說是對基督教傳統信仰的一種背叛。

眾所周知，對後繼的信仰者而言，宗教是一種「神化的傳統」，其神聖根據在於經典。基要主義者作為現代基督教神學中的極端保守派，其對立論觀點所反映的也就是宗教信仰的這一基本特徵。當傳統的基督教信仰外遭挑戰，內受動搖時，他們所固執的是「唯信仰主義」的原則，即除《聖經》外，別無根據或權威。這是基要主義者的立論前提，因而也是後來的研究者們不應忽視的歷史評價前提。

若把基要主義者作為「唯信仰主義」的典型，那麼，羅素的對立論觀點則可看成「唯科學主義」的代表。羅素學識廣博，通曉哲學、數學、社會學、政治學、教育學等，一生的哲學觀念也複雜多變。但在宗教與科學的關係問題上，他卻是近代哲學精神的忠實闡釋者，是一個徹底的唯科學主義者。也就是說，他一直是以科學的理性主義為原則，以科學的晚近成就為證據來徹底否定宗教信仰的。

如前所見，羅素對宗教信仰的否定主要取自兩個角度：知識方面的批判與道德方面的批判，其中最基本也最典型的是前一方面的批判觀點。他首先強調，從知識的角度來看，我們沒有理由認為現存的任何一種宗教是真實的。對這個判斷，羅素作過兩方面的求證，一是在自傳體著作《為什麼我不是基督徒》中對基督教教義所作的具體批判；一是在《宗教與科學》一書中對基督教與科學的長期衝突所作的歷史考察。這兩部分求證實際上運用的是同一個原則：凡知識必得自於（自然）科學方法，否則便無知識性或真實性可言。

由以上分析能否引出這樣一個看法：在宗教與科學的關係問題上，對立論的論爭雙方是各有其不可忽視的立論前提的。譬如，基要主義者以經典為權威，羅素等人以科學或知識為權威。而且，若評論者能置身於爭論之外，又很難說爭論雙方的立論前提是一點歷史根據也沒有的。而真正的問題乃在於，那潛伏於立論前提之下、各具極端形式的神學或哲學信念。如前所見，唯信仰主義使基要主義者不僅把《聖經》奉為絕對權威，甚至將傳統教義當成裁判新興科學的最高法官；而在羅素那裡，近代哲學的基本精神及其對基督教的合理批判，顯然已被過分誇張，推向極端，致使科學理性主義蛻變為一種典型的「唯自然科學主義」，使複雜的宗教問題化簡為一種單純的自然科學判斷，即符合自然科學研究成果的即為真，否則皆為假。

這樣一來，宗教與科學的激烈衝突就在所難免了。因為這二者在對立論的論戰雙方眼中，是作為兩種非此即彼的世界觀或真理觀而互不相容、勢不兩立的，二者的衝突猶如「真假孫悟空之戰」，有你無我，你死我活。這個比方不一定恰當，但可以肯定的是，只要像對立論那樣把宗教與科學視為兩種截然對立的世界觀或真理觀，宗教信仰與科學知識便無任何分明的界限可言了。也就是說，二者在信仰與知識的對象、方法、目的上的混同，難免導致全面的衝突。這一點已為過去的歷史所驗證。一旦科學有重大發現，唯信仰主義者便會為維護信仰而拒斥其中任何有悖於傳統教義的成分；與此同時，唯科學主義者則會向傳統神學發起又一輪挑戰。

對立論雙方或「為信仰而否認科學」，或「為科學而否定宗教」，這顯然把宗教與科學的關係問題處理得過於簡單化了。相比之下，相關論提出的一些觀點或許可使我們意識到問題的複雜性一面。

前面引以為例的霍頓博士的觀點，反映的是部分當代科學家為結合基督教信仰與科學探索而作的新嘗試。霍頓是在現代知識背景下來重新反省宗教與科學的關係問題的。他的整個思考有一個「科學的基礎或出發點」，這就是現代物理學的宇宙觀。霍頓指出，現代科學對宇宙的起源與演化雖然已有很多認識，可相對於宇宙之博大奇妙還留有太多的問題，太多的未知領域。因而，若想在宗教與科學之間建立起一種「既平衡又現實的關係」，確有必要超越現代科學的宇宙觀與方法論，藉助一些新的模式，譬如「第五度空間」，來重新思考科學與宗教的關係。

另一方面，現有的科學方法也並不是萬能的、並不能解釋一切。總的看來，「分析方法」是目前科學研究中最常用也最有效的一種方法。過於誇大分析方法的多功能性，在科學家中間產生了一種新的教條或信仰，即「還原論」（reductionism，又譯「簡化論」)。還原論的缺陷是顯而易見的。打個比方，對一幅油畫，化學家可以去分析畫布上的物質成分，物理學家可以去分析油彩的光譜，其他專業的科學家們也可以去測定這幅油畫的材料來源或創作時間，等等。然而，即使用最詳盡的分析方法也無法解釋這幅油畫的藝術價值，更不可能證實該畫的存在是多餘的或不重要的。這表明「沒有任何理論可以解釋一切，也不可能堅持一個理論而排除其他的解釋。」*

對於霍頓的立論基礎，尤其是他借用「第五度空間」等科學術語來展開其論證過程的做法，難免仁者見仁，智者見智。但難以否認的是，他提出的相關論觀點代表了當今不少有信仰背景的科學家的解釋傾向，而這種解釋傾向的背後也的確有他們的部分科學實驗經驗作為支持。

如果有人對霍頓的論證不屑一顧的話，那麼，對科學史專家霍伊卡所作的歷史考察便需要慎重考慮了。霍伊卡的考察可看作是對科學史的一種文化尋根。科學作為人類文化的重要組成部分，其發生與發展不會是一種獨立現象。因而，16至17世紀興起於西歐的近現代自然科學，也不會不深受西歐文化傳統的影響。霍伊卡觀點的獨到之處就在於，一反流行觀點對作為一種傳統精神信仰的基督教的輕視甚至輕蔑，透過多方面的思想史材料與歷史比較，證實了《聖經》中的自然觀對近現代科學方法論的形成有過重大推動作用。

實際上，霍伊卡的上述歷史反省傾向並非別出心裁，而是基督教文化史晚近研究成果的具體反映。如前所述，霍伊卡的提問方式

---

* 《上帝玩骰子嗎？》(中譯本)，第93頁。

與推論過程仿效的是韋伯的宗教社會學。至於他的具體結論與當代有關學術成果的關係，可舉道森的文化史學為例來給以證實。道森（Christopher Dawson, 1889～1970年）是英國著名的宗教哲學家、歷史哲學家、文化史學家。關於他的整個學術觀點，我們在後面的章節還會作較詳細的討論，這裡只指出他的一個基本觀點。道森力圖用大量史實向人們表明：要真正理解西方近代文化的起因，絕不可忽視作為一種文化傳統的歷史積澱過程，尤其是不能低估處於西方近代文化之前夜的那段以基督教文化為特徵的歷史，因為不僅近代文化所必需的精神動力，甚至包括近代文化的先驅者們都是由這段歷史孕育而成的。按道森的考察結論，這段歷史的意義即在於「中世紀後期在西方歷史上打開了新的一章。這是西方人為發現一個新世界而邁著試探、徘徊的步伐，踏上其偉大的探險歷史的時期;這不僅僅是想發現新的海洋、新的大陸，而主要是想發現自然，發現作為大自然之完美造物的人本身。」* 儘管我們尚無法斷定道森是否對霍伊卡有直接影響，可後者的結論彷彿就孕育在前者的成果之中，或者說，就是前者文化史學觀念的具體發揮。

藉以上兩個典型的分析可以看出，與對立論雙方的極端立場相比，相關論已超出了簡單否定或肯定的論爭模式，而把解釋的重點放在某些具體的或歷史的方面。譬如，部分有信仰背景的科學家們的實踐經驗，現有科學方法的侷限性，作為一種文化傳統的宗教對科學家、科學方法論、乃至近現代科學賴以興起的整個人文背景的影響，等等。諸如此類的解釋意向，顯然有助於我們意識到宗教與

* 道森：《宗教與西方文化的興起》（Religion and the Rise of Western Culture, Image Books Edition, 1958），第218頁。

近現代科學二者關係的歷史性與複雜性。但同樣明顯的是，相關論的解釋也存在著片面性。這主要表現在，偏重以部分經驗或史實去證明宗教與近現代科學相統一或和諧的一面，而對二者相對立或衝突的一面重視不夠甚至有意淡化。

大家知道，從整個西方文化史來看，基督教與科學的關係經歷了一個從包容、統攝、分化到彼此衝突的過程。自近代自然科學興起以來，二者關係史中的主要方面顯然是對立與衝突，因而更需要作出解釋的也正是二者何以成為對立面，有無可能消除衝突、和諧共存。就此而論，相關論提出的一些證據誠然有利於克服對立論的簡單化態度，可其論證方式本身的確留有一些值得追究的問題。例如，在近現代科學家中基督徒畢竟不佔多數，而以少數信教科學家的經驗來立論；是否有避重就輕或以偏概全之嫌呢？又如，基督教作為一種文化傳統，很可能為近代科學的興起提供過積極的甚至是至關重要的精神動因，可這種歷史考證能否用以解釋現狀呢？當這類問題促使我們不得不去正視宗教與科學的長期衝突時，或許分離論的某些觀點能使我們的認識在上述討論的基礎上再進一步。

如前所見，蒂利希和湯恩比的分離論觀點都是針對宗教與科學的長期衝突而提出來的。對於衝突的原因、性質以及解決辦法等問題，這兩位思想家的具體看法雖然不盡相同，甚至存在某些分歧，可他們的解釋傾向卻有發人深省的相近之處。

蒂利希和湯恩比都認為，宗教與近現代科學之所以不斷衝突，久爭不息，其直接原因在於二者界限的混淆。在西方文化背景下，這原因又主要表現為傳統的基督教神學對科學研究的干預或拒斥。以上認識使他們的解釋不約而同地回歸到這樣一個基本問題：對人來說，宗教與科學分別意味著什麼？二者的關係又意味著什麼？

前面提到，照湯恩比的看法，宗教與科學所追求的是兩種不同的真理，即「情感的真理」與「理智的真理」。因而，二者以往的長期衝突本質上也就是一場「情感與理智」的對抗。顯然，如此兩種不同的真理或經驗相衝突、相抗爭，無異於越俎代庖。湯恩比的這種看法植根於他對「整個人類精神活動的結構與機能」的認識。他認為，人類的整個精神或心理活動是由意識與潛意識兩大基本層次構成的。意識不過是精神活動的表層，猶如大部分都沉在水面下的冰山的外露部分，而潛意識則是一切精神活動的基礎或源泉，是「靈魂與上帝相交往的通道」。潛意識層又可由上至下依次劃分為個人的潛意識、家族的潛意識、社會的潛意識、種族的潛意識等等分層。儘管深層心理學的研究起步不久，但湯恩比確信，潛意識的終極層「是跟位於整個宇宙底層的終極之實在相同一的」。這一「終極之實在」也就是各種宗教所信仰的「上帝」或「神」*。若按這種認識，宗教與科學便應劃歸於不同的精神活動層次予以分而治之了。

和湯恩比不同，蒂利希認為宗教信仰就是「無條件的、無限的、整體性的終極關切」，而並非「情感的或意志的」。但他關於人類精神生活的整體性和「理性」範疇的理解，卻與湯恩比不乏相近之處。蒂利希指出，宗教與科學在整個人類精神生活中的關係也就是「信仰與理性」的關係。對於「理性」主要有兩種解釋。一是指科學的方法，其特徵是邏輯的嚴謹性和技術的可計量性。這種意義上的理性可提供認識與控制現實的工具，關係到每個人的日常生

* 湯恩比和池田大作：《選擇人生》（Choose Life, Oxford, 1976），第26～28頁；《歷史研究》（英文版），第102頁。

活，是當今「技術文明」的支配力量，因而可被稱為「技術理性」（technical reason）。這是時下常見的一種解釋。

然而，對信仰與理性關係問題的討論來說，真正有意義的還是第二種解釋。根據西方文化傳統，所謂的理性主要是指人區別於其他生物的特性，即人性。作為人性的理性，顯然是語言、自由與創造的基礎，廣泛反映於人類精神活動領域，諸如認知、藝術、道德等等。與此同時，理性還是個體與群體生活的必要條件。

就上述意義而論，信仰與理性的關係主要體現在兩個方面：一方面，理性是信仰的前提，因為只有有理性的人才能抱有終極關切。而一種毀滅理性的信仰也就是毀滅人性，毀滅其自身；另一方面，信仰是理性之超越。人的理性是有限的。人透過理性認識到的東西，無論宇宙還是人本身，也侷限於一種有限的關係。但是，人在此同時也意識到了其自身潛在的無限性，這種超越意識表現出來就是人的終極關切。其結果是，理性被信仰所把握、所驅使而超越自身並得以實現。

蒂利希總結說「理性是信仰的先決條件，信仰則是理性的實現。作為終極關切狀態的信仰就是出神入化的理性。信仰的本性與理性的本性之間並無衝突；它們是互為包容的。」* 如果這一結論能夠成立，以往作為衝突雙方的宗教與科學無疑也是應當分離開來、中止論戰的。

分析到這裡，似乎還須補充一點：蒂利希和湯恩比的基本看法，與當代較為流行的一些分離論觀點明顯不同。很多實證主義哲

---

* 《信仰的動力》（Dynamics of Faith, New York: Harper and Row, 1958），第77頁

學家曾是分離論最積極的推行者。他們主張以「證實原則」來嚴格區分神學命題與科學命題，到頭來在分離二者的同時也把宗教信仰作為無意義的東西簡單排除掉了。又如，在日常語言哲學研究中，受維特根斯坦後期著作的影響而把宗教與科學看作兩種不同的「語言遊戲」（language-games），也一度成為時髦的論題。這種做法雖然指明了宗教與科學各有「遊戲規則」，亦即合理範圍，可明顯帶有只講分離不求聯繫的傾向。與這些觀點相比，蒂利希與湯恩比所主張的解釋傾向似乎留有更多的思考餘地。總的看來，他們講的「分離」在嚴格意義上是指作為以往衝突雙方的宗教與科學應當區別開來。因為首先做到這一點，意識到二者的差異，才有可能在新的意義或更深的認識層次上重新反省它們的原本聯繫。

總結本章的討論，我們能否達成以下幾點共識：

（1）關於問題的意義

我們在這一章利用的材料和試作的理論分析均是不充分的。可即使這不充分的討論似乎也足以使我們重新審視宗教與科學關係問題的理論意義。在很長一段時間裡，宗教與近現代科學之間的劇烈衝突始終沒有得到廣泛而深入的學術探討，因為這場衝突在很多學者看來不過是傳統宗教教義的危機，是少數正統神學家的過失，甚至被看作是科學知識對「一種古老迷信」的討伐。現在看來，問題並非如此簡單。歷史地看，宗教與科學的激烈衝突是由所謂的「近現代文化」引發的一大難題。因而，類似的衝突對已處於或將進入現代文化氛圍的其他宗教來說也是難以避免的。有關這類衝突的解釋不僅直接涉及宗教與科學二者的屬性、地位、作用的再理解，還會廣泛影響到對整個人性、精神結構、文化傳統、文化現實乃至文化走向等主要問題的再認識。

（2）關於研討的前提

前面的討論表明，宗教與科學的衝突確是一個相當複雜的問題，僅前述三種解釋傾向便涉及到諸多方面，提出了大量不同的甚至相反的論點。可以想見，若把更多的解釋傾向納入我們的討論範圍，問題還會顯得愈發複雜。上述雙重複雜性，即「問題的複雜」與「觀點的複雜」，在很大程度上是由問題本身的歷史性所致。傳統宗教與近現代科學的衝突是一場歷史的遭遇，這就在客觀上要求後來的研討者們也必須具備相應的歷史解釋觀念，既要歷史地再現問題的方方面面，同時也要歷史地對待各派的種種觀點。這裡提到的後一點，對當代學術來說尤為重要。不能不意識到，圍繞著宗教與科學之爭出現的各種主要解釋傾向均有其賴以形成的歷史或文化背景，因而它們的立論之處也會暗含這樣或那樣的歷史或文化根據。如果說在過去的各派紛爭中尚可不去理解甚至藐視他人的立論根據，那麼，這種不寬容的絕對主義態度在當今學術對話的趨向下便有失公允了。因而，當以上述雙重性的歷史解釋觀念作為學術研討的前提。

（3）關於對話的主題

在宗教與近現代科學的關係問題上，以往形成的諸多解釋傾向之所以各執己見、久爭不息，一個主要原因在於缺乏學術對話，而這又不能不歸因於缺乏共同語言，即對一些關鍵範疇缺乏共同理解，比如，什麼是宗教、科學、信仰、理性、真理等等。其中尤以對「宗教」一詞的解釋相去甚遠，由此引起的爭論也最混亂、最激烈。鑒此，那些分歧最大、爭議最多的範疇應當作為今後各方學術對話的主題。當然，樂觀地期望學術對話能夠完全消除分歧，達成共識，恐怕是不太現實的。但這種以學術為主調的理論對話無疑是不可少的。唯其如此，才有可能相互了解，也才有可能全面而客觀地認識到衝突何在又為何衝突？若能使認識達到這一步，我們似乎又沒有理由不期待著：一場有主題、有共同語言的學術對話終能成為解決問題的前奏曲。

第三章
宗教與非理性

這一章的標題裡有個很容易引起誤解的概念，即「非理性」。從目前的哲學研究狀況來看，「非理性」恐怕是最講不清楚也最需要講清楚的幾個關鍵概念之一了。我們在這裡沒有必要捲入諸多思潮的「混戰」，但有必要先作一個約定，以避免常見的誤解。所謂的「非理性」在下文裡絕不是作為一個「貶義詞」出現的；它作為一個概念含有否定的意思，可這也絕不是形而上學意義上的，即不要或排斥「理性」，而毋寧理解為一種「積極的超越」，或者說「深及理性之原因」。

若按以上約定，本章的討論在很大程度上可看作是前一章的延伸。因為在近現代文化背景下，如果說科學與宗教之爭主要反映的是理性和信仰的關係，那麼，關於宗教與非理性的探討所展開的便是這場論戰留下的基本問題，即在近現代人所理解的「理性」之外還能就宗教說些什麼。

第一節　宗教與情感

只要涉及宗教信仰與情感的關係問題，便不能不追溯到施萊爾馬赫・弗禮德禮希（Friedrich Ernst Daniel Schleiermacher, 1768～1834年）。施萊爾馬赫是德國新教神學家、哲學家，被譽為「西方近代神學之父」。關於施萊爾馬赫在神學思想史上的地位，當代著名神學家卡爾・巴特曾巧借其人之筆感嘆其人之成就。施萊爾馬赫對腓烈大帝（Fredrich, the Great）作過這樣的評價：他並未創建一個學派，而是開創了一個時代；巴特則稱施萊爾馬赫「會為每個時代而活著」*。的確，施萊爾馬赫本人雖然生活於上個世紀，可他的思想對歐洲大陸神學與宗教學界的影響卻一直延續到現代。這主要是因為，他以對宗教與情感關係問題的新觀念而把西方宗教研究引入了一個被定性為「浪漫主義」的新時代。

施萊爾馬赫投身於學術活動時，在西方思想界占主導地位的是近代機械論的世界觀。當時由於物理學、數學、天文學、地質學等學科的長足發展，傳統宗教信仰在知識界受到普遍冷落。面對這種狀況，施萊爾馬赫從一開始就力圖闡發一種新的宗教觀念，以向自己的同時代人，尤其是那些有文化的亦即深受近代科學知識薰陶的人們表明：他們在宗教問題上所認識到的那些東西，並非宗教信仰的「核心」而只屬於「外殼」或「表皮」；他們所批判或蔑視的那些東西，也並未觸及到宗教信仰的本質或根據，而只是一種膚淺的宗教觀念誤導的結果。正因為如此，施萊

*　參見巴特：《19世紀的新教神學》（Protestant Theology in the Nineteenth Century, London： SCM, 1972），第425～428頁。

爾馬赫為自己的學術處女作起名為：《論宗教：對有文化的蔑視宗教者的講話》（1799年）。

按施萊爾馬赫的觀點，所謂的宗教首先應看作是人類需要的「一種基本表現」（a fundamental expression），人類的其他活動，諸如科學、藝術、道德等，若無宗教信仰便是不完全的。那麼，作為一種人類必不可少的精神現象，宗教信仰的真實本質何在呢？施萊爾馬赫指出，有這樣兩種較有影響的傳統觀點：一是「理論的（形而上的）觀點」，即把宗教等同於最高的知識，看作是「一種思想方式、一種信仰、一種思考世界的特別方式」；另一種是「實踐的（倫理的）觀點」，也就是把宗教視同於道德，看成是「一種行動方式、一種特別的願望、一種特殊的行為和品質」。以上兩種觀點實際上都把宗教信仰歸結為某種他物，這就使宗教本身變成不必要的東西了。其實，宗教信仰就本初特性而言是一種獨特的情感，即「對於某種截然不同於這個世界的力量或源泉的一種絕對的或徹底的依賴感」*。

不過，作為一種獨特情感的宗教信仰，也包含著一種認識因素。施萊爾馬赫認為，正是由於這種認識因素，宗教信仰才表現為「一種對存在於有限之中的無限的直接意識」，「一種對萬事萬物終極統一的直覺」。根據基督教信仰，上述意義上的無限或終極統一就是上帝。但問題在於，上帝並不能簡單等同於這樣一種經驗的普遍性，因為上帝既是原因又是結果，既是現實又是理想；而這個世界尤其是人類靈魂相對於上帝來說，則是「啟示之鏡」（the reveal-

---

* 參見施萊爾馬赫：《基督教信仰》（The Christian Faith, Edinburgh, T. & T. Clark, 1928），第18頁。

ing mirror）。

因此，像傳統觀點那樣，把上帝理解為「超越於宇宙」或「隱匿於世界背後」的唯一存在，進而把這種意義上的上帝概念設定為宗教生活的出發點，這是一種廣為流傳的誤解。基督教一神論所用的語言實際上只是一種象徵性的語言，是對未知領域的諸多具體經驗的一種言語表達。因而，像這樣一種象徵語言或言語表達，並非唯一的而是多種多樣的。

施萊爾馬赫爭辯道，宗教信仰就是「一種神性意識」（a consciousness of divinity），神性也可能而且也的確是以不同的表象來顯現自身的，這一點既無須理性的論辯也不受歷史傳統的左右。所以說，諸如教義教規、崇拜儀式、教會制度等等，都是宗教信仰的結果和具體表現，而並非其基礎或實體。這也就是說，作為一個宗教徒並不僅僅在於信奉上述種種外在的結果或表現，關鍵在於心裡擁有一種「絕對依賴感」，即「無限感」（the sense of the Infinite）。

正如巴特所言，施萊爾馬赫倡導的宗教觀廣泛而深刻地影響了一代又一代的基督教學者。在這些追隨者中間，魯道夫・奧托（Rudolf Otto, 1869～1937年）被公認為施萊爾馬赫觀點在當代的最有影響的闡釋者。

1926年，施萊爾馬赫的名著《論宗教》再版時，奧托對施萊爾馬赫的學術貢獻是這樣評價的：「他想表明的是，人並非完全限於知識與行為，人與其環境——世界，存在、人類、事件——的關係也並非窮盡於對環境的純知覺或影響。他力圖證實，假若一個人是以一種深切的感情，像直覺和情感，來經驗周圍世界的；又假如一個人由於感受到世界的永恆本質而被深深打動，以致激起諸種情感，像虔誠、畏懼、崇敬，那麼，這樣一種情感狀態便比知識與行為還要有價值得多。而這也正是那些有文化的人必須從頭學起的。」*

與施萊爾馬赫一脈相承，奧托反對在宗教或神學研究中過於強調理性方法的傾向。他認為，正是這種在以往研究中占主導地位的學術傾向，使人們形成了認識偏見，認識不到宗教信仰的原本面目，非理性的、情感的特質。但奧托並不是在具體注解施萊爾馬赫的論點，而是予以繼承與發展。

在以往的批評者們看來，施萊爾馬赫的觀點有一個明顯的缺陷。這就是他對宗教信仰所作的解釋主觀性較強，著重指出了宗教信仰與情感的聯繫，可對於宗教情感的對象亦即宗教信仰究竟是關於何者的情感，則論證不足或不夠明確。在一定意義上可以說，奧托試圖解決的就是施萊爾馬赫宗教觀留下的問題，他所要揭示的就是宗教情感的普遍對象，也就是古往今來一切宗教信仰的質的共性。為此，奧托提出了「神聖者」（the Holy）的概念，他對這個關鍵概念的闡釋主要如下：

（1）澄清「神聖者」的本義

奧托首先強調：「『神聖』——『神聖者』——是宗教領域所特有的一個解釋與評價的範疇。」** 可事實上，「神聖的」（holy or sacred）一詞卻往往是在一種完全派生的意義上而被使用的。西方

---

* 奧托；「施萊爾馬赫《論宗教》引言」（「Introduction」to Friedrich Schleiermacher, On Religion, New York：Harper & Row, 1958），第19頁。

** 奧托：《神聖者的觀念》（The Idea of the Holy, London：Oxford University Press, 1950），第5頁。

思想家大多用「神聖的」來意指一種絕對的道德屬性，即「至善的」。比如，在康德哲學體系裡，那種出於義務而絕對服從道德律的意志，便被稱為「神聖的意志」。這類習慣的用法不僅不準確，而且完全不符「神聖的」一詞的本來意義。這一點可透過考證諸種相關的古代語言的同義詞而得以證實，像拉丁語的、希臘語的、閃米特語的等等。

據此，奧托認為確有必要新造一個特殊的詞來取代「神聖的」（holy），以刪除該詞習慣用法中的「道德的要素」和「理性的外表」。這個所謂的新詞就是「神秘的」或「既敬畏又嚮往的」（numinous），其語義來源為拉丁文「神秘」或「神性」（numen）。奧托明確指出，他所要探討的就是這樣一個獨特的或沒有任何歧義的範疇，就是我們運用此範疇考察宗教信仰時可普遍發現的那種「神秘的」或「既敬畏又嚮往的」情感。

（2）關於「令人戰慄之神秘感」的描述

就本質而言，「神聖者」或「神秘者」（the Holy or the Numinous）及其引起的精神狀態，是十分獨特的、不可還原為其他任何東西的。因而，若對它們加以研討，是無法定義的，唯一可行的分析方法就是藉助某些相似的情感進行比較或類比，並運用隱喻和象徵來給以表述。

奧托指出，在所有強烈而真誠的宗教情感中有這樣一種最深切、最基本的因素，它對信仰者具有極大的影響，能以一種近乎神魂顛倒的力量占據整個精神。為發現這種因素，我們可盡力帶著「想像的直覺」去追究這樣一些情形：我們周圍那些信徒們的生活，一個人虔誠感的強烈迸發及其表現出來的精神狀態，各種宗教儀式那歷久不衰、並然有序的莊重場面，以及縈繞於古老的宗教遺址、寺廟教堂間的特有氣氛，等等。一旦進入凡此種種情形，我們都會面對某種東西，這種東西只能適當地描述為「令人戰慄的神秘」（mysterium tremendum）。

對於上述「令人戰慄之神秘情感」，奧托有這樣一段著名的描述：這種情感「或許有時猶如一陣和緩的潮汐連綿而來，使一種深切崇拜的寧靜心情充滿整個精神。它也許過後又變成了一種更穩定、更持久的心靈狀態，這種狀態可以說是連續不斷地、令人激動地使心靈得以激勵，產生共鳴，直到最後平息，心靈恢復其『世俗的』、非宗教的日常經驗狀態。它也許驟然間隨著痙攣，挾帶著驚厥從心靈深處爆發出來，或許還會帶來強烈的刺激，叫人欣喜若狂，心醉神迷，以致出神入化。它有其野蠻的、惡魔般的形式，能淪落為一種近乎猙獰的恐怖與戰慄。它有其原始的、野性的前身和早期表現型態，另一方面它又可能發展成為某種美麗、純潔與輝煌的東西。它也許會變成作為被造物的謙卑，面對某種不可表達之神秘而沉默、震顫，而啞然無語。」*

（3）對「令人戰慄的」一詞的分析

以上所描述的種種情感現象，顯然有其特定的對象。在奧托看來，要想揭示該對象具有那些可感受的特性，便必須進一步分析「令人戰慄之神秘」這個短語。他的分析是從其中的形容詞「令人戰慄的」（tremendum）入手的。

奧托認為，所謂「令人戰慄的」主要喻指如下三種情感因素或情感類型：

---

* 奧托：《神聖者的觀念》（The Idea of the Holy, London：Oxford University Press, 1950），第12頁。

(a)畏懼感

「令人戰慄的」首先是指一種「恐懼」，但這裡講的恐懼完全不同於自然的或本能意義上的「害怕」，而是在類比的意義上喻示一種很特殊的情感反應。關於這類特殊情感，《舊約》裡有大量描述，例如「對上帝的恐懼」。古希伯來文裡的「haqdish」（大意是說：從心裡把某物看作神聖的）一詞也可作為例子。「從心裡把某物看作神聖的」，是以一種獨特的畏懼感為特徵的，是以「神秘者」這個概念作為評價尺度的。

(b)崇高感

這主要是指「令人戰慄的」能使人即刻感受到「威力」、「力量」、「絕對之強大」。因此，所謂「令人戰慄的」可被更貼切地描述為「令人戰慄之崇高」。奧托指出，「崇高」作為一種情感因素，即使在前一種因素——「畏懼」消失後也會活生生地保留下來。比如，神秘主義的情感就是如此。若把上述意義上的崇高——「絕對之強大」——理解為一種與自我相對立的對象，信仰者便會產生一種「自我淹沒感」，即感到其自身雖然「存在」卻無異於「虛無」。照奧托的觀點，這也就是宗教徒所特有的那種「謙卑感」的「原材料」。

(c)活力感

這是「令人戰慄的」所包含的第三種情感因素。奧托指出，由於語言的障礙，我們只能冒昧地把它叫做神秘對象所具有的「活力」。這種意義上的活力可在「神譴或天罰」的說法中尤為明顯地感受到；同時它又藉很多象徵性的說法而得到表達，像「生命力」、「激情」、「意志」、「力量」、「運動」、「刺激」、「能動性」、「原動力」，等等。

（4）對「神秘」一詞的分析

在「令人戰慄之神秘」這個關鍵範疇裡，「神秘」（mysterium）是用作名詞的。一般說來，在一個短語中形容詞是用來說明名詞的。可對「令人戰慄之神秘」卻不能做這樣的解釋。奧托指出，因為「令人戰慄的」在這個範疇裡不只是「分析的」，而且是「綜合的」；也就是說，它增加了某些並不必然內在於名詞「神秘」的東西。這就需要對「神秘」一詞再作分析，另找一個類比的或象徵性的說法來加以表述。

在奧托看來，用來描述所謂「神秘」的最合適的一個詞就是「恍惚」（stupor）。「恍惚」顯然不同於「令人戰慄」或「恐懼」，它是指「全然驚異」，即一種使人們感到十分詫異、啞然無語的驚奇。就其原本意思而言，所謂的「神秘」就是指一種與我們相異的「秘密」或「奧秘」，是我們所不能理解、無法說明的。而在這裡所作的分析中，奧托強調，「神秘」一詞本身也僅僅是一種「表意符號」（an ideogram），亦即從該詞原義轉引過來的一個類比概念。所以，就其宗教意義來說，「神秘的」也就是指「全然相異的」。這樣一來，作為宗教情感之對象的「神秘者」、也就意味著「全然相異者」（the Wholly Other）了。

第二節　信仰與意志

和宗教情感問題一樣，信仰與意志的關係也是一個老話題，可它的潛在意義似乎只有在現代文化背景的襯托下才能鮮明體現出來。關於信仰與意志關係問題的思考一開始是作為一種「邏輯替代物」出現的，即試圖超越傳統的關於上帝存在的哲理性論證，像本體論的、字宙論的、目的論的，為信仰尋求一種不受傳統理性思維限制的依據。大致說來，這條思路形成於帕斯卡爾的「打賭說」成熟於詹姆斯的「風險論」。

布萊茲・帕斯卡爾（Blaise Pascal, 1623～1662年）是法國近代著名的數學家、物理學家、古典主義散文大師、基督教哲學家。這位才智過人的學者雖然生活於幾百年前，一生又很短暫，可他的思想卻彷彿特意留給「現代人」來討論的，因為他的「打賭說」所強調的「信仰意志」，到「現代」乃至「後現代」才不會被看作美文學式的誇張，而是一個現實的學術問題，是一種關乎到生存意義的嚴肅抉擇。

「打賭說」見於帕斯卡爾的代表作《思想錄》。該書的第233條專門討論的是「無限與虛無的關係問題」，透過這個重要哲學問題的討論，帕斯卡爾首先試圖證明：就人類理智而言，我們完全有可能知道某物、包括無限物的存在，可同時對其本質卻一無所知。

例如，數學所要研究的「數」肯定不是有限的；換言之，我們可以肯定「無限大的數」的存在是無疑的。然而，我們並不知道這個「無限大的數」到底是什麼。據現有的數學知識，這個「無限大的數」肯定既不是一個奇數也不是一個偶數，儘管已知的任何「數」不外奇數和偶數兩類，可我們透過不斷增加一個個數量單位並不能改變這個「無限大的數」的本質。所以說，我們只知道這個「無限大的數」是肯定存在的，它就是一個數，但無法藉助有限的數量遞增關係來推知它的本質。

同理可證，我們也知道上帝的存在，卻不可能靠理性來認識上帝是什麼，其本質究竟如何？在帕斯卡爾看來，正如一個有限的數並不能給「無限大的數」增加任何東西，我們的精神或理智在無限的上帝面前也是這樣，我們的正義在神聖的正義面前更是如此。因為不論在什麼情況下，一旦有限面對或融入無限，均將化解為「純悴的虛無」。

但和數學知識相比，關於上帝的認識還有更複雜或更困難的一面。帕斯卡爾指出，我們在數學上完全可以知道「無限」的存在而不了解其本質如何，因為這種意義上的無限有「廣延」而無「限度」；就是說，人類自身具有的廣延性能使我們認識到此種無限的存在，可人類自身的有限性又使得我們無法認識其「無限度」的一面。然而，上帝作為信仰意義上的無限是既無「廣延」也無「限度」的，因此我們所說的「知道上帝存在」實際上是信仰的結果而不是理性的結論。如果僅憑理智，我們肯定對上帝的存在及其本質一無所知。這便意味著：對於上帝的存在及其本質，我們只有透過信念，亦即「自然之光」才能加以認同。

在帕斯卡爾的整個論證過程中，以上有關「無限與虛無關係問題」的分析構成了一個承上啟下的環節。對他來說，這種分析首先可以表明：過去圍繞著上帝存在問題而展開的大量邏輯爭論，無論是信仰者提出的各種證明抑或反對者作出的諸多否證，事實上都屬於貿然的嘗試或虛妄的企圖。既然上帝作為一種無限之存在，是既沒有「各個部分」又不受「任何限制」的，並因此而超越於人類理性認識的有限範圍，那麼，誰又能找出任何理由來否定基督徒們的信仰，指責他們無法為上帝的存在提供任何理性的根據呢？因此，針對這類傳統的邏輯詰難不妨作出這樣的反駁：「上帝存在之不可證實性」也就是基督教信仰的真正意義所繫。

但另一方面，上述反駁並不意味著批評者們的意見是不值得重視的。正像有些批評者指出的那樣，即使「上帝之不可證實性」可使基督徒們免除理性的詰難，但無論如何也不能成為信仰上帝的唯一理由。這樣一來，如何回答「上帝是否存在」這個理性認識無法作出判斷的根本問題，對每個基督徒來說便成了一場嚴峻的人生選擇，因為這個問題猶如「從無限之盡頭向我們拋來的一枚硬幣」，究竟賭注「正面」還是看好「反面」，我們憑藉理智既無法作出決斷也不能證實對錯。

關於這場信仰意義上的人生賭注，帕斯卡爾是這樣看的：「是的，你非賭注不可。你早已委身，就別無選擇。然而，你將賭定哪一面呢？讓我們來看一下：既然非得作出一種抉擇，只有看看哪一種抉擇與你的利害關係最小。你有兩樣東西可輸：真與善；你又有兩樣東西可賭：你的理智和意志，你的知識與福祉；同時你的本性又在躲避兩樣東西：謬誤與邪惡。既然你非做抉擇不可，你的理智所面對的已不再是選擇這一面而不是那一面。這一點是我們早已明確了的。那麼，就你的福祉而言又將如何呢？讓我們估量一下賭注正面，即相信上帝存在所包含的得與失吧。我們可對兩種情況加以估量：若賭贏了，你將獲得一切；若賭輸了，你並沒有失去什麼。那還有什麼可猶豫的，就賭定上帝存在吧！」*

接著，帕斯卡爾又作了一個更複雜的假定，進一步強化了信仰選擇問題的嚴肅性與神聖性。他向讀者提出了這樣一個問題：假若還存在著一種來世的或永恆的生命與福祉，你又將如何看待這場意義非凡的人生賭注呢？按帕斯卡爾的看法，這場人生賭注實際上是不可避免的。一旦你不得不進行抉擇而又捨不得以自己今生今世的一切作抵押，那將是很不明智的，因為儘管在數之不盡的機遇中可能只有一種結局是你所盼望的，可它將帶給你的卻是一種永恆的生命、一種無限的福祉。也就是說，你的抵押是相當有限的，而你的收益則是無法估量的。更何況就輸局與贏局二者的機遇而言，後者誠然為一，可前者也並非無窮之多。總而言之，「既然如此，既然你不得不作出賭注，若你仍捨不得以自己的生命為代價去贏得無限的收益，那你必定是欠缺理智的，因為這無異於吝惜一種分文不值的損失。」**

與帕斯卡爾的觀點相比，詹姆斯（William James, 1842～1910年）的「風險論」顯得更貼近當代世俗文化背景，也更接近於「現代知識人」的心理感受。這主要不是由於詹姆斯的生活年代較之帕斯卡爾晚了 200多年，而是因為他那特有的學術觀念。眾所周知，詹姆斯是近現代著名的美國心理學家、哲學家，他和皮爾士、杜威齊名，一起被看作實用主義哲學思潮的創始人。就思想特點而言，詹姆斯致力於實用主義哲學觀念的通俗化，更注重現實生活裡的價

---

* 帕斯卡爾：《思想錄》（Pensees, trans and ed. A. J. Krailsheimer, New York： Penguin, 1966），第152頁。

** 同上書，第153頁。

值問題，更傾向於為普通人著書立說，以期啟發人們反省人生的境況、問題與意義。

詹姆斯和帕斯卡爾有這樣一點共識：就以往關於「上帝存在與否」的邏輯爭論而言，論爭雙方都沒能拿出確鑿的事實或證據。因而「信仰之選擇」，現有理性證據不足的情況下只能看作是一場充滿風險的人生賭注。為了重估這場人生賭注的風險與價值，詹姆斯首先從實用主義的哲學觀念出發，對「信仰之選擇」進行了較全面的分析。

在詹姆斯看來，任何推荐給我們加以信仰的東西，都可稱為「假設」（hypothesis）；而所謂的「信仰之選擇」也就是指在兩種假設之間作出一種「決斷」（decision）。事實上，我們一生可能會面臨諸多類型的「信仰之選擇」。譬如，就特定的境遇或具體的人來說，有些選擇可能意義不大，而有些選擇卻能決定我們的一生；有些選擇是沒有出路的，而有些選擇則是有生命力的，是充滿現實可能性的；有些選擇完全可以迴避，但也有一些選擇具有強制性，令我們不得不作出抉擇。因為在這時連拒絕選擇本身也構成了一種選擇，即一種相反的或否定意義上的選擇。

總括以上看法，詹姆斯提出了一個新概念，叫做「真正的選擇」（genuine option），他指出，「選擇可能是多種多樣的。它們可劃分為（1）有生命力的或僵死的；（2）有強制性的或可迴避的；（3）價值重大的或無足輕重的。就我們的目的而論，如果某一選擇屬於那種有強制性、有生命力而且還有重大價值的，便可稱為真正的選擇。」*

---

* 詹姆斯：《論信仰的意志及其他》（The Will to Believe and Other Essays, New York： Longmans, Green and Co., Inc., 1897），第3頁。

例如，基督教一神論就是這樣一種真正的選擇。「你是否信仰上帝」這種選擇首先描繪出了一種現實的可能性；同時我們對這一選擇無法保持中立態度，因為若不相信上帝的存在便意味著拒絕神聖的啟示；最後，這種選擇本身將給我們一生帶來的得與失是無法估量的。又如，對一個阿拉伯人來說，即使他不是馬赫迪的追隨者*，馬赫迪也不失為一種真正的選擇；可馬赫迪這個概念對西方讀者來說卻很難產生共鳴，這主要是因為從西方人的情感本性來看馬赫迪的說法是缺乏生命力的。

在選擇與證據的關係問題上，詹姆斯承認，假若我們已掌握充分的理性證據，當然應該相信事實，即以證據作為選擇的基礎。可問題在於，我們的理性認識往往是不可能為「信仰之選擇」提供可靠證據的。因此，詹姆斯又具體區分了這樣兩種情況：（1）對於那些並非「真正的選擇」，如果證據不足或正反兩方面的證據勢均力敵，我們可以暫緩判斷，繼續求證。（2）但面對那些「真正的選擇」，比如「是否相信上帝存在」，我們既不能中止選擇也不能等候證據，因為從理性的角度來看否定上帝存在的證據絕不會少於相信上帝存在的理由。這兩類證據的抗衡狀態是長期以來邏輯論戰的結果，恐怕再過很久也難以改觀。

那麼，身處這種境況又當如何作出選擇呢？根據詹姆斯的建

---

* 馬赫迪（Mahdi）的觀念約形成於8世紀，當時在伊斯蘭教哈里發國家中，由於對現實的不滿出現了一股期盼救世主的宗教思潮。「馬赫迪」一詞的阿拉伯語原意指「由真主阿拉引上正道的人」，起初主要是指那些具有先知天賦、有能力解救大眾苦難，樹立人間正義的宗教領袖，後來逐漸引申為伊斯蘭教徒所期盼的救世主。

議，這時就應該把信仰之選擇的權力交給我們的情感，即憑藉我們自己的「情感本性」（passional nature）來抉擇應當信仰什麼，哪一種選擇會給我們的一生帶來最大的益處。作為一個極重現實的哲學家，詹姆斯坦誠相告：簡言之，我所維護的是這樣一個論點：我們的情感本性不僅有權而且必須從諸多命題中斷定一種選擇，因為只要是一種真正的選擇，其本質便決定了我們不可能以理智的根據來作出決斷，因為在這種情形下，如果說：『無須決斷；盡可讓問題懸而不決』，這和作出肯定或否定的回答一樣，其本身就是一種情感的決斷，而且同樣也帶有喪失真理的危險。」*

當然，詹姆斯清醒地意識到，上述關於信仰選擇的看法難免遭到質疑。比如，有些哲學家堅持認為，如果沒有充足的理性證據，便不可能從道義上來確立任何信仰。在詹姆斯看來，這種批評意見誠然在信仰問題上表達了一種謹慎的態度，可如果被這種謹慎態度所困惑，以致縮手縮腳，總是不肯作出任何沒有一分把握的選擇，那無疑會使我們喪失許多真實的東西。應當承認，人類的理解能力畢竟是非常有限的，況且就人類理智力所能及的認識範圍而言，這個世界上還有太多的事物有待於我們去發現去探討。因而，我們理應正視所謂的失誤或謬誤，切不可因畏懼心理而裹足不前。回到信仰問題上，假若某種真正的選擇最終可能給我們帶來最大的益處，我們就不該由於懼怕可能出現的失誤而情願放棄無法估量的終極價值，而是應當憑藉自己的「信仰意志」（will to believe）大膽地選擇信仰，毫不遲疑地賭定上帝之存在。

總而言之，信仰之選擇猶如一場價值重大的人生賭注，而帶有

---

* 《論信仰的意志及其他》（英文版），第17頁。

賭注性質的信仰生活無疑也是充滿風險的。詹姆斯建議讀者透過反省懷疑論的態度來重新估量這場人生賭注的價值所在。他的建議集中反映在下面這段頗有影響的論述裡：

「宗教首先是作為一種價值重大的選擇而呈現於我們面前的。若選擇信仰，我們從現在起就該獲得某種無法估量的好處；若拒絕信仰，則全然喪失。其次，宗教還是一種有強制性的選擇，這是和其好處相伴共存的。我們不可能靠保持懷疑、等待更多的證據來避免這場爭端，因為如果透過這種方式，我們雖然能在宗教並非真實的情形下避免謬誤；可在宗教是真實的情形下，我們也將喪失好處，這一點如同我們實際選擇了不信上帝一樣毋庸置疑。打個比方，懷疑論者就好像一個想求婚的小伙子，只因無法完全確信那姑娘娶回家後能不能證明自己是個天仙，他就應該沒完沒了地遲疑不決。難道他並未放棄那姑娘可能是個天仙的期盼，不是和他放棄這種期盼並娶了另一個姑娘一樣，這也算一種選擇嗎？因此，懷疑論並非逃避信仰之選擇的辦法；它也是一種冒有特定風險的選擇。與其冒險步入謬誤，倒不如冒險喪失真理—這就是你們的信仰否決者主張的立場。這種否決者投下的賭注實際上並不少於信仰者；他把賭注押在反對宗教假設的一邊，正如信仰者所賭定的是反對其立場的宗教假設。因而，若把懷疑論作為一種責任加以宣揚，認為我們必須固守此任直至發現宗教假設的『充足證據』，這無異於對我們說：面對宗教假設時，向我們對『它可能錯』的恐懼投降，要比向『它可能真』的期望投降更明智一些、更可靠一些。所以說，拒斥一切情感並不是理智；惟有以某種情感為基礎來建立理智的法則，這才算是理智。若真是這樣，憑什麼來保證這種情感就是最高的智慧呢？若以欺騙換取欺騙，那還有什麼東西可以證明：由於欺騙而受騙較之由於恐懼而受騙竟會如此糟糕呢？至少我看不出來這有什麼證據；所以說，一旦我自己付出的賭注意義重大，令我有權選擇自己所應承受的那份風險時，我就會拒絕這位懷疑主義的科學家的要求，絕不仿效他所主張是選擇方式。假若宗教是真實的而它所需要的證據仍然不足，我並不希望用懷疑論這隻『滅火器』來窒息我的本性（因為我的本性令我感到懷疑論畢竟和這種事有關），從而使自己喪失人生中唯一的一次機遇去投身於賭贏的一方。當然，這機遇取決於我是否心甘情願地承受風險，我出於情感需要而以宗教信仰看待這個世界是否有預見值、是否正確，並能否如此這般行動。」*

不難感到，詹姆斯的上述建議是很誠懇、也很實用的。但問題在於，誠懇的態度並不一定導致真實的信仰選擇，而一種過於實用的選擇甚至「賭注」又難免隱含著信仰之大忌。關於這些，我們留待本章的綜合評價部分再加以討論。

* 《論信仰的意志及其他》（英文版），第26～27頁。

第三節　宗教與深層心理

現代心理學亦即深層心理學一出現，就和宗教研究結下了不解之緣。在深層心理學的先行者中，如果說前面評介過的弗洛伊德是宗教的強硬批判者，那麼，榮格則是一位頗有建樹的探索者。他就宗教信仰與心理活動的關係問題而提出的一些大膽假設，至今對宗教學乃至整個人文研究有重大影響。

卡爾·古斯塔夫·榮格（Carl Gustav Jung, 1875～1961年）是著名的瑞士精神分析學家。他曾與弗洛伊德過往甚密，二人在學術上相互支持。國際精神分析學會成立時，他在弗洛伊德的一再力薦下當選為第一任主席，弗洛伊德甚至把他稱為自己的「過繼長子」，「事業上的王儲」。但後來由於學術觀念上的嚴重分歧，榮格與弗洛伊德分道揚鑣了，其開始創建自己的「分析心理學」（Analytical Psychology）。

總的來說，榮格分析心理學的理論特色在於：在克服弗洛伊德「泛性論」傾向的同時，又堅持主張「潛意識是心理學的一個分野概念」。榮格透過深入研究東方的哲學、宗教、神話等文化現象，提出了一種新的「潛意識分層構想」，這就是把潛意識劃分為「個人的潛意識」與「集體的潛意識」。他認為，前者包括被壓抑、被遺忘的各種經驗，後者主要是指隨人腦結構遺傳下來的「普遍精神機能」，尤其是「種族神話聯想」或稱「種族神秘意象」，而這也就是全部意識與潛意識的原型或根底。以上基本觀念是理解榮格有關宗教問題研究的前提。

在宗教信仰與心理活動的關係問題上，榮格與弗洛伊德之間的分歧早有端倪。榮格透過自己的早期研究工作就認識到，人的整個心理或精神活動有其不可忽視的宗教功能，這類功能就本性而言又是不可還原的。因此，他一開始就不趨同於弗洛伊德的宗教觀點，認為宗教現象不能簡單歸結於性壓抑。

榮格不止一次地提出過這樣的疑問：有誰能表明那些「正常的人或種族」可擺脫如此無聊的性壓抑呢？假若沒有人能做到這一點，那又何以證實宗教現象只是性壓抑的結果而並非真實的東西呢 *？在後期著作《心理學與煉金術》裡，榮格更明確地闡明了自己的觀點「我過去並沒有把一種宗教功能歸於心靈，我只是支持了一些事實，證明心靈在天性上就是宗教的（naturaliter religinsa)，也就是說，心靈具有一種宗教功能。」**

的確，榮格關於宗教功能的認識，不但深深植根於他對整個人類心理或精神活動結構的假設，更重要的是，還有大量臨床治療案例或研究經驗作為依據。照他的看法，這些事實或經驗是與某些宗教教義和宗教象徵一致的。概括起來，榮格所提供的有關事實或經驗可分為如下三類：

（1）與精神病治療相關的經驗事實

榮格透過長期的臨床治療發現，有相當一部分重患者的病因於他們失去了原有宗教信仰的意義。關於這一點，榮格在《尋求靈魂

---

* 可參見榮格：《分析心理學二論》（Two Essays on Analytical Psychology, The Collected Works of C. G. Jung, Vol. VII, Bollingen Foundation, Inc., 1953），第71頁；《人格的發展》（The Development of the Personality, The Collected Works of C. G. Jung, Vol. X VII, 1954），第83頁。

** 榮格：《心理學與煉金術》（Psychology and Alchemy, The Collected Works of C. G. Jung, Vol. X II, 1967），第13頁。

的現代人》裡提供的一段資料，受到了研究者們的廣泛重視。他指出，我想提醒大家注意下列事實：在過去的30年間，我治療過來自世界各國的數百名患者。他們中間大部分是新教徒，少數人是猶太教徒或天主教徒。這些患者當中的中年人，即35歲以上的，他們的根本問題沒有一個不是想尋求一種宗教的人生觀。也就是說，這些人的病根都在於喪失了以往使自己成為信徒的那種東西。而心理醫生假若無法幫助他們重新獲得業已失去了的宗教信仰，這類病人便得不到真正的治癒。榮格據此認為「有一種精神性的神經病不能不被理解為這樣一類人的痛苦，他們還沒有發現生命對自己的意義何在。」*

（2）與宗教信仰有關的大量夢幻

有大量個案表明，夢幻能使人活生生地感受到某些超個人的意義或價值的存在，從而喚起一種既虔誠又畏懼的態度，叫人不得不給以認同。此類夢幻的內容或主題時常符合某些宗教教義或宗教傳統。按榮格的說法，夢幻裡的任務酷似宗教象徵裡的那些人物。**

（3）與個性化過程有關的研究經驗

個性化（individuation）是榮格用於解釋人格發展問題的一個關鍵概念。在他看來，所謂的人格應當是指作為一個整體的精神（psyche），精神作為一個整體主要由三個相互作用的層次組成，即意識、個人潛意識和集體潛意識；同時又包含著諸多對立面或極端，像意識與無意識、理性與直覺、愛與恨等等。而個性化的過程

---

* 《尋求靈魂的現代人》（Modern Man in Search of a Soul, New York：Harcourt, Brace & Co., 1933），第225頁。

** 參見同上書，第六章。

就表現為，從一種渾然不分的統一狀態起步，經過充分的分化，最後趨向於一種平衡的或統一的人格，也就是精神的整合。上述透過個性化來追求完美人格的過程，實際上體現的是人的先天傾向，亦即一種根植於集體潛意識的「原型」（archetype）。榮格認為，像上帝或神這樣一些宗教象徵，其本身就是「原型的表達」，它們力圖描述的就是精神的統一或存在之本原。

根據榮格的看法，宗教功能在整個心理或精神活動中有其獨特的表現方式。其中，最主要的一種表現方式就是個人對「神秘者」（the numinous）的直接經驗。這種直接經驗一方面是不以任何教義或信條為媒介的；另一方面又是由神秘者強加於個人的，常見的形式有夢境、幻象、純偶然事件、精神病人的信手塗畫等。但無論形式任何，對於神秘者的經驗都不是藉助於概念而是透過想像或情感獲得的。因此，此類經驗是非理性的，沒有什麼邏輯一致性或明確的意義。

有關神秘者的想像儘管一開始可能令人恐懼或壓抑，可同時又給人一種神秘感、一種難以抗拒的吸引力，使人在某種神秘的象徵體系裡感到自己正趨近於更偉大、更崇高的意義，一旦委身心靈即可安寧。從心理學的觀點來看，可以說這類想像所表現的是一種綜合，它使夢幻者的所有衝突傾向得以統一，達到精神上的平衡。榮格指出「不論這世界如何看待宗教經驗，具有它的人便擁有一筆偉大的財富，一種使他發生重大變化的東西，這種經驗變成了生命、意義和美的源泉，同時也給予這個世界和人類一種新的輝煌。」*

---

* 榮格：《心理學與宗教：西方與東方》（Psychology and Religion：West and East, The Collected Works of C. G. Jung, Vol. XI, 1958），第105頁。

如何用心理學的語言對上述經驗加以描述，這是榮格十分關心的一個問題。他觀察到，上述經驗作為個性化過程中一些活化原型（the activated archetypes）的反映，很像奧托（Rudolf Otto）所描述的那種對於「神聖者」（the Holy）的經驗。此類經驗帶給人的是多種多樣的重大感受，諸如依賴感、威嚴感、神秘感、活力、出神入化等等，從而使人們的生活向更好的、更積極的方面轉變。關於神聖者的經驗所產生的這種影響，其真假與否似乎並不取決於邏輯公式而是取決於「生活的認同」（lived confirmation）。榮格指出，對這樣一種經驗。哪兒有一種標準可判斷其沒有根據呢？在對終極事物的認識上如果有一種真理有助於人們的生活，難道還有比這更好的真理嗎？「我之所以認真考慮——『Religio！』*——那些由潛意識產生的象徵，原因即在於此。……假若這樣一種經驗對你自己和那些愛你的人來說，有助於使你的生命更健康、更美好、更圓滿、更如意，那你盡可放心地講：這是上帝的恩典。」**

其次，宗教功能在整個心理或精神活動中還表現為慎重與信賴的的態度，這可看作是對神秘者之經驗的結果。榮格用心理學語言這樣描述道：「依我看，宗教是人類精神的一種特殊態度，它完全可按religio一詞的原初用法來給以說明，它意指認真考慮與觀察某些被想像為『力量』的動力因：精神、魔鬼、神祇、法則、理念、理想，或人們賦予此類因素的其他什麼名稱，一旦人們在自己的世

* 拉丁詞「宗教」，其原意為「認真考慮」、「重視」，意指在神靈崇拜上的嚴肅態度。

** 榮格：《心理學與宗教：西方與東方》（Psychology and Religion：West and East, The Collected Works of C. G. Jung, Vol. XI, 1958），第105頁。

界裡發現那些十分強大的、危險的或有幫助的東西而加以認真考慮時，或是發現那些十分崇高的、美好的與有意義的東西而給以虔誠的崇拜和熱愛時，也就有了如此種種命名。」*

最後，從起初的神秘經驗轉化為教條或信條，也是宗教功能表達自身的一種方式。在榮格看來，所謂的信條不同於宗教。作為組織化宗教的一部分，信條是經過千百年才樹立起來的，是以儀式化的形式來表達某個特定群體的信仰的。然而，信條又和宗教有本質的聯繫，「起初，每個信條一方面是建立於有關神秘者的經驗，另一方面又是建立於$\pi \tau \sigma \iota \delta$，也就是說，是基於對神秘本質的某種經驗、對意識所擔保的那種變化的相信或忠誠、信仰或信任。」** 對信徒而言教義所象徵的是某種生活的精神實在，這樣也就在一個相對穩定的範圍內為宗教經驗提供了有效的形式，也為那些必須加以「認真考慮的」精神動力開闢了渠道。

---

* 榮格：《心理學與宗教：西方與東方》(Psychology and Religion： West and East, The Collected Works of C. G. Jung, Vol. XI, 1958)，第8頁。

** 《心理學與宗教》，《榮格著作選》第11卷（英文版），第8頁。

第四節　宗教與神秘經驗

宗教經驗研究是當代宗教學最活躍的課題之一，時有新論著新觀點出現，但有一本90多年前寫的書卻一直沒有從「必讀書」的目錄上消失。它就是著名的美國哲學家、心理學家詹姆斯（William James, 1882～1910年）的代表作《宗教經驗種種》（1902年）。關於該書成為經典的原因，恐怕沒人比尼布爾（Reinhold Niebuhr）解釋得更清楚了。

1961年，《宗教經驗種種》普及版發行，大名鼎鼎的尼布爾親筆作序。他稱，這本寫於60年前的書之所以還有很強的可讀性，是由於其研究態度與方法體現的是一種至今仍不失非凡意義的「結合」，是一座「里程碑」。「這種結合不但是意義非凡的而且是有創造性的。因為詹姆斯在探討宗教、宗教生活以及形形色色的宗教經驗的過程中，將一種實證方法與一種非教條化的、徹底的經驗方法結合了起來。」*

儘管尼布爾作過較準確的評價，可《宗教經驗種種》一書讀起來還是容易產生誤解。這和詹姆斯本人的一些說法直接有關。《宗教經驗種種》是在講稿的基礎上修改成書的。1901年，詹姆斯承擔了有名的「吉福德講座」（Gifford Lecture）。他回憶說，原計劃是講兩個題目。一個是描述性的，題為「人的宗教慾望」；另一個是形而上的，討論「人是如何透過哲學來滿足宗教慾望的」。可由於心理學材料很多，到寫完講稿時，後一個題目被放棄了，全稿描述

---

*　參見詹姆斯：《宗教經驗種種》（The Varieties of Religious Experience, Macmillian Publishing Co.,Inc.,First Collier Books Edition 1961），第5頁。

的都是「人的宗教性格」。在該講座的頭一講裡，詹姆斯又首先申明，他既不是神學家、人類學家，也不是宗教史專家，自己的專長只是心理學。他的整個講演就是想對「宗教傾向作一描述性的概觀，而且這種描述將主要取材於極端的事例，即那些有強烈的精神病症狀的宗教經驗＊。

以上這類說法易使後來的讀者或研究者誤以為，詹姆斯在其宗教經驗研究中注重的是「描述的方法」，討論的又是大量「怪誕的個例」。其實並非如此。當年坐在講台上的詹姆斯並沒有將其哲學觀念置之腦後。雖然他一再言稱只做經驗性的描述，可真正支配著這種描述及其選材的還是他那掩飾不住的哲學觀念。因而，如果說詹姆斯的宗教經驗研究具有開創性，而且至今仍不失學術參考價值，我們的考察便不能僅僅浮於「經驗描述」上。恐怕只有深及其哲學方法論觀點，才有可能了解這位思想家是如何把飽含神秘色彩的宗教經驗推到了學術研究的前台，使之成為一個不可忽視的重要課題的。

詹姆斯與當代宗教經驗研究的關係，似可比作繆勒對宗教起源問題的貢獻。研讀繆勒的著述可大體了解宗教起源問題的重要性，評介詹姆斯的宗教經驗研究也會有類似的收益。下面就讓我們一起看看詹姆斯的思路是如何展開的。

詹姆斯對自己討論的問題是有明確限制的，即只探討個體的宗教經驗，而這種限制又直接取決於他對宗教的基本看法。這使我們聯想到早期宗教學的一般背景，像前面評介過的繆勒、弗雷澤等人，在展開任何重大問題的討論時，都不得不就宗教的定義作一番

＊　這些說法詳見上書「作者序」和第一章「宗教與神經病學」。

必要的反思。詹姆斯的做法也是如此。他首先指出，大多數宗教哲學論著一開頭都試圖對宗教的本質下個確切的定義。這實際上是「絕對論」和「獨斷論」在作怪，把研究材料處理得過於簡單化了。現有的定義如此多且如此不同，這事實本身就足以證明：「『宗教』一詞並不意味著任何單一的要素或本質，而毋寧說是一個集合名稱（a collective name）。」*

所以，對宗教經驗研究來說，我們很可能發現並沒有唯一的本質，而是並存著諸多特徵，它們對宗教信仰有同等的重要性。詹姆斯打了個比方。比如，要探討「政府」的本質，有人說是權威，也有人講是順從，還有人會指出是警察、軍隊、議會、法律，等等。可對一個具體的政府來說，所有這些因素都是必不可少的，只不過此時某個因素可能更重要，彼時又可能是其他的因素。一個最瞭解政府的人，是不會太過糾纏於什麼本質定義的。

再以關於「宗教情感」的看法為例。許多哲學家、心理學家都把它看作是某種精神實體，並想斷然指定這種實體就是什麼。有的學者指出它就是依賴感；有的則認為是畏懼的產物；也有人把它和性生活聯繫起來；還有的學者將其等同於「無限感」，眾說紛紜，莫衷一是。諸如此類的不同觀點本身就很成問題。宗教情感是否僅指某一種特殊的東西呢？只要把宗教情感看作一個集合名稱，意指由信仰對象可能喚起的、交替出現的多種情感，我們就會看到它在心理學上不可能只包含一種特殊的本質。

「有宗教的畏懼，宗教的愛，宗教的恐怖，宗教的喜樂，等等。但宗教的愛不過是人對某種宗教對象的自然之愛情；宗教的畏

---

* 《宗教經驗種種》（英文版），第37頁。

懼不過是社交中平常之畏懼，也可說是人心裡常出現的顫抖，神聖的報應概念也能喚起這種情感；宗教的恐怖和我們黃昏時在森林或山峽裡感到的器官緊張一樣，只不過這時支配我們情感的是與超自然關係的思想；在宗教徒的生活中，能被喚起並產生作用的形形色色的情感，都可作類似的解釋。宗教情緒作為心靈的具體狀態，是由某種感情加上某類特殊對象構成的，它們當然是一些有別於其他具體情感的心理實體；但沒有根據假定：存在著某種單純的、抽象的『宗教情感』，其本身作為某種獨特的、基本的精神特徵而概無例外地出現於每一種宗教經驗。」* 宗教情感是複雜的，宗教的對象與行為同樣是複雜的。正如沒有一種基本的或單純的宗教情感，宗教對象與宗教行為也不應歸結為某種特殊的、基本的東西。

上述分析在詹姆斯那裡是一種鋪墊。一方面，他明確否定宗教研究中的絕對論和獨斷論，認為不能用簡單的定義來約減宗教信仰的豐富內容；但另一方面，他又承認自己所能討論的只是其中的一小部分，而這種討論也不得不給出定義，以限度範圍。這就是詹姆斯宗教經驗研究的主題「個人的宗教」。

何謂「個人的宗教」，為何要對之加以著重探討呢？詹姆斯指出，宗教領域可大體劃為兩個分支，即「制度的宗教」（institutional religion）和「個人的宗教」（personal religion）。所謂的制度宗教注重的是神性，主要表現為崇拜、獻祭、神學、儀式、教會等；反之，個人的宗教最關心的是人，或者說是人的內在性情構成了興趣中心，像人的良心，人的美德，人的無助，人的不完善等。在個人的宗教裡，雖然能否得到上帝的恩寵仍是一個本質特徵，神學思想

* 《宗教經驗種種》（英文版），第40頁。

也起著相當重要的作用，可這類宗教所激勵的行為卻是個人的而並非儀式的；也就是說，是個人在單獨處理宗教事務，教會、牧師、聖禮以及其他「中介者」則降低到了完全次要地位。這樣便形成了人與其創造者的直接關係，「從內心到內心，從靈魂到靈魂」。

根據詹姆斯的看法，以上兩大分支相比，個人的宗教較之制度的宗教更重要、更根本。他的理由實際上已包含在上面的論述裡。首先，若把制度的宗教作為考察重點，或僅僅限於這種考察，那麼，宗教便只能定義為一種外在的技藝，即如何設法贏得神祇之恩寵。換言之，若想探究宗教現象的內核，唯有深入到個人的宗教。但更重要的一點理由是，個人的宗教是先在於神學或教會的，因而它也是較之二者更根本的東西。各大宗教或各種宗教制度的創始人，最初無一不是透過個人與神性的直接交往而獲得他們的力量的。基督、佛陀、穆罕默德等超人的創始者是這樣，連基督教各宗派的創建者也是如此。各種宗教制度一經建立，便沿襲傳統而過著一種守舊的生活。

在此應當補充說明，這一點也是詹姆斯之所以在宗教經驗研究中重視極端事例的理由。正如宗教制度是墨守成規的，各類宗教的平信徒，無論基督教的、佛教的還是伊斯蘭教的，也大多過著「二手的」宗教生活。他們的信仰是別人創造的，是傳統給予的，是對一些既定的形式或習俗的模仿。與其研究這類「二手的」宗教生活，當然不如考察那些異常的、狂熱的、有創造性的宗教經驗。詹姆斯指出，生理學有一個很好的法則，要想說明某個器官的意義，就要找到其獨特的功能。這個法則同樣適用於宗教經驗研究。「宗教經驗的本質，也就是我們最後必須用以判斷形形色色的宗教經驗的那種東西，必定是我們在其他經驗裡找不到的那種要素或特性。

當然，這樣一種特性的顯而易見之處，就是那些最偏激、最誇張、最強烈的宗教經驗。」*

讓我們回到詹姆斯根據前述分析而推出的關於「個人宗教」的定義。「宗教對我們所意味的是，作為個體的人在孤獨中的情感、行為和經驗，按他們的領悟，是他們自身處於和神聖者（the divine）的關係，此一神聖者可能是他們所專注的任何事物。」[26]對這個定義，詹姆斯主要作了如下解釋。

首先，對「神聖的」（divine）一詞不宜作狹窄的解釋。有些宗教思想體系並不明確假定有一個上帝或神。譬如，在佛教那裡，佛陀的地位儘管與上帝相當，但嚴格地講佛教思想體系是無神論的。更典型的是近代的先驗唯心論。例如，在愛默生主義（Emersonism）那裡，傳統意義上的上帝似乎被「蒸發成了」抽象的理想（觀念性）。上帝不再是一個具體的神，也不是一個超人，而是事物的內在神性，是宇宙的基本精神結構，是先驗論者的崇拜對象。

然而，我們並不能據此而把佛教徒或愛默生主義者的內心情感排除在宗教經驗之外。無論佛教的悲觀抑或愛默生主義的樂觀，它們對個人生活的感染力及其強烈反應，實際上都很難與典型的基督教經驗區別開來。「因此，以經驗的觀點來看，我們不能不把這些無神的或半神的信念叫做『宗教』；同樣，我們在宗教定義裡提到的個人與『他所認為的神聖者』的關係，『神聖』一詞也必須給以非寬泛的解釋，即概指任何『類似於神的』（godlike）對象，而不論其是不是一個具體的神。」**

---

* 《宗教經驗種種》（英文版），第52～53頁。

** 同上書，第42頁。

其次，對「類似於神的」一詞也不能作空泛的理解。宗教史上有很多神，它們的屬性千差萬別，那麼，所謂「類似於神的」在特性上又是指什麼呢？有一點是明確的，所有的神就存在與力量而言都是第一性的。它們無所不在、無所不能；它們就是真理，是最初的真理也是最後的真理。所以，「類似於神的」就是指最原始的、無所不在的、至真至切的，而一個人的宗教信念也就是指他對自己感覺到的原始真理的認同。

在上述意義上，宗教可以說是一個人對生活的「全部反應」（total reaction），但這並不意味著任何此類反應都稱得上是一種宗教。譬如，當今社會流行的那種玩世不恭的人生態度，當然不是宗教。因而，詹姆斯對其宗教定義又加一重限制。他指出，前述定義裡使用的「神聖的」一詞並不僅僅意指原始的、無所不在的和真實的，這些說法若不加以限制便過於寬泛了。「神聖者對我們所意味的只是這樣一種原始的實在，個人感到自己不能不對之作出嚴肅的、莊嚴的回應，而不是詛咒或嬉戲。」*

宗教經驗的對象是什麼，由此類經驗形成的信仰對個人生活有什麼影響，其心理特性又何在？這是詹姆斯接下來回答的一些基本問題。廣義地講，宗教經驗的對象就是「不可見者」（the Unseen）。在個體的宗教經驗裡，「不可見者」被確信為實在的，它決定著某種「不可見的秩序」，而適應於這種秩序就是至善。可以說，植根於心靈上的宗教態度就是由這樣一種信仰與自我適應構成的。

「的確，這種關於實在的情感能如此強烈地加之於我們的信仰

* 《宗教經驗種種》（英文版），第48頁。

對象，使我們的整個生活都被徹底『極化了』（polarized），可以說，這是由於我們所相信的那些東西的存在之意義，然而，若確切加以描述，那種東西又很難說就出現於我們的心理上。」* 詹姆斯比喻說，信仰對象與經驗者的關係就像「磁體」和「鐵棒」。一根鐵棒沒有觸覺或視覺，也不具備任何表象能力，但內部卻有很強的磁性感;如果在旁邊有個磁體移來移去，它會自覺地變換位置或方向。不用說，這樣一根鐵棒永遠不可能向我們描述出磁源或磁力的外觀，可它卻能強烈感覺到磁源的存在及其作用。

關於信仰對象之於經驗者的真實性，詹姆斯並不滿足於上述比方，而是力圖將其提升為一個普遍的哲學命題加以證實。他指出：「有些抽象的觀念能絕對決定著我們的心理，這是人之性格中的基本事實之一。由於它們『極化著』並『磁化著』我們，我們或轉向它們或背離它們，我們尋求它們，擁有它們，憎惡它們或讚美它們，就彷彿它們是如此多的具體存在物。作為存在物，它們在其棲居的領域內猶如空間裡變化著的、可感覺的事物一樣真實。」** 此類抽象概念作為心理對象，構成了萬事萬物的背景，或一切可能性之本原；是它們賦予事物本性，或者說，我們是藉助它們的意義來把握現實世界的。然而，人卻不能直接看到它們，因為它們是無形體、無特色、無根基的。

上述看法在哲學史上早已有之。比如，按照柏拉圖的理念論，抽象的美或美的理念是再具體、再真實不過的對象了，因為它作為絕對的美而被世間一切美的事物所分有。再比如，在康德哲學體系

---

* 《宗教經驗種種》（英文版），第60～61頁。

* 同上書，第61～62頁。

裡，「靈魂」、「世界」和「上帝」等抽象理念雖然不是純粹理性的認識對象，但對實踐理性卻是至關重要的，毋寧說它們就是道德的根據，是信仰的對象。詹姆斯提到這些大哲學家的觀點，無意對之說長道短，而是想以經驗主義為動力再推進一步，即用心理學分析尤其是大量宗教經驗實例，進一步求證前述問題。

根據心理學的假設，關於實在的感知是由人的感官引起的。詹姆斯認為，假如在人的意識裡有一種實在感，一種關於客觀存在的感情，一種可稱為「某物在此」（something there）的感覺，那麼，與心理學目前所講的任何特殊的感覺相比，這類感覺顯然是更一般、更深刻的。如果這一點成立，我們便可假設：在宗教經驗裡，此類喚起宗教態度與行為的感覺，最初也是由實在感引起的。所以說，感官對象在通常條件下產生實在感的能力，並非天賦之特權，別的東西也可能擁有，比如宗教概念。即使宗教概念可能是十分模糊、十分遙遠乃至不可想像的，可宗教徒卻對之深信不疑，也沒有任何批評能使之動搖。為充分證實這個論點，詹姆斯挑選了許多經驗實例，其中既有宗教的也有非宗教的，既有較普遍的也有很神秘的，還有不同性別、不同年齡層的。按詹姆斯本人的意思，這裡節錄幾個較偏激的，即有濃厚神秘色彩的。

實例節錄（1）：一個教士的經驗

有一天晚上，就在山頂的那個地方，我的心靈彷彿向「無限」敞開了，有兩個世界在交流，內在的與外在的。我單獨和創造出我的「他」站在一塊，還有這世界上的一切美、愛、悲哀和誘惑。我那時並沒有追求「他」，卻感到我的精神與「他」是那麼融洽。此時此刻，對周圍事物的普通感覺消失了，剩下的只是一種說不出的歡樂與狂喜。這種經驗是完全不可能描述出來的。夜幕裹住了一個存在物，因為它不可見，所以愈發能感覺到。「他」就在那裡，比我在那裡更不可懷疑。我那時真的感到我沒有「他」更真實。

我對上帝的最高信仰、對他的最真實的觀念，就是那時產生的。從那以後，任何關於上帝存在的爭論都無法動搖我的信念。我意識到上述經驗只能稱為「神秘的」，我也沒有足夠的哲學知識進行辯護，使之不受這樣或那樣的指責。在寫下這段經驗時，我感到也只是塗上一些文字而無法清楚地再現於人們面前。可雖然如此，還是盡我所能認真加以描述了。

實例節錄（2）：一個瑞士人的經驗

我和幾個朋友徒步旅行。那是第六天，我的身體很好，心理也很正常，既不疲勞也不飢渴，既沒近憂也無遠慮，我剛得到家裡來的好消息，我們又有一個好嚮導。我那一天的心情可以說是平靜的。可突然間我有一種感覺，自己被舉了起來，我感到了上帝的存在，彷彿他的仁慈與力量彌漫我的全身——我說的都是當時意識到的。此時的情緒震動是那麼猛烈，我只能勉強對同伴們講，往前走別等我。然後，我就坐在一塊石頭上，兩眼湧出熱淚，不能站起來了。我感謝上帝，在我生命歷程中教我認識他，他維繫著我的生命，憐憫我這無意義的造物、我這個罪人。我強烈祈求獻出自己的一生，踐行他的意志。我感到他同意了。隨後，這種出神入化的狀態在心靈上慢慢消失了，我感覺是上帝收回了賜予我的這種交流。我能往前走了，但很慢很慢，我還是被十分強烈的內在情感所占據。上述出神入化的狀態可能持續了四、五分鐘，但當時卻覺得很長。

應該補充說，上帝在我的上述經驗裡是無形狀、無色彩的，也不是憑嗅覺或味覺能感受到的，他顯現時也沒有確切的方位感，倒不如說彷彿是我的人格被「一種精神之精神」(a spiritual spirit) 轉化了。但是，我愈是想找詞來表達這種內心深處的交流，愈感到不可能用任何通常的印象來加以描述。說到底，最適合描繪我當時感受的就是：上帝雖是不可見的，可他就在那裡；這感覺不是來自我的任何器官，而是我的意識。

實例節錄（3）：一位女性的經驗

這位女性的母親是個非常出名的反基督教作家，自然從小就不讓她接觸基督教。可當她離開母親來到德國生活時，受朋友的影響開始讀聖經。她的皈依猶如一道閃光，是那麼突然，那麼強烈。

她寫道：到今天，我不能理解為什麼竟有人拿宗教或上帝的命令當兒戲。我一聽到我的天父在呼喚，心立刻就跳了起來，就認他。我跑著伸出雙臂，高聲呼喊：「這兒，我在這兒，我的天父。」我的上帝回答：「哦，快樂的孩子，我該做什麼？愛我吧！」我熱情喊著：「我愛，我愛！」。「來我這兒」，我的天父呼召。

我心跳著回應，「我就來」。我還停下問了點什麼嗎？一點兒都沒有，我甚至都沒有想到問問自己是不是那麼好，自己配不配，我對他的教會又是怎麼想的……滿意！我是那樣地滿意。我不是找到了我的上帝、我的天父了嗎？難道他不愛我嗎？難道他沒有呼召我嗎？……從此以後，我的祈禱總能得到直接的回答，是那麼有意義，簡直就像和上帝交談，親耳聆聽他的答案。關於上帝之實在的觀念，一時一刻也沒有離開過我＊。

＊　這類經驗實例，詳見《宗教經驗種種》第三章，「不可見者的實在性」。

總之，透過描述這樣一些經驗實例，詹姆斯主要提出了如下幾點看法：第一，宗教經驗從根本上講是「對人之本體的想像」（the human ontological imagination），而此類想像對信仰者是極有說服力的。它使得一些不可描述的存在物有實在感，其強烈程度很像幻覺的作用。因此，這類實在感能決定人生的根本態度，猶如情人們的態度取決於戀愛對象的存在。誰都知道，一個痴情的小伙子總也擺脫不了情侶的存在。情侶是他的偶像，他忘不了她，而她則時時刻刻影響著整個的他。

第二，上述意義上的實在感在信仰者那裡不能不說是一些對真理的真誠感受，此類感覺所啟示的那種實在是任何反證也排斥不了的。當然，有些人可能完全沒有此類感覺。可對那些經驗者來說，此類感覺不但像任何直接的感官經驗一樣真實、一樣可信，而且一般都會顯得比純邏輯的結論更真實可信。

第三，關於宗教經驗與哲學理性主義。宗教經驗在很大程度上或就特性而言是「神秘的」，可劃歸於神秘主義（mysticism）的範疇。詹姆斯指出，在哲學上與神秘主義相對立的就是「理性主義」（rationalism）。按理性主義的一貫主張，所有的信仰最後都必須為自己提供明確的根據，而這些根據又必須包括這樣幾點：（1）可陳述的、明確的抽象原理；（2）來自感覺的確切事實；（3）基於此類事實而作出的明確假設；（4）確切的邏輯結論。照此標準，「關於不明確東西的模糊印象」，在理性主義的思想體系裡顯然是沒有任何地位的。

但在詹姆斯看來，理性主義就積極方面而言無疑是一種很好的理智傾向，比如產生了我們現有的各種哲學觀點，產生了自然科學，等等。然而，假若觀察一下人的整個心理生活，按其生存狀況深入到內在的、個體的追求，也就是除知識或科學之外的深層心理活動，那麼，我們便不能不坦白，理性主義所能說明的只是其中的一部分，而這部分解釋又是比較膚淺的。在一般情況下，理性主義觀點有無可置疑的威信，因為它過於雄辯，要求對方拿出證據，然後強詞奪理加以爭論，直到用理性的術語征服對手。可對一個宗教徒，如果他以沉默的直覺來抗爭理性的結論，理性主義觀點是無法使其信服或皈依的，因為他的直覺來自人性更深的層面，超出了理性主義占有的論辯範圍。他的整個潛意識生活，他的衝動、信念、需要以及直觀感覺等等，早就奠定了前提；這就使他絕對知道，自己所信仰的東西肯定會比任何理性主義的強辯更加真實。

第四，關於宗教經驗與自然神學的關係。詹姆斯接著指出，在宗教信仰問題上，正如理性主義的駁難是次要的，其正面的論證也不是首要的。神學家和哲學家們曾從自然秩序那裡找到了大量證據，以證明上帝的存在。這類論證在100年前似乎有無可反駁的說服力，可時至今日這方面的大量論著只能擺在圖書館裡「吸塵」了。原因很簡單，我們這一代人已不再相信它們所論證的那種上帝了。無論上帝是什麼，他都絕不會像我們的曾祖父深信的那樣，僅僅是一個「自我榮耀的外在創造者」。

詹姆斯指出，上述認識誠然不可能用語言表達清楚，無論對別人還是對我們自己，概莫例外。但是，「形而上學與宗教領域的真理在於，只有當我們有了關於實在的不可言說之感覺，並早已用於支持某個結論，有關同一結論的可言說之理由對我們才是有說服力的。實際上，到這時我們的直覺與理性才合作，才會形成一些偉大的世界性體系，像佛教體系和天主教哲學體系。我們出於衝動的信念在此永遠是揭示真理之原初質地的東西，而我們可用詞語明確表達的哲學，只不過是將信仰翻譯成了顯赫的公式。這種非理性的，直覺的信念是我們身上深層的東西，理性的論證則不過是外表的顯示。本能引路，理智只不過是跟隨。如果一個人像我引用的例證那樣，感覺到有個活生生的上帝，那麼，你的批判性論爭不管多麼前所未有過的高深，對轉變他的信念來說均屬徒勞。」*

* 這類經驗實例，詳見《宗教經驗種種》第三章，「不可見者的實在性」，第74～75頁。

第五節　信仰與終極關切

前幾節的評介表明，宗教與非理性的關係是錯綜複雜的，除了情感、深層心理、信仰意志、神秘經驗，還有許多可探討的角度，比如崇拜、皈依、祈禱、超越或解脫等等。但無論從哪個角度去看，宗教信仰最後都要指向某種終極的東西；或者說，是對終極的關切在維繫著宗教意義上的信仰。

與傳統觀點相比，信仰與終極關切的關係問題在當代宗教研究裡更受重視，也更有爭議性了，其原因是很值得深思的。這裡我們選出兩位學者的觀點作為例子，即蒂利希的「終極關切說」和斯馬特的「超觀念型態論」。前者代表的是一種較普遍也較有影響的傾向，可大致表明問題是如何被重新提出來的；後者則反映了一種新的調和立場，使問題本身顯得更複雜化了。

對「終極關切」的闡釋可以說是蒂利希整個宗教觀念的始發點。蒂利希畢生從事神學與宗教研究，留下了大量名著，像《系統神學》、《文化神學》、《信仰的動力》、《存在的勇氣》、《永恆的現在》、《基督教思想史》等等。作為一個神學家，蒂利希最主要的著作當推洋洋近百萬言的《系統神學》。為寫此書，他幾乎用去了一生中最寶貴的後幾十年，較系統地總結了自己的神學觀點。但作為一位有所建樹的宗教哲學家，蒂利希的思想特色卻集中體現在《文化神學》一書裡。蒂利希一生的學術觀念具有比較嚴格的一致性。他在撰寫《系統神學》期間就指出，雖然自己一生的大部分時間和精力都投入了系統神學的教學與研究，可「興趣中心」始終不離一個重要的問題，這就是「宗教與文化的關係問題」。他的大多數論著，包括大部頭的《系統神學》都在試圖確立一種方式，把基督教與世俗文化聯繫起來，以求揭示人類文化諸多活動領域中所深含的宗教因素＊。這也正是蒂利希之所以要重新闡釋宗教信仰與終極關切問題的緣由。

翻開《文化神學》一書，首先討論的就是宗教信仰與終極關切的關係問題。蒂利希指出，在當代文化背景下，一旦有人就宗教說點兒什麼，馬上就會遭到兩方面的詰難。一方面，有些正統的神學家會問：你是否把宗教看成人類精神的產物呢？如果你的回答是肯定的，這些神學家便會掉頭而去。因為按照他們的看法，宗教信仰原本就不是人類精神的產物，而是聖靈的恩賜。雖然人類的精神在塵世間是有創造性的，但相對於上帝而言，則完全是被動性的、接受性的。另一方面，有些世俗的科學家則會問：你是否把宗教視為人類精神的本性呢？如果你對此也作出肯定的回答，他們同樣也會掉頭而去，走向另一個極端。這些科學家往往會根據心理學、社會學、歷史學、人類學等學科的成就，強調宗教教義與實踐的多樣性、宗教信仰的神秘性、以及社會生活的世俗性等等。他們認為，宗教信仰只不過是一定歷史階段的特有現象，而在科學技術如此昌盛的今天，宗教信仰早已失去了立足之地。

上述兩種截然相反的宗教觀點顯示出了當今社會集體意識的嚴重分裂。這是一種精神分裂症似的分裂，蒂利希這樣評論道，它迫使著人們對宗教信仰作出了簡單的肯定或否定，從而嚴重地威脅著現代人的精神自由。事實上，無論來自神學角度還是來自科學詰難，都是對宗教信仰的一種武斷拒斥。比較起來就會發現這樣一種

＊ 參見蒂利希：《文化神學》（Theology of Culture, Oxford University Press, 1959），「序」。

怪誕的現象：上述兩種意見雖然各持一端，卻共有一種陳舊的觀念，即把宗教信仰界定為人與種種神聖存在者之間的關係，儘管對於神靈存在與否，神學家和科學家可能抱有相反的論點，曲折給予肯定而或者加以否定。

蒂利希強調指出，正是這樣一種簡單的宗教觀點，使人們喪失了理解宗教信仰的可能性。問題的症結在於，「要是你一開始就問上帝是否存在，那你永遠也不可能接近上帝；而且如果你斷言上帝確實存在，那你甚至會比否定上帝存在更加遠離上帝。」*

那麼，宗教信仰究竟是什麼呢？與前述兩種意見不同，蒂利希回答：「宗教是人類精神的一個方面」**。他解釋道，這個論斷的含義在於：假如我們從一個特殊的角度去看待人類精神的話，那麼，人類精神本身就表現為宗教，這個特殊的視角就是指人類精神生活的深層。因此，所謂的宗教信仰並不是人類精神的一種特殊功能，而是其所有特殊功能的根基。在蒂利希看來，上述論斷對於理解宗教信仰之本性有著至關重要的意義，有必要對它所包含的多重意思逐一加以分析。

首先必須意識到，宗教信仰不是人類精神的一種特殊功能。歷史告訴我們，宗教信仰千百年來曾經從一種精神功能轉向另一種精神功能，結果卻幾經轉向幾經挫折。這說明宗教在歷史上始終處於一種尋覓家園、爭取地盤的狀態之中。譬如，宗教一度轉向道德功能，敲擊道德領域的大門。道德是宗教的「至親」，它的確不好拒

---

* 參見蒂利希：《文化神學》（Theology of Culture, Oxford University Press, 1959），第5頁。

** 同上書，第5頁。

絕宗教，但在道德領域宗教是作為一個「窮親戚」而被收留下來的，其條件是為「主人」服務。這也就是說，只有當宗教屈從於道德，有助於教化出虔誠而善良的公民、官吏、武士、乃至丈夫和兒童時，才會被道德領域所接納。反之，每當宗教提出自己的主張，要嘛被迫閉嘴，要便被當作道德肌體上的「毒瘤」遭到割除。又譬如，宗教也曾為認識功能所吸引，十分關注認識論問題。可在認識領域裡，宗教僅僅是認識的一種特殊方式，是神秘的直覺或神話般的想像。這無異於認識的附庸，況且還是一個臨時的「幫工」。一旦認識功能為科學成就所強化，馬上就會斷絕與宗教信仰的關係，把宗教趕出自己的地盤。除此之外，宗教還曾轉向審美功能和情感功能。然而，或是因為不甘消融於藝術之中，或是不願降低為主觀情感，宗教最後也沒能駐足於這兩個領域。由此可見，在走遍了人類精神生活的所有領域之後，宗教信仰依然沒有家園，沒有領地。正是在這樣一種情緒下，宗教才猛然頓悟自己根本就不必去尋找什麼家園，更不必去爭奪什麼地盤，因為宗教自己本身就深深植根於人類精神活動的一切特殊功能之中。「宗教是整個人類精神的底層」。*

那麼，「整個人類精神的底層」又是指什麼呢？蒂利希指出，所謂整個人類精神的底層，就是指宗教信仰所探究的是人類精神生活中終極的、無限的、無條件的方面。「宗教，就該詞最寬泛、最基本的意義而論，就是終極的關切（ultimate concern）。」** 顯

---

* 參見蒂利希：《文化神學》（Theology of Culture, Oxford University Press, 1959），第7頁。

** 同上書，第7～8頁。

然，在蒂利希看來，「整個人類精神的底層」跟「終極的關切」是有密切關係的，這兩個概念實際上從不同的角度表達了宗教信仰的處所或神學研究的對象。他在《系統神學》一書裡對「終極關切」這個基本範疇作過較全面的解釋，並從中推導出了神學研究的兩條形式準則。

蒂利希舉例說，終極關切就是對這樣一條偉大聖訓的抽象概述：「基督，我們的上帝，唯一的基督；你須全心全意、盡心盡力地去愛基督，你的上帝。」由此可見，宗教信仰所關切的東西是終極性的，即在終極的意義上排除了其他種種關切，使之一概成為初級的關切；終極的關切是無條件性的，即獨立於任何條件，諸如性質、意願、環境等等；無條件的關切又是整體性的，它把我們自身或我們的世界一併囊括於內，使之不可超越；最後，整體性的關切還是無限性的，即面對某種宗教的關切便不可能有片刻的鬆懈或安歇。總之，按照蒂利希的觀點，終極關切也就是宗教關切的同義語，這種關切是「終極的、無條件的、整體的和無限的」。*

透過逐一推演終極關切的上述幾個特徵，蒂利希提出了神學研究的第一條形式準則（the first formal criterion of theology）：「神學的對象就是在終極意義上關切著我們的東西。只有那些能把它們的對象作為對我們具有終極意義的事物來加以闡述的命題，才是神學的命題。」**

在闡述了終極關切的基本特徵之後，還存在一個重要的問題：

---

* 參見蒂利希：《系統神學》（Systematic Theology, Three Volumes in One, The University of Chicago Press, 1967），第一卷，第11～12頁。

** 同上書，第12頁。

終極關切的基本內容是什麼呢？或者說，所謂無條件地關切著我們的東西是指什麼呢？蒂利希認為，對這個問題顯然不能以「某種特殊的對象」、甚至也不能以「上帝」作為答案。假若非要就終極關切的內在本質說些什麼，那麼所言所指必須根據終極關切這個概念的分析。「我們的終極關切就是決定著我們是生存還是毀滅的東西。只要那些能把它們的對象作為對我們具有生存或毀滅意義的事物來加以解釋的陳述，才是神學的陳述。」* 這便是蒂利希提出的神學研究的第二條形式準則（the second formal criterion of theology）。

這樣一來，蒂利希便重新確立了終極關切或宗教信仰在整個人類精神生活中的重要地位。他進一步指出，在人類精神的所有基本功能、所有創造活動中均深藏著這樣一種終極的關切。比如，在道德領域，這種終極關切明顯地表現為道德要求的無條件性。因此，如果有人以道德功能為名拒斥宗教信仰，即是在以宗教的名義來反對宗教。又如，在認識領域，作為對終極存在的不懈追求，這種終極關切也是一目了然的。因此，如果有人以認識功能為名拒斥宗教信仰，還是在以宗教的名義來反對宗教。而在審美領域，這種終極關切則體現為對表達終極意義的無限渴望。所以說，假如有人想以審美功能來拒斥宗教信仰，他仍然是在以宗教的名義反對宗教。總而言之，在一切人類精神活動領域中反映出來的那種終極關切狀態，其本身就是宗教性質的。「宗教是人類精神生活的本體、基礎和根底。人類精神中的宗教方面就是指此而言的。」**

* 參見蒂利希：《文化神學》（Theology of Culture, Oxford University Press, 1959），第13頁。

** 《文化神學》（英文版），第8頁。

蒂利希清醒地意識到，理論與現實之間往往存在著很大的差異或衝突。針對上述關於終極關切的界說，難免有人就宗教一詞的狹義或習慣用法而追究宗教信仰的現狀。既然宗教信仰寓於人類精神生活的所有功能之中，為什麼還有人透過各種形式，諸如神話、迷信、儀式、教會等等來專門發展宗教，並以其作為人類精神生活的一個特殊方面呢？蒂利希回答說，這是由於人類精神生活與其本體或底層之間的悲劇性分裂。

在歷史上，宗教信仰總是力圖觸及人類精神生活的本體或底層，使其從日常生活的塵埃和世俗活動的嘈雜中顯露出來，以使人們能夠獲得神聖的經驗，即感受到終極意義和終極勇氣的源泉。這正是宗教傳統的榮耀之處。然而，宗教的光榮與宗教的恥辱向來就是並存的。傳統的宗教往往忽視了一個根本的問題，即其自身的存在實際上就是人的現實存在與本質存在之間發生悲劇性分裂的結果。因而，它們盲目地以終極領域而自居，一味鄙視世俗領域，並把神話、教義禮儀、戒律等等統統作為終極的東西，強加於那些不願俯首稱臣的人們。這種狀況便是世俗世界在歷史上一向激烈反對宗教世界的主要原因。在蒂利希看來，這種反抗勢必導致可悲的結局，因為世俗領域和宗教領域本來就處於同一種困境之中，而目前的對抗狀況只能使這種困境愈發危急。因此，無論是宗教領域還是世俗領域均應意識到，它們各自事實上都植根於廣義的宗教信仰，即有關終極關切的經驗。一旦意識到這一點，宗教領域與世俗領域之間的劇烈衝突便會消除，宗教信仰就會在人類精神生活裡，即在其底層重新發現自己的真正處所，並由此出發為人類精神生活的所有特殊功能提供主旨、終極意義、判斷力和創造力。這大致就是蒂利希對宗教信仰與終極關切二者關係問題的基本理解，同時也是他為調解傳統宗教與當代文化之間的劇烈衝突而提供的一種方案。

斯馬特（Ninian Smart, 1927～）是一位較有影響的英國比較宗教學家、宗教哲學家，晚年任教於美國加州大學聖巴巴拉分校，著有《宗教學和知識社會學》、《宗教現象》等書。和許多當代著名學者一樣，斯馬特是以宗教與文化型態的關係問題來帶動宗教研究、尤其是宗教哲學思考的。在他看來，文化型態的差異必然導致宗教現象之不同，但這一點尚未引起足夠的重視。西方學者的宗教哲學觀念，在很大程度上還沒有超越西方文化的氛圍，大多是以西方哲學觀念來反思基督教及其神學。比如，奧托等人的宗教經驗觀點，即是把「某種普遍的、本質的情感」強加於各種宗教現象。因而，斯馬特十分注意文化之差異所產生的「宗教術語學問題」，長期致力於用一種跨文化或「超觀念型態」（beyond ideology）的觀念來描述不同宗教信仰的「焦點」（focus）。他關於信仰與終極經驗關係問題的看法也正是由此引申出來的。

斯馬特曾在倫敦大學專攻宗教哲學和宗教史，深受劉易斯教授（H. D. Lewis）的影響。劉易斯對近現代宗教研究中的直覺主義傾向有相當廣泛的研究，涉及到施萊爾馬赫、奧托、布伯（Martin Buber）等著名思想家的不同觀點。斯馬特認為，從施萊爾馬赫到劉易斯的直覺主義傾向，對宗教經驗研究是一次有力的推動，它所反映的是一種新的融合，即把自然神學與啟示神學融為一體。因此，這種直覺主義傾向一方面在舊自然神學崩潰之時為信仰重新提供了根據；另一方面又對啟示作出了新解釋，揭示了宗教靈感的動力所在。「上述進展當然既軟化了理性也軟化了信仰，但它也為反對懷疑論提供了一種辯護。它在經典與傳統上很適合於一種開明的態度。」*

但在肯定上述學術進展的同時，斯馬特指出，施萊爾馬赫以來的直覺主義觀點，主要是以西方一神論的眼光來討論宗教經驗問題的，即使對比較研究抱很大興趣的奧托也不例外。因而，關於宗教經驗之本質的解釋，還應進一步放寬視野，擴展至其他的尤其是東方的宗教。

斯馬特對印度佛教很有研究。他認為，東西方宗教在終極經驗問題上的差異，可透過比較佛教上座部與基督教鮮明反映出來。西方宗教的經驗主要是唯一神論的，相信存在著一個有位格的上帝，這在基督教那裡尤為典型。基督是上帝，也是一個實實在在的人。而在佛教上座部那裡，終極的東西並不被看作是造物主，也不是崇拜或祈禱的對象。誠然，上座部也講佛法，這主要是受大乘佛教的影響。但就任何嚴格意義而論，佛陀都不能理解為崇拜對象，因為他既是超脫此岸也是超脫於彼岸的。

由此來看，有理由把宗教經驗區分為不同的類型，如區分為「既敬畏又嚮往的經驗」和「神秘的經驗」(the numinous experience and the mystical experience)。按斯馬特的解說，「既敬畏又嚮往的經驗」十分典型地反映出一種「位格感」(a sense of a person)，即感受到「相異者」之此在；無論「此在」是指這個世界上的還是夢幻意義上的，經驗者都有一種對力量與奧秘的感受，達到出神入化的程度。「神秘的經驗」有時也包含上述成分，但它並非一定如此；這類

---

* 斯馬特：「我們的終極經驗」(Our Experience of the Ultimate, Religious Studies 20, No. 1, March 1984, Cambridge University Press, 第19～26頁)。

經驗猶如純意識，經常是無意象的、非二元化的、空的、明慧的。

以上區分有助於解釋宗教經驗的差異性。大體說來，「既敬畏又嚮往的經驗」所產生的是「一位有權能的上帝觀念」。上帝的權能儘管是神秘的，可他的神聖性是透過其存在體現出來的；所以在他那裡既有一種神聖的愛也有一種神聖的罰。這樣一來，奧托等人所強調的那類宗教經驗便可以放在崇拜的背景裡給以解釋了。基督徒對上帝懷有的是一種既敬畏又嚮往的情感，這種崇拜是對「權能」與「神聖」的自然反應；反過來說，它表達的是面對「相異者」所經驗到的自身之渺小和非神聖。而「神秘的經驗」所形成的則是一種無意象的超脫觀念，比如「空」、「無德之梵」（即無屬性的梵，Nirgunam Brahman）、「一」，等等；其信仰也和前一類經驗不同，主要是一種冥想，感受到的是個人之「無明」，是對煩惱之斷除。

根據上述分析，斯馬特試對當代宗教哲學中一個頗有爭議的問題作出新解釋，這就是終極經驗的表述問題。不同的宗教都有其終極經驗，但同一終極能否以不同的方式而被經驗到呢？或者說，終極本身是神秘莫測的，而有關的經驗只能加以最低限度的描述呢？斯馬特例舉了兩種不同的觀點。

在希克（John Hick）看來，所謂的終極可設想為「本體X」（noumenal X），而宗教經驗則是現象意義上的領悟，因為各種宗教經驗的形成與表達都是和不同的宗教傳統相關的。他在《神有諸多名稱》裡指出，所謂的「神」既有「位格的」一面，也有「無位格的」一面；關於前一方面的經驗主要反映於一神論的傳統，後一方面的經驗則在非一神論的傳統裡占主導地位 *。而按照劉易斯的觀

* 關於希克的觀點，可參見本書「當代宗教對話」一章裡的具體評介。

點，所謂的終極就是上帝。這種意義上的終極儘管在有些宗教經驗裡顯得十分神秘，其描述方式也降低到了最低限度，比如，佛教經驗裡的佛陀；但如果仔細推敲佛典，有關佛陀的經驗就是對真正意義上的上帝（終極）的一種渴望。

正是針對上述兩種不同觀點，斯馬特提出了第三種立場——超觀念型態論。他指出，一個基督教的位格論者，沒有理由不站在其立場上，並根據上帝看待其他宗教；每一種宗教也不能沒有關於其他宗教的神學觀點。然而，一旦反過來看又如何呢？比如，一個非一神論者把上帝看作是人在倫理與實踐之最高意義上的一種投射，對此又當如何評論呢？所謂的「超觀念型態論」就是認為，「佛教與基督教是兩種互補的傳統，為『超驗的X』提供了兩種可選擇的觀點，二者可互為滋補、相互批評。」*

以這種超觀念型態論為批評原則，斯馬特試圖調和希克與劉易斯二人的論點。有一種較流行的解釋，認為神秘主義觀點就是關於上帝的知識。劉易斯對此持否定態度。他在終極經驗問題上主張的是直覺主義的解釋，即認為不可能有關於上帝的直接知識。但這種觀點可按希克的假設做如下修正：終極是以不同的方式呈現出來的，其核心體現即在於直覺到的上帝是有位格的，可這種直覺經驗只能作最低限度的描述。為進一步說明宗教經驗意義上的終極或本體的複雜性，斯馬特比較了兩種不同類型的經驗，即《薄伽梵歌》裡記載的阿周那（Arjuna）經驗到的毗濕奴，和《舊約》裡記載的約伯（Job）關於耶和華的經驗。

不妨假設，阿周那和約伯都是歷史上的人物。在他們二人的經

---

* 見「我們的終極經驗」。

驗裡，印象內容完全不同，但都感到有一位神聖的創造者，他的顯現既令人恐懼又給人以崇高感；而且神聖的創造者或上帝對他倆都說了些什麼。我們可把這兩種經驗稱為「毗濕奴現象」和「耶和華現象」。從本體論的觀點來看，作為本體的終極顯然既不是毗濕奴也不是耶和華，而是這兩者在阿周那和約伯的經驗裡被看成是終極的東西。因此，我們甚至不能說本體是「唯一的」或就是「一」，因為這種說法帶來的問題在於：能否認為有很多宗教也就有很多上帝或神，即終極是多元的呢？也許，較妥當的一種說法是：所謂的本體既不是「一」也不是「多」。

那麼，就難以明確的宗教經驗而言，作為上帝或神的終極又是什麼呢？這裡追問的也就是康德所講的「物自體」。對這個根本問題，斯馬特並不企求某種絕對的答案，只想提出一些建議。他指出，可否把終極視同於一個或多個「過程」（a process or processes）呢？在過程的意義上，或許可把所謂的終極稱作「動態的X」（X-ing），也就是「一個未知的的超驗界」（an unknown beyond）。以「耶和華現象」和「毗濕奴現象」為例，假若上述意義上的終極是有規定性的，可以說它就是能產生啟示經驗的信仰對象。

然而，是否只有約伯或阿周那之類的現象才能對「超驗界」有所暗示呢？斯馬特進一步建議，對這一點也許不必作硬性的限制。任何事物從根本上說都有可能暗示著終極。也就是說，假若以某種定式來看待萬事萬物，比如相信神性之顯現是無所不在的，那麼，天空或一片草地便能喚起關於神性或上帝的感受。照此來看，「耶和華或毗濕奴意義上的神性之顯現」，就和「日常世界」（the ordinary world）聯繫起來了。

這裡有一個難點。一片草地可以說是有「物自體」產生的一種現象，可關於神性或上帝的經驗並非是由「物自體」而是由「神聖的X」引起的。例如，對一個基督徒來說，上帝向約伯顯現是一種特殊的現象，即上帝的直接啟示。因此，如果把一片草地看作是上帝的造物，這是否不同於上帝的直接啟示或直接顯現呢？但從佛教哲學的基本觀念來看，上述問題又是無須解釋的，因為物質世界之深層原因本來就是無形的，就是「如」（Suchness）因而真正需要解釋的是，與基督教信仰相比，佛教的觀念是否在終極經驗問題上占有包括忽視的地位呢？

斯馬特指出，所謂的世界或宇宙可看作是一種「此在的實在」。它衝擊著人的意識，而人則用不同的方式包括一些複雜的理論來描述著它。比如，科學彷彿就是人與自然的一場鬥爭，人是探索者，自然不斷向人顯露奧秘。但無論從感覺還是從理論的角度來說，自然之奧秘都好似一種重負，因為我們很難對其顯現方式加以描述。自然本身到底類似一種什麼東西呢？對這個問題恐怕只能劃出一條分界線，即一端是人的意識和知識，另一邊則是我們的「感覺之流」（sensuous flux），是不可描述的「X」，或叫做「過程本身」。為避免「一」與「多」的爭論，這過程本身可用比較大眾化的詞來表述，稱為「能量本身」（Energy in itself）。

在上述規定的基礎上便可以進一步探討有關「宇宙能量」（Cosmic Energy）的經驗了。一種可能性是藉「神秘的經驗」來洞悉這種能量，由此形成的觀念就是一種「流變的空」；另一種可能性則是透過行為，即認為行為所轉達的是能量的內涵，於是所謂的宇宙便被看作是「意義及其表象的世界」。比較這兩種觀念，它們所經驗到本體似乎都有一種雙重性的結構。比如，在基督教那裡，第一層結構是指能量本身，第二層則是作為造物主的上帝。因為按照一神論的觀點，宇宙是二元的，其能量無非是上帝的一種創造。而根據佛教上座部的自然觀和解脫觀，解脫境界也是超越於能量本身的，這種解脫即是自然現象之流的基礎。

按上述分析，若把「能量本身」、「過程」、「事件」或「事物」等看作宇宙整體結構的一部分，那麼，「毗濕奴或耶和華現象」就成了其結構的深層反映。顯然，一神論者是不會同意這種分析的。這種意義上的毗濕奴或耶和華僅僅是不同的神，是本體之有限的或短暫的閃現，而並非不可言說的、總體意義上的創造者。同時，前述佛教經驗雖然可藉康德哲學術語來解釋，但二者畢竟不能等而視之，因為康德所講的物自體有其原義，而「空」或「梵」在佛教那裡主要是指「有」、「識」、「喜」。

由此可見，問題的關鍵還是在於如何解釋所謂的「本體」。斯馬特指出，不同的宗教經驗與實踐有不同的「現象焦點」（the phenomenal Foci）。因而，宗教經驗意義上的本體也是有焦點的。為調解不同宗教經驗在「本體之焦點」（thenoumenal Focis）上的分歧，斯馬特造了一個新詞——「超焦點的」（transfocal）。他藉助該詞指出，一個信仰者的經驗總是有所定向的，即朝向某種能體現其信念之焦點的「存在」（像基督教的）或「境界」（像佛教的），而這種焦點本身又會顯現於有關的經驗、儀式和意識等等。因而，所謂的本體就是指存在於不同的顯現焦點之背後的那種東西。這樣一來，對超驗的上帝概念也就不難理解了。拿約伯或阿周那所經驗到的現象來說，在這些現象之外存在的就是「一種上帝本身」（a Divine Being in Itself），「一種超焦點的實在」（a transfocal Reality）。這也就是劉易斯想說的意思，關於上帝不可能有直接的知識，即人無法認識到上帝的本質。

斯馬特的整個論辯過程是相當晦澀的，但我們還是可以大致把握他在信仰與終極關切問題上的新主張：不同的信仰在終極經驗上各有焦點的，而作為經驗對象的終極卻是「超焦點的」。以基督教為典型的一神論和以佛教為代表的非二元論，不妨看作兩種基本的、互補性的類型；這二者在一定程度上雖然相互矛盾，但同時也提供了兩種可選擇的見解，對它們加以比較和批評將裨益於終極問題的討論。

第六節　能否超越理性

透過前幾節的評介，首先給人留下的一個印象就是這些學者都試圖從不同的方面或角度來探究宗教信仰與非理性的關係問題，像宗教情感的獨特性，信仰選擇中的意志因素，宗教心理的深層結構，宗教經驗的個體性與神秘性，宗教信仰與終極關切，等等；而這許多互補的、交錯的甚至是衝突的角度及其結論又都致力於一個目標，就是對宗教研究領域長期流行的純理性主義觀念的反省與超越。

以施萊爾馬赫的觀點作為引子，可把我們帶回到一個被稱為「理性主義的時代」，大致了解整個問題產生的背景。如前所述，施萊爾馬赫的宗教觀主要是針對兩種傳統觀點而來的，一種是理論的（形而上的）觀點，即把宗教看成最高的知識；另一種是實踐的（倫理的）觀點，把宗教視同為道德活動。從整個近代宗教哲學的背景來看，這兩種觀點能否成立，的確曾是各種理性主義學派的爭論焦點。例如，笛卡兒、佩利等人用近代自然科學語言對上帝存在所作的證明；從休謨到康德的不可知論對此類神學論證的質疑；狄德羅、愛爾維修、霍爾巴赫等法國百科全書派學者對宗教道德的抨擊；康德的實踐理性觀念對上帝存在的道德論論證；黑格爾的客觀唯心論對「絕對宗教」的歷史哲學辯護，等等。但對這樣一些理性化的論爭本身，施萊爾馬赫是根本不感興趣的。他想從頭說起，想提醒那些「有文化的人」，尤其是那些以理性原則來簡單比照宗教現象的學者們，宗教信仰有其自身的ABC，即所謂的宗教首先是一種獨特的情感，是人類精神的一種基本需要，而並非什麼抽象的知識或特殊的行為。

作為施萊爾馬赫觀點的當代闡發者，奧托則把關於宗教情感問題的探討又深化了一步。他扣住「神聖者」這個關鍵範疇而對「宗教情感特質」所作的現象學分析，進一步排除了傳統觀點加之於宗教信仰的二次重要的或派生的含義，即「道德的」和「理性的」。這就在非理性的、內在的層面上挑明了研究對象的特殊性，使作為宗教信仰之內核的情感成為一個不可忽視的解釋重點。

與施萊爾馬赫開闢的思路不同，帕斯卡爾、詹姆斯等人強調的是一個更具體的原因，即純理性方法在宗教信仰研究上的有限性或侷限性。從帕斯卡爾到詹姆斯，我們可以看到這種學術反省經歷了一個由提出問題到強化論證的過程。帕斯卡爾的整個論證始於理性認識與兩種不同意義上的「無限性」的關係問題。由純邏輯意義上的「無限大的數」進而考察作為信仰對象的「無限之存在者」，後者既無「廣延」又無「限度」，使帕斯卡爾斷定所謂的理智不僅無法理解「上帝」的本質而且連其「存在」也無從把握。於是，理性意義上的論據及其推理也就成了與證明上帝存在完全無關的東西。

或許與現代文化背景更貼近了，詹姆斯對理性的反省也更現實了。在對信仰所作的意志論論證裡，詹姆斯重點強調的是理性證據的不充分性。也就是說，上帝的存在雖然不乏理性的證據，但現有的證據尚不足以確證上帝的存在。他甚至小心爭辯道，目前在上帝是否存在這個重大問題上正反兩方面的證據如此勢均力敵，並將長期處於均衡狀態，以致我們根本就沒有進行理性判斷的可能。也正是根據這種不可能性，詹姆斯提出了「真正的選擇」、「情感的本性」、「信仰的意志」等重要概念。

而在其宗教經驗研究中，詹姆斯的觀點顯然又邁進了一步。首先，他把自己的研究範圍圈定為「個人的宗教」，同時刻意突出的還是其中異常的或神秘的經驗個例，這種做法本身就已為超越理性觀念打下了埋伏。正因如此，詹姆斯才會在其結論裡以神秘主義的經驗來全面抗爭理性主義的主張。按他的歸納，理性觀念所要求的是「抽象的原理」、「確切的事實」、「明確的假設」還有「邏輯的結論」；可個體化的神秘經驗不僅不具備所有這些東西，反倒較之理性的論辯更真實、更可靠。因為這二者相比，就整個心理生活而言，神秘經驗是深層的，理性認識則屬外表的；再從信仰形成過程來看，直覺經驗又是在先的，神學思考則是隨後的；最後就關於信仰的正反兩方面理性之爭來說，由直覺、衝動、需要等支持著的信念是主要的，是難以動搖的，理性的論證不過是次要的，至於反面意見則會被「沉默的直覺」拒之門外，置之不理。

以上分析已部分指出了超越理性的原由或目的。關於這原由或目的在不同的學者或探索角度那裡可能會採取不同的表達方式，但我們可藉一個判斷將其概而言之，即「試圖走向人類精神生活的深層，以探討某種終極意義的東西」。若按這個判斷把本章的評介貫穿起來，可進一步得到不少值得深思的問題與論點。在剛提出的判斷裡，後一句話沒有什麼新意，宗教信仰所關注的就是某種終極的東西，因而對此加以闡釋自然也就是宗教研究的一個基本問題；值得討論的是前一句話，即構成判斷的前件，它強調的是以人類精神生活本身為邏輯指向來展開終極問題的探討。

從過去的爭論來看，在人類意識之外是否存在著實體化、位格化的「神」或「上帝」，這不但是有神論與無神論的分歧所在，也是各種神學或宗教哲學觀念難以證實或證偽的一個問題。而我們討論過的這些學者似乎均在不同程度上扭轉著傳統的解釋觀念，即把探討的重點轉回到人類精神生活本身，或由此發掘「終極對象」的根源，或就此闡釋「終極經驗」的意義。這種學術觀念轉變本身可看作是對傳統爭論的一種消解甚至否定。

榮格根據大量心理治療經驗提出了一個重要推斷，人的心理或精神活動就整體而言有其不可忽視的宗教功能，而這種功能所關乎的就是心理或精神的動力因，是人生及其意義的源泉。因此，對宗教徒來說，一旦喪失了有關的經驗便意味著人格的破裂和生命的毀滅，或通俗地說，意味著精神不正常。榮格甚至大膽地假設，宗教功能就本性而言是不可還原的，因為它植根於全部意識與潛意識的深層，即「集體潛意識的原型」；而所謂的神或上帝所象徵的無非就是這種意義上的「原型」，是「精神的統一」或「存在的本原」。

其實，榮格的上述看法並不新奇，而是總結並反映了晚近宗教研究的一種重要解釋傾向。譬如，詹姆斯在榮格之前就指出，宗教信仰是一個人對生活的「全部反應」，其神秘經驗能徹底「極化」人生，因為這類經驗來自直覺的本能，即潛意識的深處，所以可看作是對「人之本體的想像」。再如，前一章裡討論過的當代著名歷史學家、歷史哲學家湯恩比，他在解釋「科學真理」與「宗教真理」的區別時，著重發揮的就是榮格的假設，即透過對整個心理活動結構的分析，把「潛意識的終極層」視同於「整個宇宙的終極實在」，而把各大宗教所信奉的「神」或「上帝」看成是有關「終極實在」的不同經驗。據此，湯恩比還提出了一個耐人尋味的論點。在他看來，宗教信仰就是文明社會的潛意識的集中體現。現存的各個高級宗教之所以能長期得到廣大群眾的皈依，就在於它們分別是跟各個主要的心理類型一一對應的，都能滿足人們在不同文化背景下體驗到的情感需要。由此可見，榮格的前述假設對當代宗教研究的影響不可低估，其學術潛力也值得深入發掘。

在當代神學家中間，蒂利希不但以哲學思辨見長，還以學術觀念開放而著稱。因而，他對「終極關切」所作的宗教哲學批判，或許能使我們更全面地把握前述學術觀念轉向的起因和主旨。

前面提到，蒂利希文化神學的主旨在於重新恢復宗教與文化之間的密切關係，為此所採取的方式是兩面調和。按照他的觀點，恢復關係即意味著彌合分裂。而要達到這個目的，不僅不能依靠傳統的神學，反而必須從根本上對之加以反省，因為宗教與文化之所以久分不和，其責任首先應當歸咎於傳統神學。正統的一神論一直在西方神學傳統中占居主導地位，蒂利希則用「精神」（spirit）一詞的歧義性道出了正統一神論的偏差。蒂利希指出，宗教本來就是存在與信仰二者分裂、即人性疏離的產物。這無非是說，宗教屬於人類的「精神」（以小寫字母開頭的spirit），上帝就是指人類精神之本。可正統的一神論卻本末倒置，把宗教看成「聖靈」（以大寫字母開頭的Spirit）的恩賜、無情的聖旨，同時又把上帝當作「超然的存在」、「最高的在者」。於是，宗教變成了信仰所謂的絕對命令，上帝則成了絕對命令的絕對主宰。這樣的宗教或上帝難免遠離現實，遭到一般人的反抗或拒斥。蒂利希開誠布公地指出，尼采想要「殺死的」就是這種意義上的上帝。這就說明，正統一神論的嚴重失誤不只是世俗世界反叛宗教信仰的主要原因，同時也是無神論思潮蓬勃興起的深刻根源。雖然蒂利希具有強烈的反無神論傾向，以為「無神論最終只能表現為一種放棄任何終極關切的企圖，即對人生存在的意義漠不關心」*，但他還是承認，無神論對「天真的一神論」可謂一副有效的矯正劑。可以說，蒂利希正是有感於上述

* 參見蒂利希：《信仰的動力》(英文版)，第45頁。

現狀，才萌發了關注世俗文化創造活動、走向人類精神生活底層的開放主張。而這種主張本身便標示現代宗教研究領域裡的一場重大思想轉變，即從抽象的上帝觀念轉向具體的文化活動。

宗教與文化的長期分裂實際上是一種兩相背離的歷史現象。蒂利希認為，對於這種分裂局面，傳統神學固然負有部分甚至是主要的責任，但世俗文化也有其不可推卸的過錯。尤其是近代以來，工業社會精神的片面發展不能不視為造成宗教與文化徹底決裂的一個重要原因。工業社會的基本精神就其本質而言是一種自然主義精神。這種自然主義在排斥宗教、拋棄上帝的同時，也隨之喪失了存在的深度，疏離了人類的本性，惡化了生存的困境。因此，若想擺脫當代人類困境，就必須克服文化與宗教二者之間的深刻分裂，重新發現文化形式所固有的宗教意義。

大致就是根據上述認識，蒂利希把正統神學家和當代科學家之間占主導地位的宗教觀念歸結為一類，即「關於宗教的純理論概念」，指出這種觀念的根本失誤就在於僅僅從理論的角度來認識宗教，誤以為所謂的宗教就是對一種叫做「上帝」或「神」的最高存在者的信仰。與此相反，蒂利希主張的則是「關於宗教的存在概念」（the existential concept of religion）。按這種新觀念，宗教所關注的就是那種屬於並且理應屬於人類的終極關切的「終極之存在」。因而，信仰實質上就是為某種終極關切所把握的存在狀態，而「上帝」或「神」無非就是終極關切所指內容的象徵。

由以上分析可見，以宗教信仰與非理性關係問題為軸心而輻射開來的種種嘗試，有其不可忽視的積極意義，也確實提出了不少重要的學術問題。但與此同時，這些嘗試本身自然也引起了「問題的問題」，即針對它們的主要論點而提出的批評意見。這些批評意見主要集中於如下兩個問題：能否超越理性？超越於理性的東西又能否證實信仰呢？顯然，這兩個問題是密切相關的，涉及的都是前述學術嘗試的主旨，所以下面的評介採取的也是一種綜述的形式。

施萊爾馬赫雖然只活到19世紀40年代，可他的學術觀念在宗教學史上卻有超時空的現代意義，能突出說明這一點的就是他對宗教與非理性關係問題研究的長遠影響。從施萊爾馬赫的基本思路來看，所謂的宗教信仰實質上反映為「對宇宙的情感與直覺」，即從有限之中獲得一種無限的經驗。比如，基督教就是對於「活在我們中間並在我們當中活動的上帝」的一種體驗。因此，作為一種無限的「上帝」是超宇宙的、超感官經驗的，而作為一種獨特情感的宗教經驗則是非理智的、不可言喻的，即不是由任何概念構成也不能用任何概念來描述的。後來的情況表明：凡力圖超越純理性觀念之限制的學者，大多繼承或拓寬了施萊爾馬赫倡導的思路。對此，我們藉助前面的評介至少可以指出兩點：（1）更注重探討宗教信仰所內含的種種非理性因素，從特殊或個別的情感、意志一直到具有整體性或一般性的心理、精神等；（2）注重描述宗教經驗的諸多非理性特徵，比如，超驗性、無限性、終極性、直覺性、神秘性、不可還原性、不可言說性等等。

後來的大量學術嘗試似乎已沿著施萊爾馬赫的思路走出了很遠。可回過頭來看，凡此種種嘗試並沒有根本解決這條思路早先留下的問題，反倒使一些問題或矛盾暴露得更明顯了。施萊爾馬赫從一開始就力圖克服純理性的宗教觀念，抓住情感的獨特性，闡釋信仰的本質。按他是結論，唯有情感才是信仰的深層根源，而神學的論證或哲學的沉思不過是宗教情感的派生物。這自然意味著：沒有宗教經驗，便沒有神學或宗教哲學；換言之，宗教經驗不僅能為信仰奠定根基，而且也能證實宗教信仰。以上結論必然產生一個矛盾，即超理性的或不以任何理性概念為中介的宗教經驗竟會產生如此重要的認識論意義；然而，若是認定宗教經驗並不具有嚴格意義上的理性認識性質，那它何以證實宗教信仰呢？

上述邏輯矛盾會引發很多爭論。首先，一個最直接的問題就是：宗教經驗能否給以概念的描述、或能否排除概念的因素呢？顯然，有關這個問題的爭論既關係到非理性的信仰是否有可探討性，也涉及到能否超越理性而證實宗教信仰。

在一定意義上可以說，施萊爾馬赫留下的邏輯矛盾也就是奧托所要解決的問題。奧托在《神聖者的觀念》一書的開頭就指出，對於作為一種複雜情結的終極經驗，我們是可以進行概念描述的。但是，這種描述所用的那些概念並非「真正的、理智的『概念』，而僅僅是一種解說性的概念替代物」*。奧托把這種「理智概念的替代物」稱為「表意符號」（ideograms），並進一步解釋道，這些表意符號只是為了描述終極經驗而從我們的日常經驗裡找出來的一些不完善的比擬說法。

由此可見，透過解釋「理智概念的替代物」或「表意符號」等說法，奧托試圖在概念問題上區分「適於描述的」和「不適於描述的」。可這種解釋本身就在承認，起碼有些概念是能用來表徵「情結」的，而「情結」也是可以藉助於某些概念來把握的。因此，作為一種複雜情結的宗教經驗也是包含某些理智的內容的。這就使奧托的解釋暗含著兩種可能性：要嘛沿著上述邏輯思路一直走下去，最終回過頭來背叛自己所主張的情感論；要嘛仍無法徹底解決施萊

---

*　參見奧托：《神聖者的觀念》（英文版），第19頁。

爾馬赫留下的邏輯矛盾。無論如何，這兩種可能性實際上面臨的是同一種兩難境地：如果堅持認為宗教經驗是非理智的、不可言喻的，這種意義上的宗教經驗便無法證實宗教信仰；反之，一旦這樣或那樣地承認宗教經驗包含概念的成分，那麼，宗教經驗就不可能拒斥概念的表述，也不可能迴避理性的批判。

由以上討論可進一步提出一個問題，這就是宗教經驗是否真的具有非認識性或不可言喻性呢？在不少當代批評者看來，施萊爾馬赫的後學們對信仰問題所作的非理性探討，實際上一直在誤解宗教經驗的本質。就宗教活動而論，所謂的情感並不比信念或行為更基本、更深刻，反而信念和行為卻在表明，情感是依賴於認識或概念的。例如，當代美國學者韋恩・普勞德富特（Wayne Proudfoot, 1939—）尖銳地指出，所謂的情感「部分上是由一些概念和判斷構成的。當我們說一個概念是一種情感的構成因素時，就是指若和那個概念無關，這種情感便無法得以說明……」。「為了說明一種情感，必須說明這種情感的性質、對象，以及主體證實這種情感的那些理性根據。至此我們便能看到，這些根據裡有主體的一些信念，而這些信念所涉及的就是他的情感狀態得以產生的諸種原因。」* 顯然，上述批評意見不但觸及到施萊爾馬赫、奧托等人的邏輯矛盾，同時也適用於其他一些非理性的解釋傾向，像詹姆斯所注重的「個體化的神秘經驗」，榮格所假設的「潛意識的原型」，以及斯馬特所強調的「直覺性的終極經驗」等等。

非理性的宗教經驗能否看作信仰的深層根源，或為信仰提供可

* 參見普勞德富特：《宗教經驗》（Religious Experience, Berkeley：University of California Press, 1985），第89、108頁。

靠依據呢？對這類問題的反省，可使我們的討論再深一步，意識到非理性解釋傾向在信仰證實問題上引起的一些爭論。前述諸種非理性的學術嘗試，都致力於突破理性認識的侷限性，從不同的角度揭示宗教信仰的深層根源。按照它們的解釋，既然發自於情感、意志、潛意識等方面的宗教經驗是較之理性認識更深層的東西，是對信仰對象的內在直觀甚至直接見證，那麼，認識論意義上的宗教真理判斷便必然是這類經驗的產物了。但問題在於，假若宗教經驗的對象與宗教經驗的結果均是非理性的、是不可言喻的，而且作為結果的神秘經驗又遠比理性認識更基本、更深刻，認識意義上的宗教真理何以能夠從這樣一些非理性的宗教經驗中推演出來呢？換言之，這樣一種非認識性的、不可言喻的經驗所能帶來的又是一些什麼樣的真理呢？關於這一點，最有爭議性的一種解釋傾向，恐怕要數帕斯卡爾、詹姆斯等人所作的意志論論證了。

帕斯卡爾、詹姆斯等人的意志論論證有一個顯著特徵，在就是以公開承認理智能力的有限性或理性證據的不充分性為出發點，轉而由情感或意志的角度來論證信仰的合理性。不過，與傳統的本體論、宇宙論或目的論的證明形式相比，這種論證所力求達到的「合理性」已不是理性意義上的「信仰的真理」，而是一種從情感或意志上選擇信仰的合法性。上述邏輯取向與論證原則導致了意志論論證的又一個明顯特徵，這就是以「功利性」來進一步強化選擇信仰的合理性與必要性。前面的評介表明，帕斯卡爾所講的「與你利害關係最小」和詹姆斯所說的「給我們帶來最大的好處」，在他們各自的論證過程中均是不可或缺的「小前提」，其重要作用無異於吸引信仰者們作出選擇、並確認這種選擇的必要性與合理性的「一張保票」，正因為帕斯卡爾和詹姆斯對於「功利性」的強調，意志論論證又常被看作是一種「實用主義的信仰觀」。

因此，在評價意志論論證時，批評者們首先是衝著這種論證方的非理性主義、尤其是實用主義傾向而來的。意志論論證究竟能否引導人們走向一種神聖的信仰，這是最值得懷疑的一點。有些批評者認為，所謂的意志論論證既不可能為信仰對象的存在提供任何證據，同時也不可能論證信仰的合理性，因為它完全喪失了宗教意義上的信仰所固有的那種神聖性或超越感。任何宗教信仰都應意味著一種無條件的委身或獻身，亦即超越一切世俗價值觀念而全身心地投入無限之追求。可無論在帕斯卡爾還是在詹姆斯那裡，對信仰的選擇都彷彿化作了「一筆有條件的、帶風險的市場交易」，這筆交易最後能否成交似乎僅僅取決於當事人再三權衡得失利弊的結果。這樣一來，若想真正成為一個信仰者，就不止需要具備「賭徒」的素質了，而且還要扮演好一個工於算計的買賣人。

以上批評意見或許有些過於誇張帕斯卡爾和詹姆斯本人的原始論點了，但意志論論證所帶有的功利色彩的確是相當濃厚的。例如，詹姆斯打過這樣一個比方：如果有一位生性吝嗇的紳士，他在社交活動中從未對人有過任何友好的表示，可他卻苛求別人對自己表示友好；按他的處世原則，若無充分的證據或回報，他絕不會取信於任何人，更不肯主動作出丁點讓步。不難料想，像這樣一位過分苛求的紳士在社交活動中既不可能贏得別人的好感，更不可能得到一位德高望重者所享有的社會報償。同樣的道理，假若上帝是有人格的，而你卻糾纏於一團亂麻似的邏輯證據，在邏輯不明朗或證據不確鑿的條件下便不肯相信上帝的存在以及信仰的好處，那你無疑也會被人格化的上帝所拒絕，並永遠喪失與上帝相交往的機會。不必多說，像這種立意於功利性的比方，讀後很難令人產生一種宗教信仰意義上的神聖感。

還有一種批評意見直接指向意志論論證的方法論觀念，它主要是由當代著名的美國宗教哲學家約翰・希克提出來的。希克認為，詹姆斯所倡導的觀點彷彿是在為那些希望透過思考而選擇信仰的人開出了「一張隨心所欲的許可證」。為說明這一點，希克抓住了一個具體的例證。他指出，詹姆斯也曾設想過，當我們面對種種信仰之選擇時，馬赫迪也可能這樣說：「我就是神以其燦爛之光所創造的那一位，你們所盼望的救世主。若相信我，你們將無限幸福；否則，你們將失去太陽之光。因此，若我為真則意味著你們的無限收益，若我為假只意味著你們的有限虧損，何不在這二者之間權衡一下呢？」既然如此，為什麼我們不可以信仰馬赫迪呢？這種信仰之選擇豈不是也具有詹姆斯所強調的那種強制性嗎？我們已經看到，詹姆斯對此所能給出的唯一理由就是這種選擇對我們來說並不具有生命力。可問題在於，這種選擇在詹姆斯看來缺乏生命力或現實感，並不能構成一個必然的事實而影響到馬赫迪的前述論斷的真假。換言之，儘管一種理念或許不會引起詹姆斯的選擇興趣，但這不排除它可能是真實的；而這種理念如果表達的是一種真理，我們靠詹姆斯的選擇方法根本就不可能對之有所認識，因為這種方法只能使每個人以各自現有的成見畫地為牢，變得越來越封閉，越來越頑固。

希克正是抓住這一點尖銳指出：「一個論證過程若會導致這種結果，那就很難說它是為了發現真理而構想出來的。對我們來說，它相當於一種慫恿，誘使我們自冒風險去相信我們所喜好的任何東西。然而，如果我們的目的並不在於相信那些必定為自己所喜好的東西，而在於相信真實的東西，詹姆斯的那張通用的許可證對我們來說就派不上什麼用場了。」* 與其他批評意見相比，希克的上述說法可謂切中意志論論證的要害。如果這種指責是不無道理的，那麼，它很可能產生這樣一種邏輯力量：在意志論論證為超越純理性證明的侷限性而走出了很遠之後，又將其拉回到問題的起點——上帝的存在與信仰的合理性仍有待於論證。

當然，問題還有更複雜的一面。以上批評意見主要是從理性認知角度提出來的，這是宗教學、特別是宗教哲學的本性使然，因為根本上說宗教學或宗教哲學有權對宗教現象、包括各種解釋觀點加之理性的批判，否則便無學問或學術可言。但正如前面一再指出的，諸種非理性解釋傾向的出現，其本身就旨在超越或克服以往流行的理性主義方法論觀念。因此，相對於傳統的認識論觀念，它們會反而強調信仰的「不可證實性」，亦即「不可能或不需要」在傳統認識論的意義上加以證實。這種解釋傾向在我們評介過的幾位學者那裡都有不同程度的反映，尤以詹姆斯的論點典型。

對前述理性批判來說，詹姆斯關於神秘經驗的理論總結在很大程度上是一種回擊。他指出，「個體性的宗教經驗」之核心或根基就是神秘的意識狀態 **。問題首先在於，如何解釋所謂的「神秘主義」。按習慣用法，「神秘的」或「神秘主義」這類字眼是純貶義的，是指任何沒有事實或邏輯根據的意見，也就是不明確的、不著邊際的，濫用情感的；「神秘主義者」則是指那種相信「傳心術」或「靈魂輪迴」的人。為避免這類常見的誤解和不必要的語義爭論，詹姆斯指出了宗教意義上的神秘經驗所具有的「四個特質」，

* 希克：《宗教哲學》（英文，1983年版），第65頁。

* 參見詹姆斯《宗教經驗種種》（英文版），第299頁。

即「不可言說性」（ineffability）、「純理智性」（noelic quality）、「短暫性」（transicecy）和「被動性」（passivity）。在上列特質裡，詹姆斯認為最基本、最重要的是頭兩個，就是說具備了前兩個特質的經驗便可被稱為神秘的經驗。也正是透過分析這兩個特質，他提出了關於信仰證實問題的基本看法。

首先，對具有神秘經驗的人來說，此類經驗有絕對的權威，即能完全證實自己的信仰。在詹姆斯看來，這是一個不可否認的心理學意義上的事實。對於這種事實，理性主義者根本無權干涉，因為所謂的「不可言說性」本身就是對任何干涉的否定。神秘經驗只能直接接受，不可加以言傳。就此性質而論，神秘經驗並非理智狀態而更像是情感狀態。對一個缺乏某種情感體驗的人，是很難使他明白該種情感的性質或價值的，比如愛情。又如，一首交響樂的價值，也只有那些有樂感的人才有可能領會。

詹姆斯還指出，對於神秘經驗在信仰證實問題上的權威性，即使加以理性干涉也純屬徒勞。這一點是由神秘經驗所特有的「純理智性」決定的。「神秘狀態雖然很像情感狀態，但對那些經驗者來說又似乎是知識狀態。這類狀態是對真理之深層的洞察，而這是推論性的理智未曾達到過的。神秘狀態是『光照』（illuminations），是啟示，它們儘管還是完全不可言喻，卻充滿了意義與重要性；一般說來，它們過後仍保持一種難以理解的權威感。」＊根據上述關於「純理智性」的解說，詹姆斯甚至強調，神秘經驗也有一種認識論性質。它們作為絕對的感覺，面對的就是所謂的直接存在的表象。據此而來的「神秘的真理」（the mystical

---

＊　參見詹姆斯《宗教經驗種種》（英文版），第300頁。

truth），不但在事實上令理性主義的反駁落空，在邏輯上也是絕對逃脫理性批判之權限的。

反過來說，神秘主義者同樣也無權把自己的經驗強加於他人，即沒有神秘經驗的人。因而，在信仰證實問題上，神秘主義者固然有屬於自己的直接見證或絕對權威，可這種見證或權威並不具有普遍意義。對這一點，詹姆斯也是直言不諱的。他在總結宗教經驗研究中存在的哲學問題時指出：「我們一開始就轉向神秘主義以求得某種答案，結果發現神秘主義雖確能證宗教信仰，可它在表達上太隱私了（同時也太多樣化了），不可能自稱為某種有普遍意義的權威。」* 因此，非神秘主義者也沒有義務承認神秘經驗的權威。這種說法乍看起來是在讓步，是對「神秘經驗之絕對權威」的削弱，可實際上詹姆斯卻在亮出自己的底牌，將其論點推到了極端，隨之信仰證實問題也被引入了「一條死胡同」。前後連貫起來看，既推翻了「理性批判的權威」，又進而否定「神秘經驗之權威」的普遍性，這無異於把「信仰之證實」看作「一種專利」，而且還是一種受隱私權保護的「專利」。

與詹姆斯的做法恰成鮮明對照，蒂利希則力求在普遍意義上證實宗教信仰。前面提到，蒂利希主張以一種新的宗教觀念——「存在的觀念」取代傳統的純理論解釋。在他看來，從傳統的純理論觀念轉向「存在的觀念」，將產生一系列學術成果，而其中的一個主要成果就是促使人們重新認識宗教與文化的關係問題。他指出：「作為終極關切的宗教是賦予文化之意義的本體，而文化則是宗教的基本關切表達自身之形式的總和。簡言之，宗教是文化的本體，

* 參見詹姆斯《宗教經驗種種》（英文版），第337頁。

文化是宗教的形式。」* 要是這樣來理解宗教與文化的相互關係，即可以防止把二者截然割裂開來的二元論傾向。事實上，每一種宗教行為，不僅就制度化的宗教而言，同時也包括心靈的內在活動，都是以文化為其表現形式的。換一個角度說，每一種文化產物，不論是源於人類精神生活的理論功能，像對於現實的藝術直覺和認識感知，還是來自人類精神生活的實踐功能，像對於現實的社會改造，無一不在表達著一種終極關切。總之，在全部人類文化創造活動的諸種功能中均存在著一種終極的關切，而它的直接表現形式就是「一種文化的樣式」（a style of culture）。因此，如果我們能夠了解一種文化的樣式，也就不難發現該種文化的終極關切或宗教本體。

蒂利希對終極關切之普遍性的論證還有一個引人注目的方面，這就是把終極關切與當代文化境遇裡形形色色的人生信念聯繫起來。譬如，他講過，一個追求存在主義精神的人就是把存在主義作為他的終極關切；一個獻身於共產主義事業的人就是把共產主義當作他的終極關切；一個主張民主政治的人就是把民主政治作為他的終極關切；一個酷愛藝術的人就是將藝術作為他的終極關切；一個渴望美國式的成功的人就是把這種成功當作他的終極關切……總之，無論哪種人，凡是對其人生意義有所理解便必然進入終極關切的氛圍。

應當說，這種論證在蒂利希的文化神學體系裡是順理成章的，是「終極關切」在文化形式上的普遍性的一種延伸。相比之下，如果說詹姆斯的證實觀點封閉到了極點，那麼，蒂利希所作

* 蒂利希：《文化神學》（英文版），第42頁。

的論證則開放到了盡頭，即從文化活動形式一直具體到作為文化活動主體的人。儘管蒂利希總是試圖說明什麼是「真正的終極關切」，哪些屬於現代文化背景下的「虛假的終極關切」，即「偶像崇拜」，以澄清這樣或那樣的誤會；可無論其本人怎樣解釋而別的學者又如何評論，這種證實觀念本身畢竟把一個根本問題突顯出來了。任何一種信仰若有存在的價值，其本質和功能必然落實於文化。因而，信仰的證實問題恐怕只有與文化過程聯繫起來，才能得到更深入的討論。我們把這個複雜問題留給本書的最後一章「宗教與文化」。

第四章
宗教與語言

第一節　背景概要

在宗教學研究裡，宗教語言是相對於日常語言而論的。一般說來，日常語言泛指詞語的世俗用法，包括生活會話、科學術語、文學語言、藝術語匯等；宗教語言則特指詞語的超世俗的或神學的用法，像宗教經典的用語，神學命題的用語，儀式或布道的用語等。

宗教語言和日常語言二者之間既有聯繫又有差異。一方面，日常語言是宗教語言的來源或基礎。這是由日常語言的重要地位決定的。日常語言在各種文化背景下都是基本的、通用的表達形式，是人們相互交流、相互理解的主要手段。因而，宗教信仰可借用的表達形式或傳播手段只能是日常語言。就這種意義而言，日常語言是宗教語言的語義原本，沒有日常語言就不會有宗教語言。但另一方面，宗教語言又是日常語言的轉換或變異。也就是說，從日常語言到宗教語言，其間必然發生用法的轉型或語義的變化。這樣一來，宗教語言和日常語言之間便出現了「形似」而「意異」的特殊現象。

例如，猶太教或基督教經典裡用來描述上帝的大量詞語，就和這些詞語的世俗用法或日常語義明顯不同。《聖經》裡說，上帝富有「愛心」，造物主是「智慧」和「力量」的源泉，甚至還提到上帝也是有「手」，有「嘴」，有「眼睛」的等等。讀到這類經文時，切忌望文生義，更不可套用世俗語義來加以解釋。因為根據猶太教或基督教的傳統教義，作為造物主的上帝是「非實體化的」，即上帝沒有肉體或形體，所謂的上帝就是「精神」。

既然如此，為什麼《聖經》的作者要用這樣一些詞語來描述上帝呢？這些詞語的真實用意何在呢？由此推而廣之，又會產生一系列更具普遍意義的問題：究竟應當如何說明宗教語言和日常語言的異同呢？二者的關係到底何在呢？宗教語言的特性與功能是什麼呢？所有這些問題都值得深入思考，作出理論解釋。

宗教與語言的關係問題，既是一個老課題，又是當代宗教研究的一個爭論焦點。早在中世紀，一些著名的猶太教、基督教哲學家，像邁蒙尼德、托馬斯等人，就相當重視宗教語言問題。他們已明確意識到，藉助人類語言來描述上帝的神聖屬性，必然會引起許多需要解釋的理論難題。

邁蒙尼德（Moses ben Maimonides, 1135～1204年）是中世紀著名的猶太教哲學家。他指出，就存在的本性而言，上帝無疑是一種「絕對同一」。可一旦使用「全能的」、「全知的」、「至善的」等詞來描述上帝的存在特徵，上帝就不再像是「絕對的同一」，而彷彿是由許多屬性混合起來的存在物了。因此，如何解釋那些用於描述上帝神聖屬性的賓詞的性質和意義，就顯得非常重要了。

為解決上述難題，邁蒙尼德提出了一種「賓詞的否定性理解觀念」。其主要思路如下：用賓詞描述事物屬性的方式大致可分為兩種，即「肯定性的描述手法」和「否定性的描述手法」。如果說人類語言可用來榮耀上帝、讚美上帝，那麼，適於描述上帝的語言方式只能是「否定性的」而不是「肯定性的」。因為一旦使用肯定性的手法來描述上帝的屬性，難免把一些原來不屬於上帝的底下和上帝聯繫起來，從而造成上帝神聖本性的欠缺。而否定性的手法則能較理想地避免世俗語義帶來的描述缺陷。

那麼，什麼是「否定性的描述手法」呢？按邁蒙尼德的解釋，所謂「否定性的描述手法」主要不是指詞語本身的表述形式，而是指對那些用來描述上帝神聖屬性的賓詞，必須從其否定的意義來加以理解。

譬如，上帝作為一種必然之存在，對我們來說是不可能憑藉感官來認識的。因此，「上帝是存在著的」，其賓詞的意義應理解為「上帝是不可能不存在的」。

又如，上帝作為一種絕對的同一，顯然不同於那種由元素構成的存在物。因此，「上帝是活生生的」，應理解為「上帝不是僵死的物體，也不是一種天國的存在物」。

再如，上帝也不同於理智的存在者，理智的存在者雖然並非僵死的物體，但也是有原因、被創造的。因此，「上帝是永恆的」，應解釋為「上帝的存在是沒有原因的」*。

但在中世紀的宗教語言問題研究中，最著名、最有影響的還是托馬斯・阿奎那（Thomas Aquinas, 1224～1274年）的「類比性賓詞理論」（Theory of Analogical Predication），簡稱「類比理論」〈Theory of Analogy〉，托馬斯的「類比理論」主要見於《神學大全》，該書第一部分13・A裡的第五個問題專門解釋的就是「賓詞的性質與意義」。

托馬斯首先指出，當一個賓詞既可用來描述上帝又能用於描述創造物時，該詞的語法絕不會是「單義的」（univocal），即不會表示完全相同的屬性。這是因為，凡是作為結果的事物，與其充足的原因或動因相比，都不會是一種成比例的產物，也不會達到十分相似的程度，而是難免存在幾分不足、幾分欠缺。所以，在原因或動因那裡本是單純的、不變的東西，在作為結果的事物身上總是表現為分離的、多樣的。

例如，太陽這顆行星，本身只有一種巨大的能量，可這種力量

---

* 關於邁蒙尼德的宗教語言解釋觀念，可詳見《困惑的嚮導》（Guide of the Perplexed, Chicago: University of Chicago Press, 1963），第58章。

在地球上產生的事物卻是多種多樣的。完善性在上帝那裡是同一的，而在創造物那裡則是多樣的。正因為如此，我們用任何表示完善性的名稱來描述某種創造物時，該詞意指的完善性事實上完全不同於此物的本質特徵。比如，如果用「智慧」(wise) 描述一個人，我們想說明的是截然不同於人的本質的某種完善性，像不同於人的力量、存在以及其他類似的特徵。可是，當用「智慧」來描述上帝時，我們力圖表達的就不再是某種有別於他的本質、他的力量或他的存在的東西了。相比之下，在「智慧」一詞的上述兩種用法中，前者在一定程度上是對描述對象的一種限制、一種包含；而後者則使描述對象囊括並超越下該詞的意義範圍。「由此顯而易見，「智慧」一詞並不是以同樣的方式用於上帝和人的。其他詞語的用法也是如此。因而，任何名稱用於描述上帝的屬性與創造物的屬性時，都不會是單義的。」*

另一方面，托馬斯又強調指出，這些賓詞的用法也絕不會是「歧義的」(equivocal)，即不會表示完全不同的屬性。在當時的宗教語言研究中，主張賓詞的歧義性是一種流行觀點。可按托馬斯的看法，這種觀點的錯誤是很明顯的。首先，它有悖於基督教哲學的研究成果，因為哲學家們已就上帝與創造物的關係作過大量證明。其次，這種觀點也有悖於《聖經》的啟示。據使徒們講：「自從造天地以來，上帝的永能與神性是明明可知的，雖是眼不能見，但藉著所造之物就可以曉得，叫人無可推諉。」** 最後，如果接受這

* 托馬斯：《神學大全》(Summa Theologica, New York: Benziger, Inc., 1947)，Part I, 13, A、5。

** 參見《聖經・新約》，「羅馬書」1:20。

種觀點，其結論必然是：我們透過創造物根本就無法認識或證明上帝。「因此，我們必須承認，這些名稱是以一種類比的意義、即根據相稱性來描述上帝與創造物的。」*

一般說來，賓詞的類比用法可分為兩種，即根據諸物與某一事物的相稱性而作的類比；或是根據某物與另一事物的相稱性進行的類比。正如一再論證的那樣，人類只有透過創造物才能認識上帝，描述上帝；因此，凡是有關上帝神聖屬性的描述，其根據都在於創造物與上帝之間的某種關係，即把上帝看作創造物的本原或原因，看作現存事物的所有完善性質的源泉。這就從根本上決定了作為一種描述樣式的類比，「是介於純粹的歧義性與簡單的單一性之間的一條中間途徑。因為藉類比表達出來的觀念，並非像其處於單義狀態那樣，意指某物與其本身；可它也並非像其處於歧義狀態那樣，是完全多樣化的；用作類比的名稱，是有多種意思，但它所表明的是與某一事物的諸種相稱性。」**

總的來看，中世紀的宗教語言研究主要是針對「賓詞的性質與意義問題」而來的。這一時期的研究觀念雖然看似視野狹窄，相對侷限於「賓詞的世俗用法」與「上帝的神聖屬性」所產生的語義問題，但這個問題實際上已觸及到了宗教語言研究的關鍵所在，即宗教語言與日常語言的相互關係。所以，該問題的提出一般被看作是宗教語言研究第一階段起步的標誌。

宗教語言研究的第二階段是指「當代宗教語言熱」的出現。從近幾十年出版的論著來看，大多數學者認為，這股理論熱的興起主

---

* 《神學大全》(英文版)，Part I, 13, A、5。

** 同上。

要是現代語言哲學的長足發展所致。但在筆者看來，我們對理論背景與學術動因的認識還應放得更廣泛些，變得更複雜些。

本世紀中期以來，宗教語言研究之所以日漸活躍，除了語言哲學的直接影響外，還與人類學、考古學、神話學、文化學、符號理論等人文研究諸多前沿領域的重大進展密切相關。這些學科所提供的大量新材料、新方法、新觀念、新問題，對宗教語言研究的活躍來說無異於注入了多種理論激素。從更廣的背景來看，值得引起重視的是這樣一些事實：本世紀初出現的西方文化危機、特別是精神生活危機，為傳統宗教信仰走向復甦提供了新的歷史機遇；而基督教神學家們為適應現實需要也在積極尋找新的方式、新的語言，以重新表達信仰的根據與價值；同時還有宗教學本身的逐步成熟，宗教問題在諸多人文研究領域的重要地位，等等。所有這些因素都直接或間接地匯成了一股強大的合力，使宗教語言問題研究顯得更急迫、更重要了。

當代宗教語言研究的核心問題雖然還是宗教語言與日常語言的相互關係，但和第一階段的研究狀況相比，當代學者無論在理解問題的方式還是解決問題的觀念上都發生了明顯的變化。對於這些變化，大體可透過這樣幾個方面來把握：一是，由現代語言分析哲學直接引起的宗教語言命題語義之爭，其爭論焦點在於如何理解神學命題與科學命題的關係問題。二是，在當代人文思潮的語言觀念影響下出現的宗教語言功能分析，這種研究傾向以廣泛揭示宗教語言在人類社會生活中的複雜功能為目的。三是，當代神學家與哲學家們所作的一些新嘗試。例如，在布爾特曼的「解除神話觀點」和蒂利希的「象徵理論」那裡，不僅可看到宗教語言研究與近現代文化背景的緊密結合，同時也會發現人文研究的晚近成果對宗教語言解釋觀念的明顯影響。

在下面幾節，我們先把討論重點放在幾種較有代表性的當代解釋傾向，再就宗教語言研究裡存在的主要方法論問題試作評析。

第二節　語義分析

大家知道，關於語言命題，以邏輯實證主義為主流的分析哲學有其特殊的「意義標準」或「證實原則」。據此原則，一個命題有無意義，首先取決於能否用經驗的事實來確證其真假。也就是說，如果一個命題可被經驗所證實，就是有意義的；反之，就是無意義的，是必須否定的。上述原則在艾耶爾（A. J. Ayer, 1910～1989年）的一段名言裡得到了鮮明表達：「對那些看來是事實性的陳述，我們用以檢驗其真實性的標準就是證實標準。我們說一個句子對任何特定的人事實上都是有意義的，當且僅當，他知道如何來證實這個句子所意圖表達的命題，也就是說，他知道在一定的條件下只有那種觀察資料才能使他認可該命題為真，或作為假命題而加以拒斥。」*

這一節討論的「語義分析傾向」，主要就是指在這種分析哲學思潮的強烈影響下而展開的「宗教用語或神學命題語義之爭」，即宗教用語或神學命題是否是真實的或有意義的。饒有趣味的是，這場爭論先是由一則寓言引發的，而後來的研究者們紛紛效法，以致在本世紀50、60年代形成了一場生動的「寓言大戰」。

（1）隱身的花匠

有兩個人回到了他們那個長期沒人照管的花園，十分驚訝地發現雜草叢中以前種的幾株花木生機勃勃。

---

*　艾耶爾：《語言、真理與邏輯》（Languages Truth and Logic, New York: Dover Books,1952），第35頁。

甲對乙說：「肯定有個花匠一直來這兒照看花兒。」可經過查問，他們發現鄰居們從未見過什麼人在他們的花園裡幹過活。

甲又對乙講：「他一定乘人們睡覺的時候來幹活。」

乙說：「不會的，那也會有人聽到他幹活的聲音。再說了，不論誰來管過這些花兒，都會踩倒這些雜草。」

甲則指出：「看看所有這些被安排的，這裡頭有目的，有一種美感。我相信有人來過，此人是凡人的眼睛看不見的。我相信，越是留神，就會發現越多的東西來證明這一點。」

於是，他倆便留神地察看整個花園，有時他們發現一些新的東西，使人覺著有個畫匠來過；有時又發現一些事情，使人覺著並非如此，甚至還會叫人覺著有個搗亂的傢伙一直呆在這裡。除了留神察看花園，他們還研究了長期遺棄的花園都會發生什麼變化，也彼此交流了對方有關這個問題和這個花園的所有看法。結果，做完這一切之後，

甲說：「我還是相信有個花匠來過。」

乙則講：「我不信。」

到這時，對於他們已在花園裡發現的東西，對於如果繼續察看還會在花園裡發現的東西，對於沒人照看的花園多久會變成荒園等等，他倆所說的不同字眼兒已經反映不出任何不同的意思了。因此，到這種時候，在這種背景下，關於花匠的說法不再是一個可以經驗的假設了，而接受者與拒斥者之間的差別也不是一個是否期待某種東西的問題了。那麼，他們二人之間的差別在哪兒呢？

甲說：「來者是一個無影無聲的花匠，他只是透過我們大家熟悉的工作來顯現自身。」

乙說：「根本就沒有什麼花匠來過。」

而且，就他們關於這個花匠所說的那些話裡包含的上述差別來

看，隨之產生的是他們對於這座花園的感受方式的差別，儘管事實上沒有一個人想藉這一差別來期待另一個人並不期待的任何東西。*

按一般的看法，就是上述寓言最早把邏輯實證主義的證實原則引進了當代宗教語言研究，以分析宗教用語或神學命題有無意義。這則寓言的作者是約翰·威茲德姆（John Wisdom, 1904～）。他的創作意圖在於表明：從經驗意義上的事實來看，不管是目前的還是將來的，有神論者與無神論者所主張的理論命題並沒有根本分歧。這兩種理論觀念實際上面臨的是同樣的事實或同一個世界，它們的區別就像寓言裡的兩個花園主人之間的爭執一樣，僅僅在於感覺方式的差異。因而，二者是以不同的語言或命題來表達不同的感受的。這些不同的感受雖然也有這樣或那樣的價值，即能夠滿足不同的需要，但表達這些感受的命題並非事實性的陳述，因為二者的命題都是不可證實的。

上述觀點無疑對傳統的神學命題構成了一種挑戰，因為根據邏輯實證主義的證實原則，神學命題顯然已被排除在真實命題之外。假如這種看法能成立，那麼，不僅傳統神學關於上帝的論證，而且包括以往的世俗學者對有神論的部分批判，都是站不住腳的了，理由就在於雙方所用的語言或命題都是缺乏意義的。

如果說威茲德姆的上述挑戰還是以比較隱晦的形式提出來的，那麼，隨之發生在英國大學校園裡的「寓言大戰」，則標誌著當代

---

* 參見威茲德姆：「神祇」（Gods, in John Hick, ed., Classical and Contemporary Reading in Philosophy of Religion, Indeed., Englewood Gliffs, N. J. : Prentice-Hall, Inc., 1970）。

宗教語言或神學命題意義之爭的正式開場。這場寓言論戰的主要幹將是弗盧、黑爾、米切爾等人。首先是英國基利大學哲學教授弗盧（Antony Flew, 1923～）根據「證偽原則」，再次向傳統神學命題發起了猛烈衝擊。他仿照威茲德姆的手法又構思了下面這個新寓言。

（2）**兩個探險家**

從前，有兩個探險者在一片叢林裡發現了一小塊開墾過的園地。這塊地上長滿了鮮花和雜草。

甲說：「肯定有個園丁照看著這塊地。」

乙不同意：「這裡根本就沒有園丁。」

於是，他倆安營紮寨，搭起了帳篷，輪番觀察。結果，沒有發現什麼園丁。

甲又說：「這可能是一個無影無蹤的園丁。」

然後，他們又用裸露的導線圍起了一道電網，並輪流帶著幾條獵狗巡視（因為他倆記得H. G. 沃爾所描寫的那個「看不見的人」，此人雖然人眼無法看見，但他有氣味，有形體）。可是，沒有任何尖叫聲表明有人闖進來時遭到了電擊，紋絲不動的電線也說明不了有個看不見的人爬了進來，幾隻獵狗也沒有叫過。然而，

甲還是不信服：「可這裡是有一個園丁，他無影無蹤，也感覺不到電擊，他也沒有氣味，沒有聲音，他總是神秘地進來，照看著這個他愛的花園。」

最後，乙絕望了，對甲質問道：「到底是什麼東西使你固執最初的看法呢？就憑你說的那個既看不見又摸不著、永遠也不可捉摸的園丁？這和一個想像的園丁，和根本就沒有園丁有什麼不一樣呢？」*（見次頁）

照弗盧的看法，這則寓言使我們不難悟出宗教用語或神學命題特有的「危險」和「弊端」，即「不可證偽性」。例如，「上帝創造了世界」，「上帝是有目的的」，「上帝愛我們，猶如父親愛子女」，這些說法表面看來很像是一些涵義寬泛的宇宙論論斷，可實際上卻是不可證偽的。

一般說來，肯定某某東西如此，同時就相當於否定某某東西並非如此。用符號學的語言來說，就是：P≡≡～～P。因此，假若我們拿不準某人的某種說法是在斷言什麼，甚至懷疑他是否真的肯定了什麼，常用的一種理解方式就是設法找出與其說法的事實性相反的東西。因為如果這種說法是一個論斷或命題的話，那麼，相對與該論斷或命題的否定式，它也必然構成一種否認。而且可以說，任何有悖於該命題的東西，或任何能使論斷者承認自己判斷有誤的東西，必然或部分或全部地存在於該命題的否定意域。所以，如果對一個論斷或命題的否定意域有所了解，我們距離理解其意義就相差無幾了，因為只要我們否定～P，便可以得到P：～～≡≡P。反之，如果一個假定的論斷或命題無所否定，它也就無所肯定，就不會是一個真實的命題。正像我們在前述寓言裡看到的那樣，那個懷疑論者之所以向信仰者發出最後的詰難，其用意就在於挑明，那個信仰者的最初說法幾經檢驗，幾經削弱，已根本稱不上是一個論斷或命題了。

透過這些解釋，前述寓言的普遍寓意便一目了然了。假如我們

---

* 參見弗盧：《神學與證偽》(Theology and Falsification, in Antony Flew and Alasdair Maclntyre, eds., New Essays in Philosophical Theology, New York: Macmillan, 1955)，第96頁。

找不到任何經驗的事實作為根據來反證傳統的神學命題，那麼，只能認為這些命題並非真實的，是沒有任何意義的，因為它們既沒有肯定也沒有否定任何現存的東西。

（3）牛津校園裡的瘋子

黑爾（R. M. Hare, 1919～）是這場神學命題寓言論戰中的另一個主角。他對弗盧提出的問題採取了中立的態度，即一方面承認神學命題的確是無法用經驗事實來證實或證偽的，可另一方面又認為神學命題所表達的宗教信念是有重要意義的。

黑爾首先坦率地申明，就立論根據而言，弗盧對神學命題所作的詰難可謂無可挑剔。但他還是想藉另一個寓言來喻明自己的不同觀點。這則寓言的大意如下：

在牛津大學校園裡有一個瘋子，他深信所有的教授都想殺害他。為了消除他的這種念頭，朋友們想方設法，把所有能找到的那些最和善、最受人敬重的教授們一一引見給他。每當這些教授裡有人退休，

朋友們就對瘋子解釋：「你明白了吧，他實際上並不想殺你；他跟你講話時多親切；你現在真該信了吧了！」

可瘋子總是回答：「是嗎，那只不過表明他像惡魔一樣狡詐，其實他和別人一樣，一直在算計著我。這我知道才告訴你們。」

到最後，不管向他引見多麼善良的教授，不管對他如何解釋，瘋子的反應依然如故。

黑爾指出，我們不妨先用弗盧的方法檢驗一下「瘋子的理論」。這瘋子顯然是被某種東西蒙騙著。問題在於，是什麼東西在蒙騙著他呢？是一個論斷或命題的真實性還是虛假性呢？在瘋子本人看來，教授們的言談舉止並不能否證自己的理論。因此，根

據弗盧的觀點，瘋子的理論也就沒有肯定任何東西，也就是沒有什麼意義的。然而，這並不意味著在對待牛津大學教授們的態度問題上，瘋子的想法與我們的觀點不存在任何差異；否則的話，我們就不會把自己稱為正常的人，而把他看成是瘋子。那麼，造成這種區別的原因又是什麼呢？黑爾認為，是不同「伯利克」（bliks）。瘋子有一種不健全的「伯利克」，而我們的「伯利克」則屬健全型的。

「『伯利克』是黑爾為解釋自己的觀點而造的一個新概念。對於這個概念他首先強調：「認識到我們並不是根本沒有『伯利克』，而是具有一種健全的『伯利克』，這很重要；因為任何爭論必有雙方——如果瘋子有一種錯誤的『伯利克』，那些對教授們抱有正常態度的人也就肯定有一種正確的『伯利克』。弗盧已經表明，『伯利克』並不屬於某個論斷或論斷體系；不過，具有正確的『伯利克』還是非常重要的。」*

接著，黑爾舉了一個不乏經驗色彩的例子，對「伯利克」的涵義與意義作了較具體的解釋。他說，我自己開車時，有時會突然擔心方向盤失靈。雖然我從來沒有遇到這種事故，我也十分了解汽車操作系統的製造材料，以及主要的故障原因。汽車操作系統的主要部件選用的都是性能優良的鋼材，而方向盤失靈大多是由於鋼製零件接口處脫節，鋼製操縱杆斷裂等等，可我怎麼才能知道不會發生這類事情呢？真實的答案只能是：我無法知道。我

* 參見弗盧：《神學與證偽》（Theology and Falsification, in Antony Flew and Alasdair Maclntyre, eds., New Essays in Philosophical Theology, New York: Macmillan, 1955），第100頁。

只是對鋼材及其性能抱有一種「伯利克」，所以，在正常情況下，我相信汽車所用鋼材的安全程度。但另一方面，我們也不難想像，如果有人失去了上述信任感而傾向於一種相反的「伯利克」，他對開車的態度又會如何呢？若以我為例，我就永遠不會再去開車。

顯然，一旦我抱有這樣一種「伯利克」，不論多少次安全駕駛的例證都無法使之消除或更改，因為這類例證或檢驗畢竟是有限的，而我的「伯利克」與這有限數量的例證或檢驗是有可能和諧共存的。再進一步講，人們當然可以指出，我對汽車所用鋼材持有的是一種不正常的「伯利克」，是荒唐可笑的。但這並不能否認我們各自的「伯利克」是不一樣的，是有現實差異的，而這種差異又必然導致我們各自的不同選擇、不同行為。在黑爾看來，這也正是休謨哲學留給我們的主要啟示：「我們與這個世界的全部交流活動都取決於我們對這個世界抱有的『伯利克』；而關於世界的諸多『伯利克』之間的差異，是不可能透過觀察這個世界上所發生的事情來予以解決的。」*

黑爾本人一直沒有對「伯利克」作出明確的界說，但綜合他那環環相扣的一連串解釋，從「瘋子的寓言」經過「駕駛者的例子」，最後到「休謨哲學的啟迪」，我們對這個獨特的概念已可獲得大致的把握。一方面，所謂的「伯利克」顯然是指一種「基本的信念」，我們不妨借用傳統哲學語言稱之為「世界觀」；而另一

---

* 參見弗盧：《神學與證偽》(Theology and Falsification, in Antony Flew and Alasdair Maclntyre, eds., New Essays in Philosophical Theology, New York: Macmillan, 1955)，第101頁。

方面，黑爾又再三強調這種「基本信念」或「世界觀」具有絕對的「超驗性」與「非邏輯性」，或用分析哲學的術語來說，這種東西是既不可證實也不可證偽的。以上兩點恐怕就是黑爾為什麼不願用現有的哲學概念而去重造一個新詞的主要原因。

正是根據「伯利克」這個新概念，黑爾試圖指明弗盧宗教語言觀點的偏頗之處。如前所見，弗盧是完全站在邏輯實證主義一邊向傳統神學命題發出挑戰的。黑爾指出，弗盧所選擇的這種哲學立場，偏頗之處就在於誤把宗教用語或神學命題看成是一種「解釋」(explanation)，即自然科學家們通常所理解或接受的那種意義上的解釋。如果照此來看，神學命題及其意義當然也就顯得不合邏輯、荒謬絕倫了。比如，現代人絕不會相信，上帝猶如阿特拉斯，是一個頂天立地的神＊。

可值得深究的是，神學命題能否簡單視同為科學命題呢？或者說，科學的解釋能否直接取代宗教的解釋呢？按黑爾的看法，這二者無疑是有明顯差異、不宜簡單混同的。更何況，在這二者的表面差異之下還隱含著基本信念的差異，即不同的「伯利克」。因此，「沒有『伯利克』，就不可能有解釋；因為我們正是根據自己的『伯利克』才決定了何謂解釋、何者不成解釋。不妨假設，我們曾經相信過去發生的一切純係偶然。這當然不會成為一種斷言；因為它是和任何正在發生或不在發生的事情相容的，而且也是與其偶然碰到的矛盾因素相容的。但是，假如我們抱有這種信念，我們就不可能去解釋、預測或計劃任何事情。這樣一來，儘管我們不應對任何不同於某種較正常的信念的東西有所斷言，可

＊　阿特拉斯(Atlas)見於古希臘神話，是肩扛天宇的提坦神。

我們之間還是存在著一種巨大的差異；而這也就是存在於那些真的相信上帝的人與那些真的不信上帝的人之間的所謂差異。」*

最後，黑爾總結道：我的寓言和弗盧的寓言相比，有一個重大的區別。弗盧所寄意於的那兩個探險者並不「介意」（mind）他們發現的那塊園地。他倆之所以就那塊園地展開爭論，只是靠興趣，根本不抱「關切」（concern）。而我所說的那個瘋子，卻對牛津大學的教授們格外「介意」；我所講的「那個作為駕駛者的我」，也對自己車子的方向盤十分「介意」，因為常有我所「關切」的人搭乘我的車子。換個角度講，如果我是弗盧筆下的探險者，我也會十分「介意」那園地上正在發生的一切，因為這裡也就是我發現了自己的地方，我不可能去分享那兩個探險者的「超然態度」。

（4）堅定的游擊隊員

戰爭時期，在一個被占領的國家裡，有個游擊隊員某天晚上遇到了一個陌生人。這天晚上，他倆徹夜長談。陌生人對這個游擊隊員講，他也是站在抵抗運動一邊的，而且還是領導成員。同時，他還要求這個游擊隊員，無論發生什麼事情，都要相信他。初次見面，陌生人的坦誠態度和堅強性格就給這個游擊隊員留下了很深的印象。因而，他很信任那個陌生人。可從那以後，兩人再也沒有私下裡碰過頭。有時，朋友們告訴這個游擊隊員，陌生人幫助了很多抵抗運動的成員，他就高興地說：「他是我們這邊的。」但有的時候，人們又看見那個陌生人身著警服，抓了不少游擊隊員交給敵人。這時朋友們就抱怨開了，可這個游擊隊員還堅持說：「他是我們這邊的」，因為他依然相信不管表面上看起

* 《哲理神學新論》（英文版），第101～102頁

來如何，陌生人並沒有欺騙過自己。有時，他求助於那個陌生人，並得到了幫助，他很是激動；可有時，他的求助沒有任何結果，這時他就說：「那個陌生人知道怎麼辦最好。」每當這時，朋友們便惱怒地問他：「你說，那個陌生人非得幹出些什麼事情，你才能承認自己錯了，才能承認他不是我們這邊的？」對於這種質問，游擊隊員總是拒絕回答，因為他不贊成用這種辦法來驗證那個陌生人的真實身份。最後，朋友們禁不住對他發牢騷了：「好吧，要是你所說的『他是我們這邊的』，不過就是這麼一種默認，那他還是趕快跑到敵人那邊吧，越快越好！」

這則寓言出於牛津大學哲學教授米切爾（Basil Mitchell, 1917～）的筆下，想表達的是關於宗教用語或神學命題意義問題的第三種看法，既對弗盧等人的邏輯詰難回以質疑，又對黑爾的解釋作出了一點重要的修正：宗教用語或神學命題不但是有意義的，而且也是一種不乏經驗根據的陳述。

上述寓言首先給人這樣的印象，它較之前幾則寓言更像是一個情節曲折的故事，因為它有更現實的背景，更富有戲劇性的衝突。據米切爾的解釋，這個寓言的立意首先在於表明，作為主人翁的游擊隊員不容許任何事情從根本上詆毀自己的信念或命題，即「那個陌生人是我們這邊的」。這是因為，他已經全身心地投入到這樣一種信念之中。當然，他也清醒認識到，那個陌生人的行為是暧昧不明的，是與自己對該人的信任相衝突的。可對他來說，正是上述矛盾情形才真正構成了一種「信念的考驗」。

其次，耐人尋味的是這樣一個具體情節：當這個游擊隊員求助於陌生人卻沒有得到任何幫助時，他能作出哪些選擇呢？其選擇不外兩種：（1）據此斷定那個陌生人不是我們這邊的；（2）堅持認為陌生人是我們這邊的。顯然，以上兩種選擇都不乏經驗根據。問題在於，這個游擊隊員拒絕了第一種選擇，而對第二種選擇或態度他又能堅持多久呢？

米切爾認為，對於這種還沒有結果的事情，恐怕沒有人能預先給出答案。目前只能說，這首先取決於陌生人給這個游擊隊員留下的印象具有何種性質；同時還取決於他以何種方式去理會陌生人的行為。據此可以想見，如果這個游擊隊員僅僅由於沒有得到幫助，就輕易放棄了自己的信念，那他將被看作一個不正常的、沒有思想的人。可另一方面，他顯然又不能輕易作出這樣的解釋：我把「是我們這邊的」這個判斷用在陌生人身上，就是指這類曖昧不明的行為。因為這樣一來，他便和有些淅瀝糊塗的宗教徒沒有什麼兩樣了，上述解釋無異於用「是上帝的意志」這句話來說明一場可怕的自然災害。所以說，如果這個游擊隊員確實充分體驗到了某些事實與自己信念的嚴重衝突，那他對自己的信念抱有的選擇或態度就只能看作是正常的、有理智的。

米切爾基於以上分析強調指出：「我的寓言區別於黑爾寓言的地方就在於此：這個游擊隊員承認，很多事情可能而且確實會跟他的信念發生衝突；而黑爾所說的那個對牛津大學教授們抱有一種『伯利克』的瘋子，卻不承認任何東西會跟他的『伯利克』發生衝突。沒有任何東西能跟諸多『伯利克』發生衝突。此外，這個游擊隊員有一種根據，使他自己從一開始就有所寄託，這就是那個陌生人的性格；而瘋子對牛津大學教授們抱有的那種『伯利克』卻是毫無根據的。」*（見次頁）

另一方面，弗盧等人提出的問題的確是尖銳的、有深度的。因此，就和弗盧的關係而言，第一，我同意他的看法，宗教或神學用語必須也是「論斷或命題」。譬如，當游擊隊員說：「那個陌生人是我們這邊的」，就是作出了一個論斷。第二，弗盧等人對宗教用語或神學命題的看法是不盡中肯的，因為前述分析已表明：宗教論斷或神學命題無論在什麼意義上都可看作是一種「解釋」。譬如，游擊隊員的信念就是對那個陌生人的行為的一種解釋，而且他的信念也有助於解釋陌生人活動背景下的那場抵抗運動。

從威茲德姆、弗盧到黑爾、米切爾，一系列富有哲理性的寓言，可以說已將宗教語言或神學命題在意義問題上存在的主要解釋難點形象地喻示出來了。從近十幾年出版的一些宗教哲學論著來看，此後有關宗教語言或神學命題意義問題的討論也大多是圍繞著這些難點進一步展開的。下面，我們再來看看美國當代著名的宗教哲學家約翰・希克創作的一則寓言，它在很大程度上能代表後來的研究者們為解釋現存疑難而做的嘗試。

(5) 兩個旅行者

「有兩個人同路旅行。其中一個人相信，這條路通往天國，另一個人則認為並不通向什麼神聖的地方，可由於這是現有的唯一一條路，他倆只能循此而行。他們倆從前誰也沒有走過這條路；因此，誰也說不上來將在每個拐角處發現什麼。旅途上，他們碰到過舒心、快樂的時刻，也碰到過艱難、危險的時候。一路上，其中的一個人無時不把這次旅行看作是前往天國的一次朝聖。她將那些令人愉快的時刻解釋為對自己的鼓勵，而把艱難險阻解釋為對自己目的的考驗，是對自己耐力的教導，

* 《哲理神學新論》(英文版)，第105頁

所有這些都是由天主預備的，是為了使她抵達天國後能成為一個合格的公民而設計出來的。然而，另一個人則統統不信這一套，只把他們的旅程看作是一種不可避免的、漫無目的的游蕩。既然他在這種事情上別無選擇，那便只好見好處就享有，見壞處就忍受。對他來說，並不存在什麼有待到達的天國，也不存在什麼包容一切的目的在注定著他們的旅程，存在的只是這條路本身，以及一路上天氣好壞之類的運氣。」*

希克首先指出，這兩個人在整個旅途中發生的爭論並不是一種經驗意義上的爭論。也就是說，他倆抱有的不同期待只是和最終的目的地有關，而和一路上將會碰到的具體事情沒有多大關係。然而，這並不意味著他倆的不同期待是不可證實的。等到走過最後一個拐角，結果就會一目了然，兩人之間必有對與錯之分。所以說，他們的爭論雖然一直都不帶有經驗的性質，但還是屬於一場現實的爭論。正因如此，不僅他們對於旅途的具體感受存在著是否符合實際的差異，而且他們對於一路境遇的相反解釋也已構成了真正富有競爭性的兩種斷言或兩個命題。不過，這裡所說的「斷言或命題」有其特殊性，它們只有等到轉過最後一個路口才能成立。

因此，這個寓言的創作動機僅僅是想表明：在猶太教或基督教那裡，所謂的有神論實質上是以「一種終極的、確定性的存在」與「我們現有的、不確定性的存在」為出發點的。這就意味著：

* 希克：《宗教哲學》（Philosophy of Religion, third edition. Englewood Cliffs, N. J. Prentice-Hall, Inc., 1983），第101頁。

既存在著一種抵達狀態，也存在著一種跋涉狀態；既存在著一種永恆的天國生活，也存在著一種塵世的朝聖過程。不必否認，這種有神論作為現有經驗的一種解釋，是不可能用所謂的「未來經驗」來加以證實的。但同樣不可否認的是，在有神論和無神論二者之間，未來的經驗完全可以為我們提供一種選擇，而且還是一種實際的、並非空洞的或字面意義上的選擇。

希克認為，針對前述幾則寓言提出的解釋難點或主要問題，他的這個新寓言可為研究者們提供以下幾點富有建設性的意見：

第一，就一個事實性的論斷而言，所謂的「證實」並不等同於「邏輯證明」。證實觀念之核心在於排除理性懷疑賴以存在的種種根據。比如，命題P已被證明，就是指某事的發生已明確表明P為真，因而對該命題來說不存在懷疑的餘地了。

第二，所謂的證實有時也必需這樣一個先決條件：親身投入某一境況，或從事某種特殊活動。例如，要想證明「隔壁房間裡有一張桌子」，只有走進這個房間才有作證的資格。

第三，一般說來，雖然「可證實的」意指「可以公開證實的」，即原則上能被任何人所證實。但這並不等於說，某個已知可被證實的命題，事實上可被或將被所有的人給以證實。換言之，對任何一個特殊的、真實的命題來說，給以證實的實際人數都會有賴於各種各樣的偶然因素。

第四，就某個命題而論，一方面有可能在原則上是可證實的，而另一方面在原則上卻是不可證偽的。例如，拿「π的小數點值裡有三個連續的7」來說，現有的計算結果並沒有證實這個命題。可是，由於這道題可無限地演算下去，很有可能在數學家們目前尚未達到的某個計算結果裡真會出現三個連續的7。因此，假若該命題為真，將有一天可被證實；假若為假，則永遠不可證偽。又如，根據基督教的「來世觀念」、一個人的肉體死後，他還有意識，能夠經驗，而其經驗裡必然包括關於肉體死亡的記憶。因此，上述預言假若為真，可由死後的經驗證實；相反，若是假的，則無法證偽。

第三節　功能分析

就基本學術觀念而言，「功能分析傾向」可看作是對前述「語義分析傾向」的一種抵制或消解。在力主功能分析的學者們看來，邏輯實證主義思潮給當代宗教語言問題研究帶來的是一種偏頗的理論導向。它以所謂的「意義問題」來為有關的討論設置框架，這種做法本身就是膚淺的或狹隘的。較之邏輯實證主義者固執的那種狹隘的意義標準——經驗事實，宗教語言在人類社會生活裡還有諸多更豐富的意義、更基本的功能。問題在於，若要理解宗教用語，便必須識別或分析其特殊功能；毋寧說其意義即寓於功能之中。

（1）布雷思韋特的「道德功能說」

布雷思韋特（R. B. Braithwaite, 1900～）曾任劍橋大學道德哲學教授，他對宗教用語或神學命題的道德功能分析主要反映在較有影響的《一個經驗主義者的宗教信仰本質觀》。從這書名便一目了然，布雷思韋特是抱著一種經驗主義的道德哲學觀念來分析宗教用語或神學命題的。照他看來，就其特殊用法而言，宗教論斷（religious assertion）主要是「一種道德論斷」（a moral assertion）；也就是說，道德論斷是構成宗教用語或神學命題的基本成分。作為上述觀點之基礎的是下面這個更帶普遍意義的判斷：

「任何一個陳述的意義，均可按其運用方式所給予的那樣而得以把握。對經驗主義者來說，宗教信仰的本性這個問題，其核心即在於，以經驗的詞語來說明一個人為了表達自己的宗教信念，是如何運用他所主張的那個宗教陳述的。」*（見次頁）

為說明宗教用語或神學命題的獨特意義或功能，布雷思韋特首先分析了道德論斷的一般用法。在當代道德哲學研究中，許多學者主張一種「無命題的倫理學」（an ethics without proposition）。他們認為，道德論斷或陳述是不能被看作「可證實的命題」的，所以它們所表達的並不是某種「可證實的心理命題」，而是用來表明某種與行為相關的「態度」，像什麼是「正確」、「義務」或「善」等。由於這種看法強調的是行為者的情感傾向，一般被劃歸於「情感倫理學」。布雷思韋特指出，近幾十年的討論表明，道德論斷的用法裡儘管包含著某些特殊的情感或情緒，可最基本的或最重要的因素並非「情感」或「情緒」，而是「行為意向」，即主張某個道德論斷的人所表明的某種特殊的行為方式。

例如，當一個功利主義者講，應當怎樣做才能實現最大的幸福，他並沒有提出任何命題，也不一定要表達任何情感，而只是贊成某種行動方針，即功利主義的行為意向。當然，對一個功利主義者來說，可以用一些經驗的命題來解釋自己所信奉的行動方針，比如，「幸福」就是所有的人或大多數人期望的；同時他所贊同的行為意向也包含著對其他經驗命題的理解。問題就在於，他在表達自己的行為意向時，並沒有特別闡明什麼道德命題。以上分析結論是完全符合經驗主義原則的，因為就經驗意義上的證實而言，一個人是否具有一種特殊的行為意向，既可以觀察他的所作所為，也可以聽聽他對自己行為意向的辯解。

---

* 布雷思韋特：《一個經驗主義者的宗教信仰本質觀》（An Empiricist's View of the Nature of Religious Belief, in The Existence of God, ed. by John Hick, Macmillan Publishing Co. Inc., 1964），第236頁。

因此，布雷思韋特著重指出，我是接受「無命題的倫理學」的，但我傾向的是一種「意動論」（a conative theory），而不是「情感或情緒論」。

那麼，對宗教用語或神學命題來說，以上分析又有什麼啟發呢？布雷思韋特在此首先想糾正一種普遍的成見，即唯心主義哲學觀念對宗教論斷造成的誤解。在麥克塔戈特（John Ellis Mc Taggart, 1866～1925年）等哲學家那裡，宗教信仰主要被解釋為「一種建立在人與宇宙之和諧基礎上的情感」。這種觀點對當代知識階層仍有很大影響。如果宗教信仰從本質來看是一種情感」，自然也就應當按「情感倫理學」的思路來解釋各種宗教論斷了，即把它們看作是宗教情感的基本表達。但是，這種解釋一般屬於「宗教圈子」之外的看法，信仰者們則很少認為自己的宗教信念僅僅是情感性的，雖然信念裡包含著複雜的情感成分，像喜樂、慰藉、同一感等等，可這類情感的表達的確不是他們所主張的宗教論斷的基本用法。

布雷思韋特進一步指出，對信仰者來說，生活方式與其宗教信念密切相關，這是所有的「道德性宗教」（the moral religions）、特別是基督教歷來就堅持的。譬如，一個基督徒追隨其生活方式的意向，不僅僅是判斷他是否相信「基督教的論斷」（the assertions of Christianity）的標準，而且就是判斷他個人的論斷具有什麼意義的標準。正如道德論斷的意義給予方式主要在於它表達說話人的行動意向時的具體用法，宗教命題的意義也是靠其特殊用法表達出來的，即它所表達的是說話人遵守某一特殊方針的行動意向。因此，「如果講一個信仰者對於宗教教義的信仰就是他打算如此行動的原因，這種說法是本末倒置；相反，正是他的行動意向才構成了所謂的宗教信念。」*

在指出宗教命題與道德命題的相似性的同時，布雷思韋特強調，他並不否認二者之間也存在著明顯的差別。他認為，宗教論斷主要在以下三個方面區別於道德命題：第一，宗教徒們所抱有的行動意向，往往不是僅靠某個單獨的宗教論斷而具體化的；第二，各種宗教所主張的道德教義一般不是以抽象的詞語而是透過具體的事例表達出來的，例如，《聖經》裡講的「樂善好施者」就是具體說明基督教所主張的「愛」；第三，宗教教義與純道德原則之間最明顯的一點差別在於，各種宗教，起碼是那些較高級的宗教所主張的道德品行，不僅關係到外在的行為，還深深影響著內心世界。因此，一個人皈依宗教，不止是一種意志的服從，同時也是一種心靈的歸順。譬如，對一個基督徒來說，上帝要求他在對待鄰居甚至仇人時，不但要像愛自己一樣，而且就像愛自己一樣。

布雷思韋特意識到，要想充分說明宗教命題所產生的主要是一種道德的功能，除了區分宗教命題和道德命題的差異性，還需要進一步區分不同的宗教信仰所提倡的那些類似的道德主張。否則的話，在澄清宗教命題基本功能的同時，難免混淆不同的宗教信仰。比如，就道德主張而言，猶太教、基督教、佛教都倡導一種生活方式。那麼，有無可能對這幾種宗教信仰及其道德觀念加以區別呢？

---

* 布雷思韋特：《一個經驗主義者的宗教信仰本質觀》（An Empiricist's View of the Nature of Religious Belief, in The Existence of God, ed. by John Hick, Macmillan Publishing Co. Inc., 1964），第239頁。

不同的宗教顯然有不同的儀式，可儀式並不是宗教生活方式的根本特徵所在。事實上，真正的區別在於：不同的宗教在道德觀念上主張的類似的生活方式或行動意向，分別是和不同的「故事」或「故事系列」（stories or sets of stories）相聯繫的。布雷思韋特解釋道，我在這裡所用的「故事」一詞，就是意指某個或一系列宗教命題。這些宗教命題是經驗的，即能被經驗所檢驗。因而，它們在宗教徒們看來是跟自己信守現行生活方式的決心密切相關的。如果基督教和佛教提倡的生活方式大致相同，那麼，我們就可以根據以下事實來劃分二者：在一個基督徒的心目裡，他遵循這種生活方式的意向是和基督教的「一系列故事」相關的；而在一個佛教徒那裡，這種生活意向則是和佛教的「一系列故事」不可分的。

宗教論斷雖然通常是和「宗教故事」相聯繫的，但對一個宗教徒來說，決心遵守某種生活方式，並不一定相信與此有關的那些故事是真實的，他必須做到的是從思想上真正接受那些故事，即必須理解那些故事的意義。布雷思韋特強調，我之所以選用「故事」一詞，主要用意就在於說明這一點。在以往的研究中，有些學者常常把我所指的「故事」（stories）稱為「寓言」（parable）、「神話傳說」（fairy-tale）、「比喻」（allegory）、「傳說」（tale）、「神話」（myth）等等，而我是把「故事」作為一個最中性的詞來使用的，以表明「宗教故事」既不是非得信以為真，也並非完全不可信。

既然「宗教故事」並無必要信以為真，那麼，它們在宗教活動裡發揮的功能是什麼呢？它們又是怎麼和某一特定的宗教生活方式發生聯繫的呢？布雷思韋特說：「我的回答是，這種聯繫是一種心理上的、因果性的。一個經驗性的事實表明：很多人發現，如果某種行動方針在自己心目中是和一些故事相關的，那麼，即便是有悖於自己的稟性，也不難作出決斷去照此行事。而且在很多人那裡，不相信和這種行為方針相關的故事，這一事實也沒有明顯削弱上述心理聯繫。在英國基督教徒的生活中，僅次於《聖經》和《公禱書》的最有影響的著作，一直是一本婦孺皆知其故事純屬虛構的書，即班揚的《天路歷程》；還有，對我這一代人的道德思想狀況最有影響的那些著作，其中就有陀斯妥也夫斯基的小說。就心理事實而言，若是以為影響行動的唯一的理智思考就是種種信念，那就大錯特錯了。決定著一個人行動的，是他的全部思想；而這些思想裡又包含他的種種幻想、想像和觀念，也就是他希望自己成為什麼，做些什麼，以及他信以為真的那些命題。」*

最後，布雷思韋特還作了一點重要的說明。在整個分析過程中，他有意採用「宗教論斷」和「宗教信念」作為基本概念，而避免「宗教信仰」（religious belief）的說法，原因就在於他重視的根本問題是那些用作宗教論斷的陳述有什麼意義，相應的目的則是按「論斷的意義在於其用法」的原則來解釋宗教論斷。但從有關宗教論斷之用法的分析來看，其構成因素裡並沒有任何能被稱為「信仰」的東西，使之符合經驗的或邏輯的必然命題上的意義。

所以，宗教論斷就是一種關於特定行為意向的論斷，其意義或功能又與某些特定的「故事」相關。按一般原則，作為一種行為意向的宗教論斷及其相關的「故事」可歸類於道德論斷，但二者都不包含通常意義上的「信仰」。這樣一來，「論斷」一詞的涵義就不

---

* 布雷思韋特：《一個經驗主義者的宗教信仰本質觀》（An Empiricist's View of the Nature of Religious Belief, in The Existence of God, ed. by John Hick, Macmillan Publishing Co. Inc., 1964），第247頁。

得不寬泛化了，即包含了那些在宗教論斷裡沒有用詞語明顯表達出來的成分。如果我們完全捨棄宗教論斷的語言表達形式，那麼，剩餘的東西或許也就是所謂的宗教信仰。然而，和道德意義上的信仰一樣，宗教信仰並不是一種普遍意義上的信仰，即相信某個命題；道德信仰是按某種特定方式而行動的意向，宗教信仰不光如此，而且在信仰者的心目中還與某些特定的「故事」相交織。布雷思韋特認為，以上對宗教信仰問題的解釋，既符合於經驗主義者對「意義」的看法，又不會違背信仰者抱有的嚴肅態度。

（2）蘭德爾的「象徵功能論」

蘭德爾（J. H. Randall, Jr., 1899～）曾任教於美國著名的哥倫比亞大學，不僅對當代宗教語言研究很有影響，而且在歷史哲學這個人文研究前沿領域造詣頗深，發表過不少力作。蘭德爾回顧道，他十分有幸能和著名的新教神學家、哲學家蒂利希（Paul Tillich）合作，開設過一些研討班（seminars），廣泛涉及神話、象徵、語言、知識等與宗教信仰的關係問題。注意到上述學術背景，對理解蘭德爾的宗教語言觀點會有幫助。

蘭德爾首先強調，「所有的宗教信仰毫無例外都是『神話』（mythology）。也就是說，它們都是宗教的『象徵』（symbols）。」* 如果說宗教象徵包含任何「真理」的話，那麼，這種真理肯定不同於科學的或哲學的，即不同於那種通常意義上的「事實性陳述」所

---

* 蘭德爾：《知識在西方宗教中的作用》（The Role of Knowledge in Western Religion, Boston: Beacon Press, 1958），此處引文來自希克主編：《宗教哲學古今讀本》（Classical and Contemporary Readings in the Philosophy of Religions, Prentice-Hall, INC., 1970），第407頁。

具有的「字面上的真理」(the literal truth)。換言之，在宗教信仰裡並沒有「關於事實的描述」或「解釋性的真理」。

以上觀點在蘭德爾那裡被稱為「一個否定性的結論」。他指出，這個結論雖然已被當代神學家、哲學家、甚至包括哲學或科學專業的學生們廣泛接受，然而其含義卻沒有被充分認識到。以基督教信仰為例，上述結論不僅意味著「上帝的存在」是一個「神話」或「象徵」，同時還意味著原罪教義也是一個「神話」或「象徵」，「原罪」並沒有就人性提供其他分析方法所無法企及的「字面意義上的真理」。因此，就作為解釋或真理的人性觀點而言，心理學分析與宗教信仰不可能發生衝突。但這一點在理論實踐裡並沒有引起足夠的重視。

進而言之，如果在宗教信仰裡不存在與「科學的解釋」相衝突的真理，那麼，宗教信仰也並不能為人們提供任何「額外的真理」(additional truth)。這意思是說，宗教信仰並沒有一種特殊的方法，能使人們進一步發現關於世界或人類的「真理」，而這種真理又是「理智的或科學的方法」無法獲得的。在重建宗教信仰的今天，許多神學家的觀點雖然不再跟任何「可證實的」科學結論相衝突；可他們仍堅持認為，宗教信仰能為人們提供更多的「知識」，這些知識對科學研究來說或是無法達到的，或是不能充分解釋的。按蘭德爾的看法，這種觀點是一種歷史的產物，來自唯心主義哲學的時代。那時，哲學家們開始意識到，自然科學的方法及其假設是狹隘的、有侷限性的，顯然不適用於研究人類豐富的道德或精神活動，於是轉而尋求其他的方法與假設也就成了一種歷史之必然。但是，這些唯心論哲學家所批評的只是自然科學的「技能」或「程序」，並非「科學方法」或「邏輯」本身。不同研究領域的實踐程序固然有別，但研究的方法、邏輯以及證明的法則卻是共同的。

以上分析強調的是宗教信仰或宗教象徵「不能做什麼」，從否定的角度指出了宗教象徵既不包含「字面意義上的真理」，也不能提供「自然科學意義上的知識」，這顯然有助於澄清以往研究中的一些誤解。但在蘭德爾看來，更重要的還是如何解釋宗教象徵「能做什麼」，即具有哪些「實際的功能」。這與前面的分析相比可謂一個更複雜、更困難的課題。

和蒂利希一樣，蘭德爾也認為，若要闡明宗教象徵的功能，首先應當區分兩個基本概念，即「象徵」（symbol）與「記號」（sign）*。所謂的記號總是代表「他物」，是某種事物的代用詞，能引起人們對該事物的相同反應。與此相反，象徵絕不是代用詞，它所表達的就是其自身而並非他物，使人對象徵本身產生某種獨特的回應。這是二者的一個根本區別。因此，「搞清楚宗教象徵不是記號，這很重要；宗教象徵確應歸類於非表現性的象徵（the non-representative symbols），這類象徵就功能而言是多種多樣的，既包括理智生活也包括實踐生活。」**

象徵與記號的第二點區別也很重要。有些象徵也許和理智過程無關，卻在認識活動中發揮著重要的作用，以致可成為知識或真理。科學的概念、假設和理論體系裡就充滿了此類「非表現性的」卻有認識作用的象徵，譬如，「瞬時速度」的概念。相反，也有一些象徵，其功能並不在於介入認識活動、最後形成知識，而是產生

---

* 這是蒂利希宗教語言理論的出發點，詳見本章第五節「象徵理論」。

** 《宗教哲學古今讀本》，第414頁。

其他的結果。比如，藝術象徵和某些社會性的象徵。因此，「重要的是認識到，宗教象徵和社會的、藝術的象徵是同屬一類的，這類象徵既是非表現性的，又是非認識性的（noncognitive）。可以說，這樣一些非認識性的象徵所表示的，並不是脫離它們的作用也能被表明的某種外在的事物，而是它們本身所象徵、它們的獨特功能所揭示的那樣一些東西。」*

那麼，作為一種非認識性的象徵，宗教語言的特殊功能又是什麼呢？對此，蘭德爾首先概述了非認識性象徵的三點基本功能。第一，所有的非認識性象徵、包括宗教象徵，能喚起某種情感反應，激勵正當的人類活動。用傳統術語來說，非認識性象徵的作用對象不是「理智」而是「意志」。因而，和僅僅把心智引向其他事物的記號不同；此類象徵作為動機，直接引導的是人們的活動，產生的是行為。

第二，非認識性的象徵能在一個群體或社會引起共同的反應，激發合作精神。這種反應可能採取個體的形式，但即使如此也還是從群體或社會的反應那裡派生出來的。同時，雖然這類象徵的「意義」在一個社會或群體的不同成員中間會有不同的理智解釋，但它們產生的反應卻是共同的，即大家所共有的。例如，「國旗」是一種物質性的社會象徵，「國家」或「自由」可看作理智性的社會象徵，它們都適應於不同社會成員的不同觀念，都會激發愛國的熱情與行動，或激起自由的情感與態度。

第三，非認識性的象徵能傳達某些特殊的經驗，而這些經驗是很難用準確的詞語或陳述來表達的，甚至是不可言喻的。這一

---

* 《宗教哲學古今讀本》，第414～415頁。

點在藝術象徵那裡體現得尤為明顯。藝術象徵強烈作用於人們的經驗，但我們又不可能精確地指出它們的意義如何。

蘭德爾認為，以上三方面的功能，是宗教象徵與其他非認識性象徵所共有的。可除此之外，宗教象徵還有一種獨特的功能，即向人們揭露或啟示出這個世界的某個方面。正是在這一點上，我們找到了宗教象徵與通常所說的「宗教知識」（religious knowledge）的關係，尤其是和宗教信仰或觀念的關係。按一般說法，宗教象徵所揭示的是某種真理。就關於世界的經驗而言，如果我們詢問此類象徵所揭示的到底是什麼，那麼，答案顯然不是通常意義上的「知識」，而只能說是一種「不明確的或隱喻的」（equivocal or metaphorical）知識或真理。也就是說，宗教象徵所揭示的東西並非「描述性的知識」，而更像是「直接相識」（direct acquaintance），很像我們所講的「洞察」或「遠見」（insight or vision）。因此，這類象徵並不能「告訴」我們任何「可被證實如此的」事物，而是使我們「看到」人類所經驗到的世界的某個方面，這個特殊的方面及其經驗可稱為「輝煌的秩序」（the order of splendor）。

關於宗教象徵的這種獨特功能，蘭德爾以藝術象徵為襯托，作過一段生動的描述，很值得引錄下來，慢慢品味：

「畫家、音樂家和詩人的作品，教給我們怎樣以更偉大的力量與技巧來運用我們的眼睛、耳朵、頭腦，以及情感。這些作品教給我們怎樣更清楚地意識到，在我們靈敏的感官面前的這個世界上，這是什麼而這又可能是什麼。這些作品向我們表明，怎樣覺察我們在這個世界中遇到的一些意外的特性，以及這裡面存在的一些潛在的力量和可能性。還有，它能使我們看到這樣一些新的特性，這個世界在人類精神的合作下可以使自身具備這些特性。因為藝術是一種事業，在藝術裡，世界與人類真誠無比地合作著；同時在藝術裡，自然材料與自然力量的合作、人類技能與人類遠見的合作，顯然創造出了諸多新的特性與力量。」

「先知和聖徒們帶給我們的不也是這樣一些東西嗎？他們也能為我們做些什麼，他們也能使我們自身和我們這個世界發生變化。關於我們這個世界和我們自身，他們也能教給我們一些東西。他們教給我們，如何發現人生在這個世界是什麼樣的，而人生又可能是什麼樣的。他們教給我們，如何察覺人性能夠從其自然的狀態和素材中創造出什麼來。他們向我們啟示出了以前沒有注意到的諸多潛在的力量與可能性。他們能使我們接受所遇到的這個世界具有的一些特性；同時他們又向我們的心靈敞開了一些新的特性，使這個世界在人類精神的合作下能夠具備這些新特性。他們能使我們更加好好地發現並感受我們這個世界的宗教的一面——『輝煌的秩序』，以及人們置身並參與這種秩序而獲得的經驗。他們教給我們怎樣發現神性；他們向我們展示出了關於上帝的種種遠見。」*

繼指出宗教象徵的複雜功能後，蘭德爾強調，如果我們覺得有理由討論「宗教知識」的話，無論在任何情況下都必須謹慎而明確地跟「科學的知識」區別開來，因為後者是由描述性與解釋性的陳述構成的。「宗教知識」和「科學知識」確有明顯的差異，用奧古斯丁的傳統觀點來說，此乃「科學」與「智慧」的不同；蒂利希則

* 《宗教哲學古今讀本》，第424～425頁。

以更濃厚的古希臘哲學語言指出，這是epistem（可譯為「認知」）與egnosis（可理解為「靈知」）的區別。

據蘭德爾的建議，更簡明的一種做法是採用當代美國語言，把「科學知識」與「宗教知識」分別歸類於「科學」與「發明」，或「科學」與「實際知識」（know-how）。宗教作為一種「實際知識」，不是「神秘的直覺」，不是「價值意識」，不是「與神聖者相遇」，也不是「在生存意義上投入信仰的意志」；而毋寧看作是一種「技巧」、一門「藝術」或一種「實際知識」。因此，就廣義的「知識」而論，我們可把「命題的知識」（propositional knowledge）與「實際的知識」區別開來；前者非真必假，後者則無真假之分，而是能否適用於、能否影響其目的。這樣一來，作為宗教象徵之獨特功能的「啟示」（revelation），就在於揭示一種「實際知識」，以使人們意識到這個世界的宗教方面——「輝煌的秩序」。

蘭德爾的宗教語言觀點，一般被定性為自然主義的解釋，而這種自然主義的宗教觀又旨在重新闡明「知識」與「宗教」二者的關係。這就使他運用的概念、提出的論點都充滿了複雜性，需要讀者結合古往今來的學術背景仔細加以辨析。在此同時，若能拿萊蘭德爾的代表作《知識在西方宗教中的作用》一讀，定能發現更多值得深思的方法論問題。

（3）范布倫的「邊緣語宮論」

保羅・范・布倫（Paul Van Buren, 1924～）的「宗教語言邊緣理論」，是一種饒有趣味的晚近嘗試。這種嘗試的吸引人之處首先在於，結合當代文化背景而對宗教語言作出的新規定，即認為宗教語言實質上是一種「邊緣語言」（edgelanguage or edge-talk），其特殊功能即寓於這種邊緣形式與邊緣用法之中。但更耐人尋味的是，這種新觀點不僅反映了范・布倫本人的學術觀念變化，而且能使我們聯想到整個當代語言哲學研究的一種重要的邏輯轉向。

「宗教語言邊緣理論」一提出，幾乎令人對范・布倫的學術觀念不能不重做評估、甚至是完全相反的評價。對此，著名的當代宗教思想研究專家麥奎利（John Macquarrie）作過簡要的描述。范・布倫的早期研究工作深受邏輯經驗主義的影響，以致他在宗教語言問題上傾向於「一種沒有上帝的神學」，可被看作是「某種無神論觀點的代言人」。尼采曾一鳴驚人地指出：「上帝死了」，范・布倫則進一步說：當代的問題在於，不僅「上帝死了」，而且連「『上帝』這個詞也死了」。因此，「關於上帝的語言」是沒有意義的，當代神學理應放棄談論「上帝」，約簡為或把自身限制為「歷史的與倫理的語言」。然而，范・布倫在其晚近著作裡提出的「宗教語言邊緣理論」。卻在學術上顯得寬容多了，「放鬆了不準神學談論上帝的禁令」，即重新肯定宗教用語或神學命題在當代文化中仍有其特殊的地位與功能＊。

需要進一步指出的是，范・布倫的思想轉變，其背後還有更廣泛的語言哲學背景。他的「宗教語言邊緣理論」的一個明顯特徵，就是繼承並發揮了維特根斯坦的後期語言觀點，在維特根斯坦及其追隨者的研究基礎上，進一步探討宗教語言的特殊形式與複雜功能。

似乎可以肯定，維特根斯坦的後期語言研究觀念，是對自己前期主張的邏輯原子主義和維也納學派的邏輯實證主義的一種修正或批判。這種修正或批判著重強化的一個基本思想就是語言用法的多

＊ 可參見麥奎利：《二十世紀宗教思想》，上海人民出版1989年版，第500頁；《神學的語言與邏輯》，四川人民出版社1992年版，第1～2頁。

樣性與複雜性。為此，維特根斯坦作過一個有名的比喻，即「語言遊戲」，用來生動地說明形形色色的語言活動旨在達到多種多樣的交往目的，例如「給予命令」，……描述一個物體的樣子，……推測一個事件，……作出並檢驗一個假設，……用表格或圖表來顯示一個實驗的結果，……編故事，……演戲，……唱歌，……猜謎語，……開玩笑，……解一道應用算術題，……提問題，……想事情，……罵人，問侯，祈禱、等等*。

維特根斯坦的後期語言理論擁有一大批追隨者，他們繼而具體研討了語言活動的複雜形式，像「科學的語言」、「倫理的語言」、「藝術的語言」、「宗教的語言」、「羅曼蒂克式的語言」，等等。在他們看來，凡此種種不同的語言形式實際上都在整個人類語言的「活動區域圖」上占有特定的領域。它們就像各種遊戲，都有各自的規則，雖然這些規則沒有被收入任何一本語言教科書，可它們卻被各個語言活動圈子裡的成員無意識地遵守著。這樣一來，如何揭示這些「語言遊戲規則」就成了當代語言哲學研究的一個重要課題。

大致說來，范・布倫的研究工作就是在上述學術背景下起步的。他的基本觀點和維特根斯坦的後期語言理論及其追隨者們的明顯聯繫就在於，突出強調人類語言是一種錯綜複雜的生活現象，注重闡釋「語言遊戲」，「人類語言活動區域圖」等比喻的豐富含義。因而，范・布倫首先是把宗教語言作為一種基本的形式而放到整個人類語言活動範圍之中加以考察的。

但另一方面，當根據上述基本觀念去具體考察宗教語言、特別

* 參見維特根斯坦：《哲學研究》(Philosophical Investigations, New York: Macmillan, 1953)，第23節。

是基督教用語時，范・布倫又闡發了一些獨到的見解。他指出，宗教語言在整個語言活動領域所處的位置是十分特殊的。這種特殊性主要表現在，宗教語言的活動區域遠離人類語言的活動中心，即處於人類語言活動範圍的邊緣地帶。在人類語言的活動中心，諸多語言形式，如自然科學語言，歷史學語言，經濟學語言，日常生活對話等等，是完全受法則支配的，因此它們的語義清晰，很少引起誤解。而宗教語言，尤其是基督教語言則與之相反。基督教語言和詩歌、雙關語、以及通常被看作自相矛盾的語句更像是一類語言活動，它們之間的相互關係如同一種「親族關係」（kinship）*。這些語言活動形式之間的主要相似之處在於，它們都試圖擴展人類語言的日常用法，以藉助人類語言來表達遠遠超出正常語義範圍的更多的意義。因此，它們力求表達的語義往往瀕臨「有意義」與「無意義」的邊緣或分界線。例如，「你那美麗的大眼睛比『星空更燦爛』，這個詩句所表達的意境明顯超出了日常詞語的語義分界線；又如，「半開的門不是門」（a door is not a door when it is ajar），這個雙關語也顯然是在擴展日常語言的一般用法。

范・布倫指出，現代西方文化就基本特徵而論是一種崇尚物質的文化。在語言交際方面，正是這樣一種文化氛圍迫使人們追逐時尚，生活於現有人類語言的中心地帶，即驅使人們看重科學、經濟、歷史、常識等形式的語言。因而，如果有人一反上述語言常態，決意生活於宗教語言的神秘氛圍，那就意味著他們在這個世界裡摒棄了一種特定的生活方式。由此可以肯定，宗教語言在整個人

---

* 這是維特根斯坦後期語言理論的一個基本概念。

類生活中是有其不可或缺的功能的，它們所表達的是人性的一個特定方面。

例如，基督徒們所拒絕的就是把自己禁閉於世俗語言的活動中心，而力圖超越日常語言或科學語言的限制，用信仰的語言更豐富地表達人本身，表達我們這個世界。具體來說，「上帝使死去的耶穌復活」，如果把這個基督教用語看成是一個關於歷史事實的陳述，難免產生誤解。這實際上是一個表達信仰的陳述，它在描述耶穌的深遠影響時，已經把有關詞語的一般用法推到了語義的極限。因此，這個陳述所表達的意義或產生的功能，當然也就和歷史學家們的理解大相徑庭了。諸如此類的例子在基督教用語裡數不勝數，像「上帝有人格」、「上帝是聖體」，這些說法都明顯反映出上述特徵。所以說，基督教語言就本質而言是一種「邊緣語言」*。

---

* 關於范・布倫的具體觀點，可參見他的《語言之邊緣》(The Edges of Language, New York: Mamillan, 1972)。

第四節　解除神話

前兩節的討論帶有一般性，主要是從大面上分析宗教語言的意義或功能。這一節涉及的則是一個相當專門的研究領域——聖經解釋學。以前的宗教學概論或教科書裡，討論到宗教語言問題大多不提聖經解釋學。這種做法不能不說是一個缺陷。聖經解釋學儘管是一門高度專業化的學問，非聖經專家或大神學家、大哲學家難以涉足，可事實上它一直和宗教語言研究乃至整個解釋學密切相關。早期的聖經解釋就是最早的宗教語言研究和解釋學，後二者的學術進展又反過來影響著前者；這種由來已久的互動關係在晚近研究裡顯得更引人注目了，在現代文化背景和解釋學觀念的推動下，聖經解釋學就經典本文提出的一些基本問題，正刺激著一大批學者投入更開放、更深層的思考。關於這種互動性，魯道夫·布爾特曼（Rudolf Bultmann, 1884～1976年）的「解除神話」（Entmythologisierung）理論可給我們留下深刻印象。

有評論家稱，布爾特曼是「現代新約研究之父」。對一個畢生專注於新約解釋的學者來說，恐怕沒有比這更高的榮譽了。布爾特曼的學術貢獻並不在於提出了什麼權威的觀點，而是構築了一個真正意義上的「學術生長點」。「後繼的學者們可以批評」、否定、修正或超越他的觀點，但不可以不讀他的書，不深思他所提出的問題—古老的宗教經典何以能對現代讀者產生意義？布爾特曼的「解除神話」理論主要反映在「新約與神話學」、《耶穌基督與神話學》、《新約神學》、《兩卷本》、《信仰與理解》（四卷本）等論著裡，其中尤以不足五萬字的論文「新約與神話學」分量最重，言簡意賅地表達了他想提出的問題。

「新約與神話學」有一個醒目的副標題：「解除新約福音宣示的神話的問題」。問題何在呢？布爾特曼一落筆就指出，《新約》裡的世界觀是神話的。這種神話的世界觀所描述的是一個三層結構，即上、中、下三層。上層是天堂，是上帝和天使的居所；下層為地獄，乃是痛苦之所在。但作為中層的此世或人間，主要不是指由秩序或規律支配的自然領域，而是上帝和天使、撒旦和魔鬼的活動舞台。所以，在此世或人間，是超自然的力量左右著自然事件，干預著人類的思想、意志和行動；而人並不是自己的主人，既深受撒旦的誘惑，又得到上帝的恩賜。這就使人類歷史的結局迫在眉睫，那將是一場末日的災難，也是一場最後的審判。

《新約》所宣示的福音主要是對「救恩事件」的描寫，這些描寫正是和上述神話的世界觀相符合的。布爾特曼通觀《新約》，把這種以神話語言描述的「福音宣示」歸納如下：末日已臨近了；「當時候完全滿足了」，神就差遣他的兒子。他的兒子是一位起初就存在的神，是以一個人的身份在地上顯現（加拉太書4：4；腓立比書2：6以下；哥林多後書8：9；約翰福音1：14等）；他死在十字架上，像罪人般地受苦（哥林多後書5：21；羅馬書8：3），乃是為了人類的罪（羅馬書3：23～26；4：25；8：3哥林多後書5：14、19；約翰福音1：29；約翰一書2：2等）。他的復活，是宇宙大災難的開始；由於他的復活，因亞當而帶給世人的死亡，就被滅絕了（哥林多前書15：21～22；羅馬書5：12以下）。這世上的魔鬼權勢，也因而喪失了他們的能力（哥林多前書2：6；歌羅西書2：15；啟示錄12：7以下等）這位復活者，已被提升到天了，坐在神的右邊（使徒行傳1：6以下；2：33；羅馬書8：34等）；他已被封為「主」，被封為「王」（腓立比書2：9～11；哥林多前書15：

25）。他要駕雲歸來，完成救恩；然後，要使死人復活，並進行最後審判（哥林多前書15：23～24、50以下等）。最後，他還要廢除罪惡、死亡，以及所有的苦難（啟示錄21：4等）。這一切隨時都有可能發生，保羅就曾料想自己會活著經歷這一救恩事件（帖撒羅尼迦前書4：15以下；哥林多前書15：51～52；馬太福音9：1）。

顯而易見，以上描述用的是神話的語言。問題首先在於，「只要它是神話（學）的講述，對今天的男女大眾，就很難會相信；因為，對他們來說，這種神話世界的圖象，乃是一種過去的事。」* 科學技術對世界的認識與控制，已無可挽回地改變了人類思考自然與自我的方式，已發展到沒有人能維護神話和奇蹟的地步了。在這樣一種文化背景下，誰還會相信「升天堂」、「下地獄」、「人子駕雲而降」、「驅鬼治病」、「復活」、「原罪與贖罪」等等說法呢？如果回過頭來讓人們盲目接受此類神話，將其充作信仰的必然要求，無疑是一種「霸道行徑」是對理智的扼殺，是以「早被日常生活否定了的世界觀」來確立信仰或宗教。

布爾特曼說：「我們無法使用電燈與收音機，以及利用近代的醫學和臨床的方法來治病；而在這同時，又相信新約聖經的精靈與奇蹟世界。如果我們如此作，那麼，我們只會藉著使我們當代人無法理解，以及無法接納的方式來宣告基督的福音，而認為這就是對基督信仰的態度。」**

---

* 布爾特曼：「新約聖經與神話學：解除新約聖經福音宣告神話的問題」，《新約聖經與神話學》，台北：使者出版社1989年版，第9頁。該書是由美國學者S. M. 奧格登編譯的一本布爾特曼基本著作選，中文版譯者陳俊輝。

** 同上書，第12頁。

然而，指出《新約》的語言描述方式的神話的，這是否必然導致對新約福音宣示的否定呢？布爾特曼並不這樣認為。在他看來，《新約》裡的語言描述與福音宣示實際上並不是一回事兒。對現代人來說，新約福音之所以變得難以理解了，其原因固然在於本文的語言描述變得沒有意義了，神話的世界觀也事過境遷了；但這種描述方式或神話世界觀本身卻與福音宣示沒有必然聯繫，因為前者可遠溯到古猶太教的天啟論和諾斯替教的救贖觀，屬於基督教神學形成之前的產物，並不帶有任何特殊的基督教色彩。這才是當代聖經解釋學所面臨的關鍵問題。「如果新約聖經的福音宣告，想要保留它的有效性，沒有別的，就只有解除它的神話才行。」* 可見，解除新約神話的必要性是由上述兩方面所決定的：早期神話的性質和新約福音的本義。

布爾特曼再三強調：「解除神話」應當理解為「一種解釋學的程序或方法」。因而，「解除神話」並非指「廢除神話」而是要用解釋學的觀念來「破譯神話」，把神話的真實內容闡釋出來。所謂的神話不但是一種特殊的歷史現象，也是一種非常特別的思維模式。與科學思想完全不同，神話的思考角度是神秘化的、萬物有靈論的。可以說，神話猶如「一個世界細胞」或「一棵世界樹」，以一種圖解的方式描繪著世界的來源、基礎、目的以及限制。以眾神之間的戰爭來安排著世間的生活情境。所以在神話裡，「眾神」被說成是「凡人」，「天上的」被說成是「人間的」，一切現象或事件自然也被歸因於超自然、超人類的力量。按這樣一種信仰，人不僅

---

* 布爾特曼：「新約聖經與神話學：解除新約聖經福音宣告神話的問題」，《新約聖經與神話學》，台北：使者出版社1989年版，第18頁。

不是其自身和塵世間的主人，反倒只有依賴這些神秘的力量才能在日常生活裡獲得自由。就以上意義而言，「神話的真正論點，並不是要提示一種客觀的世界圖象；在它裡面所表現的，勿寧是：我們人類，如何在我們的世界裡，來理解我們自己。」* 因此，神話所描述的東西不能用宇宙論觀點來理解，而應當用人類學的語言——最好是存在主義的哲學語言來加以解釋。

進一步說，「解除神話」也是如實理解《新約》本文的一種要求。《新約》的描述裡有很多不一致的甚至自相矛盾的說法，這一直是聖經解釋專家們批判和爭論的重點。比如，基督之死既被說成「一種犧牲」，又被看作「一個宇宙事件」；耶穌既被解釋為「自太初就存在的」，又被描述成「由童貞女所生」；律法既是「上帝賜予的」，又是「天使設立的」。又如，「罪」對人來說既是「命運」又是「罪愆」；人作為被造物、作為宇宙的存在者，既是「被限定了的」，又是獨立自主的、可以自由決斷的，而這種決斷又從根本上關乎到「是找回自我還是失去自我」。如此等等，舉不枚舉。但在布爾特曼看來，正因為《新約》本文的描述裡遍布諸如此類的矛盾，才愈發需要「解除神話」，這些矛盾恰恰表明其中的有些說法至今仍在與我們對話，而有些說法對我們來說仍然是封閉著的，只有透過破譯才能獲取本義。

那麼，如何才能破譯「新約神話」呢？前面提到，布爾特曼在這個問題上主張的是「一種人類學的」亦即存在主義的解釋觀念。但值得注意的是，這種主張並不簡單意味著用存在主義的哲學語言

* 布爾特曼：「新約聖經與神話學：解除新約聖經福音宣告神話的問題」，《新約聖經與神話學》，台北：使者出版社1989年版，第19頁。

來「翻譯聖經」，而是從根本上反映著布爾特曼對經典解釋的方法論問題的重新理解。按照他的觀點，「解除新約神話」和對其他經典的解釋一樣，應當是一種不帶任何偏見的歷史解釋。然而，就經典與解釋者的關係而言，解釋者並不是「一塊白板」，「一個旁觀者」，而總是帶著特定的問題或特定的提問方式來探討經典的；也就是說，是「問題」在引導著解釋，是「提問方式」打開了解釋者的眼界，以看清經典的內容。所以，作為一種歷史理解的經典解釋，一方面必須沒有偏見，另一方面又不能不具備先決條件，這就是根據「歷史—批判的方法」來再現解釋者與經典之主題之間的關係。

瀏覽布爾特曼的主要論著，可以肯定，他主張的存在主義解釋觀念所強調的就是上述關係。解釋者與經典之主題之間的這種關係，應當是「活生生的」或「真實的」，即植根於解釋者的「生命脈絡」或「整個存在」；就是說，只有經典所表達的主題與解釋者有一種「生命的關係」，並對解釋者來說是一種「存在的難題」，其歷史意義才能對解釋者「說話」，為一代又一代的解釋者所理解 *。在布爾特曼那裡，根據以上關係而構成的先決條件被稱為「先在的理解」，由此推出的解釋結果則被看作是「存在之相遇」。

如同其他歷史經典，新約聖經也有其特定的主題，即「福音宣示」（Kerygma）。對解釋者來說，這種福音宣示所談論的就是人的存在問題，或者說，是自我生存的難題。它在位格上布道，向人們指明了一種理解自我存在的可能性，並呼召著人們對之作出一種

---

* 參見布爾特曼：「沒有預設的經典解釋是可能的嗎？」同上書，第219～231頁。

「生存之決斷」，是「接受」還是「拒絕」，是「生存」還是「死亡」。

所以，對存在主義的解釋方法，布爾特曼有如下說明：「存在主義者的詮釋，並未製造聖經和讀者有存在的關係；它只揭示這種關係。它並未為聖經的真理辯護；不過，卻指出了這種真理，以及教導我們去理解它。同樣，對聖經作存在主義者的詮釋，並未為福音宣告辯護；可是，它卻把正確的概念思考，提供給福音宣告。最後，它並未為信心辯護；不過，他卻指明什麼是信心的根基，而且，它也能使信心規避對自我的誤解。如果這種詮釋本身，是植根在一種存在的自我理解上；那麼，在它裡面，就必須對聖經擁有一種理解。這種理解，超前於對它的概念思考，作有規律的展露——這正像與它的對象有一種『生命關係』，乃優先於任何的科學一樣。因此，這種理解，是『前科學的』；它未必已經成為一種有信仰的理解，不過，卻能夠用一種問題——即有關自我理解的存在問題——的形式，作完全周延的呈現。」* 關於「解除新約神話」的目的，他是這樣理解的；「在消極上，只要神話的世界圖象，隱藏了神話的真實意圖；那麼，解除神話，便要批判這種神話的世界圖象。積極上，解除神話，就是存在主義者的詮釋；藉此，它便企想澄清神話想談論人的存在的意圖。」**

作過以上分析，我們便可來看看布爾特曼是如何解除「新約神話」，解說「救恩事件」的。

（1）關於「基督」

在新約聖經裡，「基督事件」顯然是被當作一種神話來加以描

---

* 「論解除神話的問題」，上書，第150～151頁。

** 同上書，第144頁。

述的。但這種神話描述並不完全類似於古希臘神話，而是包含著歷史的成分，是歷史與神話的結合。耶穌基督是神的兒子，是一位自太初就有的神；可同時他又被描寫成一個歷史人物，是身為拿撒勒人的耶穌，由童貞女瑪利亞所生，是約瑟的兒子，死在十字架上，死後又復活。按布爾特曼的解釋，諸如此類的描述無非是在表達信仰，突出耶穌基督的重要意義。對我們來說，不僅無須追究耶穌基督何許人也，其人其傳說的歷史根據何在，反而只有放棄這類一般意義上的歷史問題，才有可能理解大量神話描述所隱含的真實意義。在布爾特曼看來，「基督事件」的意義集中體現於「十字架」和「復活」。

（2）關於「十字架」

如果僅僅著眼於《新約》裡的描述，「十字架事件」也只能理解為一個神話。但布爾特曼認為，十字架作為救恩事件或歷史事件，其重要性是透過一種特殊的思維模式表達出來的，即把歷史的事件上升為「宇宙的或末世的事件」。這也就是說，耶穌被釘上十字架，並不是一個神話人物的故事，也不是一個發生於過去的孤立事件；而是表達了一種能改變歷史的新取向，一種有永恆意義的生存決斷。

因此，對一個信仰者來說，耶穌基督的十字架與苦難是「當前的」。相信這個作為救恩事件的十字架，並不是要接受某種事過境遷的神話，反而意味著將其當作自己的苦難，讓自己和耶穌基督一起釘上十字架，一起接受對世人、對這個世界的審判。所以，作為一種歷史事件，十字架所開創的是新的存在境況；藉此而宣告的福音則把一種決斷擺在了聽眾面前：你是否願意接受救恩，是否願意和耶穌基督一起背負那沉重的十字架。

（3）關於「復活」

從《新約》的描述來看「復活」，好像是一個有確切證據的奇蹟。例如，保羅對此事早就有預言；耶穌死後，有很多人親眼看到了「空墓穴」；在以馬忤斯的路上，耶穌和兩個門徒交談；此後耶穌又在耶路撒冷向十一個門徒顯現，說自己是有「肉體的」，讓他們為復活作見證；還有，耶穌給眾門徒祝福升天……布爾特曼認為，這類描述並不能證實「復活」就是一個客觀的事實，是一種無可置疑的奇蹟，因為這是由該事件本身的性質與意義決定了的。對「復活」不能作單獨的解釋，它和「十字架」乃是一體的，屬於同一個「宇宙的或末世的事件」。

如前所述，這個事件的歷史意義即在於：對這個世界進行審判，為真實的生存提供可能。「因此，復活並不是能使十字架的意義成為叫人信服的神話事件；不過，就在有人相信十字架的意義時，他也才會相信它。事實上，相信復活簡直就是只相信作為救恩的事件，作為基督十字架的那個十字架。」*

上述解釋難免使人追究一個老問題：怎樣才能理解乃至相信作為救恩事件的十字架呢？在布爾特曼看來，答案似乎只有一個：那位被釘上十字架的耶穌基督、那位復活者不是在什麼「地方」，而是透過福音宣示——「道」而和我們「相遇的」。這是一種「生存的相遇」。在這種意義的相遇裡，相信了「道」，也就對「十字架」和「復活」產生了信心。若像歷史學家那樣，非要探討這種奇蹟的歷史根源，將其還原成眾門徒的經驗或幻覺，難免導致誤解。對基督徒來說，「復活」並非歷史研究的對象，而是一種「信仰的對

---

* 「論解除神話的問題」，上書，第60頁。

象」。因此，「耶穌基督之復活」顯然比「一個普通人死而復生」談論得更多。它是一個「有現時意義的末世事件」，是對「死」的廢除，對「新生」的宣告，是對「罪」的努力掙脫，對「自我」重新理解，是作為救恩事件的十字架的完成……

第五節　象徵理論

按一些評論家的看法，托馬斯的「類比學說」所代表的是一種經典原則、一種正統權威，至今仍對宗教語言研究有重要影響，而在方法論上唯一能與之相提並論的一種現代觀念，就是著名新教神學家、哲學家蒂利希的「象徵理論」，這種評價有一定的道理，因為「象徵理論」在蒂利希那裡不僅僅是文化神學體系的一個組成部分，而且是對宗教語言問題研究現狀的一種整體性反思，即涉及的宗教用語與人類語言、文化活動的一般關係，又和當代文化背景密切相關。

蒂利希認為，這種語言形式，包括《聖經》的語言，都屬於人類文化創造活動的結果。事實上，人類精神活動的所有功能都是建立在有聲或無聲的語言形式基礎上的，宗教信仰也不例外。就宗教信仰和語言形式的關係來說，「人的終極關切非得象徵性地表達出來，因為只有象徵性的語言才能表達這種終極。」* 考慮到當代人文研究在象徵問題上的理論分歧，蒂利希在具體闡明上述觀點前首先提出了他對象徵問題的一般看法。

按照蒂利希的看法，所謂的象徵就是語言。一般說來，作為一種語言表達形式的象徵主要具有如下六個特點：

（1）象徵意指自身之外的他物。

在這一點上，象徵（symbols）與記號（signs）有相似之處。譬如，街頭的紅燈並不表示自身而是示意停車。紅燈和停車二者在

*　蒂利希：《信仰的動力》（Dynamics of Faith, New York: Haper and Row, 1957），第41頁。

本質上沒有什麼關係，它們之間的直接聯繫主要是靠交通慣例建立起來的。字母、數字、甚至包括部分詞語也是如此，它們都是用來意指自身之外的意義或聲音的，這種特殊功能也是靠某些慣例形成的。因此，上述這些記號往往也被看作是象徵。但這樣一來，容易造成語言混亂，給象徵與記號的邏輯分類帶來困難。蒂利希指出，一個具有關鍵性意義的事實在於，記號並不介入它所代表的對象，而象徵則必須介入。這就導致了象徵的第二個特點。

（2）象徵必須介入它所意指的對象

比如，一個國家的國旗實際上就是一種象徵。因此，作為象徵的國旗標誌著一個國家的勢力與尊嚴。除非一個國家發生了歷史性的變遷，否則，該國的國旗是絕不可能被其他任何象徵所取代的。

（3）象徵所揭示的是我們用其他任何方式都無法感觸的現實生活中的某些層次

例如，各門藝術均為揭示現實生活中的某個層次創造了一些特定的象徵，而對於這個層次的感受是用其他任何方式也無法獲得的。顯然，一幅畫或一首詩所展現的現實因素，如果靠科學的方法是根本無法認識的。這就說明，現實生活中的某些層次或因素通常是遮蔽著的，而藝術創造活動想要觸及的就是這樣一些層次或因素。

（4）象徵還能揭示出人類心靈中與實在相對應的那些層次

譬如，一齣好戲給予我們的不只是對人情世故的一種新的感受，而且還使得我們自身存在中的某些深藏不露的層次昭然若揭。唯其如此，我們才能誠心接受這齣戲所表現的實在。這也就是說，在人類心靈中有一些層次，只有藉助一些特殊的語言象徵，像音樂的旋律與節奏等等，才能加以把握。

（5）象徵是個體或群體的無意識活動的產物。

象徵不可能有意識地創造出來， 它們大多都是個體或群體的無意識活動的產物。換言之，一種象徵假若不被我們自身存在中的無意識層次所接受，它便不會有任何功能。至於那些具有某種特殊社會功能的象徵，像政治的象徵或宗教的象徵，即便不是群體無意識活動的產物，至少也要被群體無意識所認可。

（6）象徵是不能被發明或創造的。

如同生物現象一樣，象徵也是有生有滅的。每當條件成熟時它們便出現了；而當條件改變時它們也隨之消失了。例如，「國王」這個象徵就是在特定的歷史時期出現的。而到現代，這一象徵在世界絕大多數地區的政治生活中都已失去了原有的意義。所以，象徵不會由於人們的渴望而出現，也不會因為科學的或實踐的批判而失效。象徵之所以能喪失功能，主要是因為它們在其賴以生存的群體無意識中不再產生反響了。

總之，以上六點就是各類象徵共有的主要特點。在蒂利希看來，宗教象徵就本質而言是和其他象徵形式一樣的。宗教象徵也向人類心靈展現了實在整體中的一個層次。這個層次假如不用宗教象徵來揭示，就依然是遮蔽著的、深藏著的。蒂利希把這個層次稱為「實在本身的基本層次」。他解釋道：「實在中的這個維度是所有其他維度和深度的基礎，因此它不是與其他層次並列的層次，而是基本的層次，是其他所有層次的根底，是存在本身的層次，或者說「是存在的終極力量。」*

---

* 蒂利希：《文化神學》（Theology of Culture, Oxford University Press, 1959），第6頁。

蒂利希大致就是這樣把象徵、宗教和存在三者聯繫了起來，並斷言作為終極關切的宗教信仰是必須用象徵性語言來加以表達的，即宗教信仰的語言表達形式就是象徵。為了充分說明這個基本觀點，他在其名著《信仰的動力》中曾以問答方式，通俗地解釋了與宗教象徵有關的一系列問題。

問題A：為什麼宗教信仰或終極關切不能用直接而恰當的方式表達出來呢？比如，要是一個人把金錢、名望或國家當作自己的終極關切，難道這類終極關切也非用象徵性的語言才能表達出來嗎？也就是說，如果終極關切的對象不叫「上帝」，難道還擺脫不了象徵的應用範圍嗎？

蒂利希回答：作為終極關切的任何事物都有可能轉化為一種「神靈」。如果有人把國家看作自己的終極關切，那麼，這個國家也就帶有了某些神秘性質，其國名也隨之彷彿變成了一個神的別稱。同理，作為終極關切的金錢和名望也可作如是觀。只不過在上述所有這些情形下，原先表示普通現實的那些概念都變成了終極關切的「偶像之象徵」（idolatrous symbols）。因此，它們皆屬以「偶像崇拜」的方式表現出來的象徵。

蒂利希指出，概念之所以能轉化為象徵，其原由正是終極的特徵和信仰的本質所在。真正的終極總是從有限的存在趨於無限的存在，而任何無限的存在都是不能以直接而恰當的方式加以表達的。因此，無論人們的終極關切是什麼，也不管人們是否把它叫做「上帝」，只要是一種終極關切就有一種象徵意義，而且其意義必定既超出自身的存在又介入自己的意域。所以說，「信仰並無其他任何適當表達自身的方式。信仰的語言就是象徵性的語言。」*

* 《信仰的動力》（英文版），第45頁。

問題B：信仰的象徵僅僅是一種象徵嗎？

回答：如果提出這樣的問題，那就意味著提問者既沒有理解象徵與記號的重大區別，也沒有領會到象徵性語言的強大力量。其實，無論在性質上還是在強度上，象徵的力量均是遠遠超出任何非象徵性語言的。因此，不應該說信仰的象徵「僅僅是一種象徵」，而應當講「不僅僅是一種象徵」。只有首先明確這一點，才有可能進一步理解不同種類的宗教象徵。

問題C：如果說「上帝是我們終極關切的基本象徵」*，那麼，為什麼會有這個象徵呢？

回答：「就是為了上帝！上帝就是為了上帝而有的基本象徵。」** 但是，在上述答案裡還有必要進一步區分「上帝」這個概念所包含的兩種因素：第一，「終極的因素」，這不是一個象徵本身的問題，而是一個直覺體驗的問題；第二，「具體的因素」，它直接來源於我們的日常經驗和用於上帝的象徵。例如，一個讚美耶和華的人，他既有一種終極的關切，又有這種關切對象的具體意象。又如，一個崇拜阿波羅的人實際上也有他的終極關切，但這種終極關切並非表現為抽象的形式，而是以阿波羅這個神聖人物為象徵的。蒂利希指出『這就是上帝是上帝的象徵』這個看似神秘的陳述的意義。正是就此確定意義而言，上帝是信仰之基本的、普遍的內容。」***

---

* 《信仰的動力》（英文版），第45頁。

** 同上。

*** 同上書，第46頁。

問題D：既然神聖人物是終極關切的象徵性結果，那麼，這些人物是否存在呢？

回答：這個問題本身就是無意義的。假若「存在」一詞是指能在實在的整體中被人們所發現的人或物，那麼，任何神祇都可以說是不存在的。事實上，有關上帝概念的存在性理解，已經使得「上帝是否存在」這場古老的爭論變得毫無意義了。現存的問題是：在信仰所能採用的無數象徵形式中，究竟哪一種象徵最適合表達信仰的意義呢？換言之，哪種終極象徵既能表達真正的終極關切而又不含有偶像崇拜的消極因素呢？這才是問題的實質所在。而所謂「上帝的存在」，其本身就無異於一種語言混亂。在人們的終極關切中，作為終極的上帝是比其他任何確定的事物、甚至包括自我都無可置疑的東西。

但與此同時，蒂利希強調，上帝是信仰的基本象徵，可絕非唯一的象徵。上帝的所有屬性，諸如力量、仁愛、正義等等，都是有限經驗和運用象徵的結果。例如，把上帝稱為「全能者」，這就是為了象徵我們的終極關切而運用了日常生活中有關權勢的經驗，而不是在描繪一位至高無上、隨心所欲的統治者。對於人們賦予上帝的其他種種屬性與行為，無論是過去的、現在的、將來的，都應該這樣來看。所有這些說法都來源於日常生活經驗，都屬於象徵性的表達，而不是什麼上帝在過去或將來的所作所為的真實記載。換言之，「信仰並非相信諸如此類的故事，而是接受以神聖行為來表達我們終極關切的象徵」* 另外，還有一類宗教象徵叫做「顯聖」。

---

* 《信仰的動力》（英文版），第49頁。

顯聖現象遍及人物、事物、事件、群體、詞語、教義等等。這類現象堪稱「一座象徵的寶藏」。但必須注意到，顯聖的對象本身並不神聖，它們的意義在於顯示「神聖之源泉」。

最後，蒂利希還討論了神話與象徵的關係問題。他認為，信仰的象徵並不是孤立出現的，它們總是在「神明史話」（stories of the gods）中連結起來。而「神明史話」是希臘語「神話」（mythos）一詞的本義。綜觀希臘神話、印度神話和波斯神話便可以發現，這些古代神話的確構成了一個博大奇妙、變幻不已的世界，可它們卻有一個基本的相似之處：「以神聖的人物和行為來象徵人的終極關切。神話就是在神——人相遇史話裡結合起來的象徵。」* 因此，神話就本性而言即是宗教象徵的一種連結方式。儘管在歷史上各種神話相互衝突，此消彼長，但神話本身卻始終沒有從整個人類精神生活中銷聲匿跡。其原因就在於，「神話是我們的終極關切的象徵連結」，「唯有象徵與神話才能表達我們的終極關切」**。

現存的問題是，神話能否表達各種終極關切呢？有些神學家認為，「神話」一詞僅僅適用於「自然神話」。因為自然神話都是在終極意義上來理解循環往復的自然過程的，例如，對季節的理解。如果像基督教和猶太教那樣，把整個世界看成一個有始終、有中心的歷史過程，那麼「神話」一詞就不再適用了。

蒂利希指出，在這些神學家那裡，「神話」顯然不再被理解為表達人類終極關切的語言了，而僅僅是這種語言的陳舊用法。然而，歷史卻證明：不僅有「自然神話」，而且也有「歷史神話」。如果像古波斯人那樣，把大地看成兩種神聖勢力激烈衝突的戰場，這

*/** 《信仰的動力》（英文版），第50頁。第53頁。

就是一種歷史的神話；如果有人以為，是富有創造性的上帝選擇並引導著某個民族來改觀整個人類歷史，這也是一種歷史的神話；如果有人相信，耶穌基督是應運而生才布道、遇難、復活的，這還是一種歷史的神話。雖然基督教的歷史地位高於那些沿襲自然神話的宗教，但和其他任何宗教一樣也是運用神話語言的。誠然，它所運用的是一種「破譯了的神話」（a broken myth），可不能否認這仍舊是一種神話。否則的話，基督教就不會是人類終極關切的一種表達方式了。

第六節　問題點評

宗教語言問題作為當代宗教學的一個研究熱點，其各種觀點與大量爭論遠不是用一章的篇幅能概括的。但透過討論前面幾種較有代表性的解釋傾向，還是可以明顯看到，與傳統理論相比，當代學者的觀念確實發生了重大變化，他們致力於新的學術嘗試，尤其是注重反省方法論上存在的基本問題。為說明這一點，我們可圍繞幾個要點，試對前述幾種解釋傾向作些評論。

（一）關於宗教語言的獨特性

前面提到，宗教語言的獨特性，即宗教語言的專門用法與特殊含義，從一開始就是誘發研究者們深入思考宗教語言現象的一個主要原因。這在邁蒙尼德、托馬斯等中世紀著名思想家那裡就有明顯反映。因此，在歷史的與邏輯的雙重生成意義上，我們都可以肯定：如果不存在宗教語言的獨特性，也就沒有必要對宗教語言問題進行專門的學術研究。然而，在本世紀50、60年代達到白熱化程度的那場神學命題語義之爭，卻逼迫著當代研究者們重新評估宗教語言的獨特性。在挑戰者們的猛烈衝擊下，一時間大有將宗教語言問題驅逐出哲學思維領域的勢頭。

這是一場空前的挑戰。挑戰者一方信奉的是一種唯科學主義的方法，據此發出的是一種純理性的懷疑或詰難。按照挑戰者的邏輯，假如宗教語言是獨特的，是值得思考的，那麼，由這種語言構成的陳述或命題就必須是有事實根據的，因而也能為經驗觀察所證實或證偽的；否則的話，便是主觀虛構的、沒有意義的。

首先應當承認，上述挑戰或詰難的提出，給宗教語言問題研究帶來的是一種歷史性的變革。這場挑戰出現前，研究者們之所以在很長時間裡沒有懷疑過宗教語言的意義問題，一個重要原因就是宗教語言研究始終沒有引起世俗學者的充分重視，而長期囿於神學家或信仰者圈子裡的有關研究又一直沒能擺脫傳統的依附性，這主要表現在中世紀以來對宗教語言問題的哲學思考基本上是以信仰為前提的，而不是以理性批判為基礎的。就此而言，挑戰者們掀起的這場來勢凶猛的神學命題語義之爭，應給予較高的歷史評價。不論他們發起挑戰的初衷何在，也不論他們投入爭論的傾向如何，其後果已在客觀上使宗教語言問題研究開始從神學家的衛道論壇走向當代學術批判領域，從絕對信仰的立場轉向獨立的反思；這樣也就開始真正有了學術爭論的雙方，為宗教語言問題成為一個研究熱點，成為解開信仰之謎的一條邏輯途徑提供了可能性。

但以上評價還應基於這樣兩點冷靜的認識：首先，挑戰者們所造成的客觀效果在很大程度上是與其主觀動機相背離或相衝突的；其次，從結局來看，應當說這場挑戰是極不成功或了無結果的。究其原委，這是一種哲學方法論的失敗。對此，至少可以指出以下三點：

第一，「證實或證偽原則」的外在侷限性，「證實或證偽原則」是邏輯實證主義語言哲學觀念的精神所在，而邏輯實證主義在本世紀上半葉又是當代哲學思潮中最有影響的派別之一。因而，「證實或證偽原則」之被引入現代宗教語言問題研究也就成了一種自然而然的學術現象。可現在回過頭去看，像前述挑戰者們那樣，比照一種外在的原則，把宗教語言視同為科學語言，進而再將意義標準混同於經驗事實，這種挑戰方式似乎過於偏激、過於狹隘了。

如何消除日常語言的含混性或歧義性，真正實現科學用語的精確性或完善性，這至今還是語言哲學的理想追求。在這一方面，邏輯實證主義所倡導的「證實或證偽原則」對於科學命題的分析，特別是符號邏輯的發展，確有不可忽視的積極意義。但與此同時，隨著當代語言哲學思考的逐步深入，人們也清楚意識到，人類語言的實際用途是豐富多彩的，而力圖以任何一種語義理論來衡量或統一全部入類語言現象的做法，恐怕都是行不通的；至少就人類目前的交往狀況而言，這類嘗試尚不具備現實的條件。換言之，任何現有的語義標準均是有其特定的侷限性或應用範圍的。邏輯實證主義的語言觀念也不例外。因此，若以所謂的「證實或證偽原則」來簡單限定或否定宗教語言的獨特性，難免以偏概全，誤作結論。

第二，「證實或證偽原則」的內在侷限性。「證實或證偽原則」的運用，不光有外在的侷限性，而且也有其內在的侷限性。後來的實踐結果表明，即使在自然科學命題的範圍內，「證實或證偽原則」也並不是一種全能的或普遍使用的分析工具。自然科學研究作為一種理性的探索活動，是不可能排除邏輯假設的。自然科學意義上的假設總是立論於事實性與非事實性二者之間。也就是說，它們往往既有部分事實作為前提，又缺乏充足的事實作為根據。自然科學史上不乏這樣的事例，很多假設是有意義的真命題，但在當時的研究狀況下卻是既無法證實又不可證偽的。例如，在光現象的研究中曾長期對立的「波動說」和「微粒說」。除了這裡提到的假設外，「證實或證偽原則」是否還會排斥其他一些有意義的自然科學命題呢？這個問號也不是能輕易抹掉的。

第三，「證實或證偽原則」的自身矛盾性。這是一個有爭議的問題。有些批評者指出，就邏輯實質而言，所謂的「證實或證偽原則」在語義問題上格外強調的是一種經驗的尺度。那麼，如果把這種原則本身當作一個命題，反過來用它所強調的經驗尺度加以衡量，我們能否肯定該原則本身也是有意義的呢？顯然，沒有任何能明確觀察到的經驗事實，可用來證實所謂的「證實原則」。既然如此，這樣一種本身缺乏意義的原則還有沒有資格來充當驗證意義的標準呢？

對於這個問題的不同解釋，又引起了另一場語言哲學爭論，即如何理解「第一等級的陳述」（first-order statement）與「第二等級的法則」（second-order rules）的相互關係。「證實原則」的維護者們一再強調，該原則就是「如此」，就是「一種原則」，因而其本身不必再置於其意義標準之下。也就是說，該原則實質上屬於「第二等級的法則」，是用來指導「第一等級的陳述」的。批評者們則堅持認為，這種解釋是難以接受的，因為按其意義標準，該原則是自相矛盾或自我否定的，是沒有任何意義的。目前，這場爭議尚無實質性的進展。

（二）關於宗教語言的複雜性

在當代宗教語言研究領域，功能分析傾向可看作是與語義分析思潮相對立、相抗爭的另一股邏輯勢力。總的來看，如果說隨著邏輯實證主義語言觀念的衰退，前述那場神學命題之爭已暫告段落，那麼，當代學者有關功能分析的種種嘗試還只能算作剛剛起步。和語義分析思潮相比，儘管在功能分析這邊至今還沒有形成引人注目的焦點問題，也沒有出現短兵相接的理論交鋒，但作為一個整體，由諸種嘗試相輔相成的功能分析傾向正逐步開闢出一條新的學術思路，一個新的研究領域。這就是以充分肯定宗教語言的獨特性為出發點，而以廣泛揭示宗教用語在社會生活、乃至整個文化活動中的複雜功能作為主要目的。從布雷思韋特經過蘭德爾再到范布倫，這條研究思路日漸呈現出多元化的發展趨勢。

不言而喻，功能分析傾向的多元化，其成因在於現存學術觀念的雜多性。對此，我們應注意這樣兩個相關的方面：一是，對於宗教語言基本性質的不同理解；另一是對宗教語言主要功能的不同解釋。如果把這兩個相關的方面看成同一認識過程中的「質」與「量」，即前者是對研究對象的質的規定性，而後者是對研究對象的量的描述，那就可以指出，前者是起步不久的功能分析所面臨的首要問題。以往的嘗試者們正是由於對宗教語言的獨特屬性抱有不同的理解，作出不同的規定，才選擇了不同的分析傾向，得出了不同的解釋結果。一言以蔽之，是質的規定性在決定著量的描述角度與深度。關於這一點，我們不難藉下列幾種或分歧或交錯的質的規定性悟出幾分苗頭：宗教論斷所表達的主要是某種道德觀念（布雷思韋特）；宗教用語屬於一種非認識性的、非表現性的象徵（蘭德爾），宗教語言實質上應看作是一種「邊緣性的語言活動」（范布倫）。

原則上說，主觀性的認識是客觀對象的反映。對象的複雜性必然導致認識的多樣性。從功能分析的後期研究成果來看，對於宗教語言複雜功能的強調，是作為探討研究對象的獨特性的一種方法論觀念而提出來的。因此，假如這種學術觀念或研究手段是合理的，亦即在宗教語言的獨特性之下包含著其功能的複雜性，那麼，作為認識結果的「質的規定性」與「量的描述」也應該是五光十色、多種多樣的。這就是說，對於宗教語言這樣一個複雜的認識對象，研究者們的觀念差異與理論分歧將是一種正常現象。

但就功能分析面臨的首要問題而言，現有的幾種主要嘗試在質的規定性上提出的不同觀點，還只能看成是處於一種初始的、不成熟的研究局面，因為目前在這個問題上只有自然的分歧，而缺乏正常的爭論乃至激烈的批評。或許，這也正體現了功能分析傾向的巨大發展潛力。因而，如何抓住宗教語言的質的方面，透過批判現有的主要觀點去發掘更能反映認識對象本質特徵的邏輯規定，以便為具體解釋宗教語言的複雜功能提供可靠的嚮導或可行的準則，這對今後的功能分析來說是需要突破的關鍵一環。

在肯定功能分析傾向的積極影響的同時，我們也該注意到以往幾種主要嘗試在方法論上共有的一種偏見，這就是只注重宗教語言的現實功能，而撇開其事實根據於不聞不問。從前述理論背景來看，這種偏見的形成似乎情有可原。作為邏輯實證主義語言觀念的一股抵制力量，力主功能分析的哲學家們一般都強烈反對用自然科學意義上那狹隘的經驗事實來充作衡量宗教語言的意義標準，而傾向於把宗教語言的實際用途或現實功能視為意義的寓所。這種認識傾向顯然有一定的合理成分。

然而，必須指出的是，在那場激烈的宗教命題語義論爭裡，挑戰者們發出的邏輯詰難也並非不著邊際、毫無根據。他們根據「證實或證偽原則」而就宗教命題的真實意義提出的質疑，其理由就在於，近百年來虔誠的宗教徒或神學家們一直堅信像「上帝存在」、「上帝愛人」這樣一些宗教陳述是真實的，是有無庸置疑的事實作為根據的，而這種事實性恐怕也就是信仰的寄託與追求的可靠性所在。那場爭論的結果表明，挑戰者們對於「事實」的理解是過於偏頗了，因而他們的意義標準或證實原則是不適於宗教語言問題研究的。但這絕不意味著，他們提出的問題是完全沒有參考價值的。假如宗教命題真有事實根據，而這類事實又不是自然科學意義上的，那麼，它們又具有哪種性質呢？是歷史的、文化的，抑或心理的下意識的，還是神話的，不可言說的呢？是獨具某種性質，還是兼有幾種性質呢？這種或幾種性質的事實又和自然科學意義上的事實有什麼區別、有什麼聯繫呢？所有這些值得深入思考的問題的形成，應當歸功於失敗了的挑戰者們；或者說，是他們為後人留下的主要教義。

同時，那場爭論也向人們表明，不論對無神論者還是對有神論者來說，宗教命題的事實性均是一個不可迴避的基本問題。不僅無神論的研究者們唯有抓住這種事實性才能對宗教語言現象展開理性的批判，而且宗教徒或神學家們也只有對其有所把握，才能有所信仰，有所論證。說到這裡，讀者或許還記得黑爾所創作的那個不信任何事實的瘋子。那個瘋子本來是黑爾用來喻明宗教信念的重要意義的，可到頭來他卻成了批評者們用來攻擊黑爾的把柄。為什麼會是這樣呢？毛病就出在瘋子的態度披露出了黑爾否定宗教命題事實性的心計。

總而言之，事實性確是任何命題的意義所繫。因此，如果功能分析傾向依然固執其方法論偏見，置宗教命題的事實性於不顧，而不從語義分析思潮當中發現有價值的問題，吸取應記取的教訓，那麼，任何對宗教語言複雜功能的解釋便很難站住腳跟。換句話說，在突破功能分析傾向的研究現狀，對宗教語言的獨特性作出合理的質的規定之前，我們還需要就宗教語言的事實性進行一番深入的反思。

（三）關於宗教語言與日常語言的關係問題

對學術批判來說，通貫於整個宗教語言研究過程的基本問題是什麼呢？這在目前還是一個有待深入思考、有待達成共識的問題，因為從現有資料裡還找不到關於這個問題的明確提法。

在第一節概述宗教語言問題研究的生成背景時，筆者曾有意識地把「核心問題」或「基本問題」歸結為「宗教語言與日常語言的相互關係」，而在具體考察過當代研究現狀後，已有較可靠的根據把上述提法落實下來。筆者認為，落實這種提法不僅可以如實反映整個研究工作的邏輯起因，為準確把握有關認識觀念的歷史發展線索提供分析依據，同時又可以充分明確全部研究工作的中心任務，使今後的探討致力於闡發宗教語言的「語義生成基礎」或「語言本體」。出於以上考慮，我們在本章結尾部分試以布爾特曼和蒂利希作為對象，透過扼要評述二者的方法論觀念來分析一下前述基本問題的具體表現與晚近解釋動向。

當代著名的宗教學家麥奎利（John Macquarrie）作過這樣一種評價：布爾特曼的《新約》解釋觀念是以「人類語言」為出發點的。也就是說，他是在人類語言一般用法的基礎上，進一步探討這些用法何以能合理擴展，用來談論某個神聖主題的。這就使布爾特曼聯繫人類生存狀況，把「新約神話」轉譯成了一種現代讀者可理解的語言。比如，「創世傳說」並非關於宇宙起源的描述，而是表達了人對其自身有限性與依賴性的理解；「墮落的故事」並非對人類原罪的記載，而是反映了人在存在中意識到的無秩序性；「耶穌之死與復活」被解釋為掙脫人性疏離的世界而回歸真正的自我、走向一種新的存在；「末日審判」則被理解為生存境遇之緊迫，生存總是面對著死亡，等等＊。以上評論的確點到了布爾特曼宗教語言

＊　參見麥奎利：《神學的語言與邏輯》，四川人民出版社1992年版。第二章。

觀點的特徵所在。

從布爾特曼所作的存在主義解釋來看，他真正重視的不是聖經本文的原始字義，而是其主題的意義，特別是在當代文化背景下能對人類生存境況產生什麼決定性的影響。為做到這一點，布爾特曼區分了聖經本文的兩個組成部分或因素，即「語言描述」和「福音宣示」。「語言描述」屬於外在的形式，是特定的文化背景及其思維方式的產物；作為「福音宣示」的內容則反映了一種神聖的、永恆的生存主題。所以，當代聖經解釋學面臨的主要任務就是如何解除舊有的語言描述形式，使本文的真實意義展露出來。

就宗教語言與日常語言的關係問題而論，布爾特曼根據上述區分而闡發的解釋觀念，可促使後來的研究者們在方法論上思考很多問題。首先，宗教語言歷來就是和特定的文化背景、尤其是思維方式相聯繫的，而這種聯繫又是變化的。比如，《新約》所藉助的就是神話的語言，這說明神話的思維方式在早期的文化背景下是可理解的，是有其日常語言基礎的。可對當代文化背景來說，這種古老的神話語言是和科學思維方式相矛盾的，因而也就有了重新理解或解釋之必要。

其次，舊有的語言描述方式的過時，並不簡單意味著可用時下流行的日常語言及其思維方式取而代之，更不能因語言描述方式的破除而否定其表達的內容。譬如，相對於神話的世界觀，近現代科學確是一種思維方式的革命。但問題在於，能否用這種科學的世界觀作為解釋宗教經典的唯一或絕對標準呢？可以說，正是透過反省這個問題，促使布爾特曼對近現代最流行的兩種聖經解釋思潮進行了尖銳批評。

「自由神學」與「歷史學派」的解釋觀點雖然都以理性的語言

打破了「新約神話」，但其結果是作為內容的福音宣示也隨之被消除了。二者的不同僅僅在於，自由神學家們將福音宣示化簡為一種主觀的倫理學，而歷史學派則企圖再現某種純客觀的歷史事實。布爾特曼發人深省地指出，對聖經解釋學來說，神話語言與科學語言並不是非此即彼、二者只能取一的。難道除了這兩種語言就沒有其他理解方式了嗎？難道像「我愛你」、「請原諒」之類的陳述，能用科學語言來表達嗎？日常生活中的陳述尚且如此，更何況宗教語言所要表達的信仰內容。

最後，聖經解釋和其他文化典籍的研究一樣；其關鍵問題在於：怎樣揭示本文之主題或內容賴以產生意義的人類語言基礎。布爾特曼強調，對於新約神話語言的解除，也屬於「歷史的理解」。所謂的歷史知識實際上就是關於我們自己的知識；在理解或解釋藉助文字記載下來的歷史的同時，我們也就學會了認識「我們自己的現在」。因此，「歷史的理解」總有一個不可忽視的基本前提：文獻或經典與解釋者之間存在著一種「關係」。此乃一種活生生的「生存關係」；唯有透過這種關係，解釋者才有可能與歷史對話，理解本文之主題或內容所表達的生存難題。這也就是說，解釋者和歷史學家一樣，並不是以旁觀者或中立者的姿態面對歷史的，而必須以自己的整個存在來參與歷史，與歷史過程發生一種「存在的相遇」。

以上對「歷史理解的基本前提」——生存關係的強調，不僅不會導致歷史解釋的主觀性或喪失歷史理解的客觀性，反而意味著：解釋者只有首先作為一個抱有生存之關切的、活生生的歷史主體，才能如實理解歷史或本文的客觀意義。換言之，「如果歷史現象，不是能夠作中立觀察，卻是藉著它們的意義，向活生生研討它們的人來揭示自己；那麼，它們現在只有重新對每種現在的情形說話，才始終能夠被人來理解。」* 因而，對宗教經典解釋來說，真正的問題在於其本文能否提供「一種對我們自己的理解」，其主題是否對我們有「一種決定性的生存意義」。由此來看，自然科學所突出的那種一分為二、截然對立的主客體關係，對宗教經典解釋學乃至整個歷史解釋方法論便失去有效性了。

在以上結論裡，我們可以看到布爾特曼對當代歷史哲學思潮的一種呼應。克服近現代自然科學方法論對歷史解釋觀念的消極影響，重新反省「歷史理解的特性」，這是當代歷史哲學家們的一個觀念轉折點。先是克羅齊（Benedetto Croce, 1866～1952年）指出「一切歷史都是現代史」，繼之又有柯林伍德（Robin George Collingwood, 1889～1943年）強調「一切歷史都是思想史」。布爾特曼抓住聖經解釋學的問題而對「歷史理解之基本前提」的具體分析，與克羅齊、柯林伍德等人的歷史解釋觀念可謂異曲同工。

蒂利希和布爾特曼雖然屬於同時代的學者，也傾向於存在主義的語言解釋觀念，但他所主張的「象徵理論」卻把宗教語言與日常語言的關係問題納入了一種更廣泛也更深刻的思考，因為在他的文化神學體系裡，該問題的討論已不再侷限於聖經解釋學本身，而是放眼於整個文化背景，力圖使宗教語言和文化本體得以溝通。

如前所見，蒂利希首先肯定，各種語言形式，當然也包括《聖經》乃至全部宗教用語，都是人類文化創造活動的產物；可就特徵而論，宗教語言又是一種象徵性的表達方式。因此，蒂利希是由

---

* 布爾特曼：「沒有預設的經典釋義是可能的嗎?」《新約聖經與神話學》，第226頁。

「象徵性語言」的一般特點來闡明宗教語言的。這條思路的目的即在於，對當代文化背景、特別是語言哲學的晚近動向加以批判，重申作為一種象徵的宗教語言的獨特性。關於這一點，蒂利希在早於《信仰之動力》的一篇論文「宗教語言的本質」裡有簡要的交待。

符號或象徵的意義問題是當代語言哲學的一個爭論焦點。蒂利希認為，這是一個重要的徵兆。它表明：在當代文化背景下，我們對哲學和神學的語言及其主題的理解已陷入了空前的混亂，詞語（words）已不能在原來的意義上與我們進行交流了。當代邏輯實證主義者或符號邏輯學家們雖然一直在澄清詞語的意義，試圖為語義尋找「一個純淨的處所」（a clearing house），可他們確認的語義範圍或「處所」畢竟太狹小了，排除了人類生活的大部分內容，因而只能稱為「整個人類語言殿堂的一角」。蒂利希指出：「確切無疑的是，我們正處於一個重新發現某種至關重要的事物的過程之中，即實在有諸多差異很大的層次，這些不同的層次要求我們運用不同的方法和不同的語言；僅靠最適合於數學的那種語言並不能把握實在中的一切事物。」*

一經考慮到上述學術背景，就不難理解蒂利希為什麼要澄清「記號」與「象徵」這兩個基本概念。所謂的「記號」和「象徵」表面看來有某種本質的共性，二者都意指自身之外的他物；但更重要的是它們的根本差異，即象徵總是介入所意指的對象或實在的意義與力量，記號卻並非如此。邏輯實證主義語言觀念的偏頗之處就在於，只注意到記號與象徵的共性，而忽視了它們的根本差異，這

* 蒂利希：「宗教語言的本質」(The Nature of Religious Language, The Christian Scholar XXX VIII , 3, September, 1955)。

就使其在語義解釋問題上走向了極端，不僅把記號和象徵混為一談，割裂了宗教或神學語言與其對象的介入關係，甚至企圖將所有的語言表達形式都約簡為數學意義上的記號。

與此相反，蒂利希指出，宗教語言非常類似於各種藝術語言，像詩歌的、繪畫的、音樂的、戲劇的等等。正如這些象徵性的藝術語言所揭示的實在層次，是哲學或科學語言無法向我們傳達的；作為一種象徵的宗教語言，也有其不可取代的功能。「宗教象徵的作用和所有的象徵完全一樣，即它們都揭示著實在的某一層次，否則的話這些層次就是隱蔽的而不會被揭示出來。我們可把宗教象徵所揭示的這個從此叫做實在本身之深層；此一深層是實在的所有其他方面與深度的基礎，因此它不是和其他層次無關的，而是根本的層次，是位於所有其他層次之下的那個層次，是存在本身的層次，或者說是存在之終極力量。」*

上述關於宗教語言之本質的規定，不但為宗教象徵提供了存在的根據，而且與存在本身直接聯繫起來了。既然所謂的信仰就是指人類對於「文化之本體」、「存在之根基」或「終極之存在」的一種關切、一種體驗，那麼，宗教象徵所表達的對象對人類來說便不是什麼純外在的、異己的神聖者，而是某種可介入的存在之基礎，是屬於並且理應人類文化創造活動的終極之關切了。正是在這種意義上，蒂利希推出了其象徵理論最有名也最有爭議的一個論斷：「上帝就是存在本身」。這樣一來，傳統哲學與神學關於「上帝是否存在」的長期爭論反倒顯得沒有意義了，因為要想在「上帝」與

---

* 蒂利希：「宗教語言的本質」(The Nature of Religious Language, The Christian Scholar XXX VIII , 3, September, 1955)。

「存在」二者之間再尋求什麼邏輯的聯繫，勢必導致語言混亂。

總之，重建宗教與文化的關係，以再現宗教象徵的文化由來與生存意義，是蒂利希神學方法論的主旨所繫。蒂利希一生都在致力於把系統神學、歷史神學和實踐神學溶為一體，建立一種極富現實感的文化神學體系。其中，系統神學是文化神學的基本原理部分。他在《系統神學》的「導論」裡曾就方法論作過專門論述。「系統神學所用的是相關方法（the method of correlation）。」* 這種相關方法所要達到的目的就是，分析「存在的問題」由之產生的人類生存境況，從而證明基督教啟示所運用的象徵就是這些問題的答案。

譬如，「上帝」作為信仰的基本象徵，無疑回答了人類的有限性所隱含的問題。如果把上帝和「非存在之威脅」聯繫起來，那麼，上帝必須被稱為「存在之無限力量」，即經典神學裡講的「存在本身」；如果把「焦慮」定義為「意識到了存在的有限性」，那麼，上帝必須被稱為「存在之無限勇氣」，即經典神學中講的「普遍的上帝」；如果把「上帝」跟「歷史存在之謎」聯繫起來，那麼，上帝必須被稱為「歷史的意義及其實現」。所謂的相關方法就是以這種方式來重新解釋基督教的傳統象徵性語言的，這樣既可保留傳統象徵語言的活力，又使它們回答了由當代人類存在狀況分析所提出來的問題。

綜上所述，布爾特曼和蒂利希首先都是以神學家的身份來關注宗教語言與日常語言的關係問題的。這種信仰主義的立場決定了二者學術觀念上的某種一致性，即解釋宗教語言是為了論證基督教信仰。因而，無論在布爾特曼的「解除神話觀點」還是在蒂利希的

* 蒂利希：《系統神學》（英文版），第60頁。

「象徵理論」那裡，信仰對象的無限性與人類經驗的有限性均是不可動搖、不可調和的邏輯前提；由此始發也就必然突出宗教語言的獨特性和神聖性。但與上述神學前提相比，更耐入尋味的還是他們二人共同主張的存在主義的語言哲學解釋觀念。這種解釋觀念在強調宗教語言獨特性的同時，又力圖結合人類生存境況、尤其是現代文化背景，使貌似「神話」或「神秘」的宗教語言回歸其「語義生成基礎」，以轉譯出可為「現代文化人」理解的重大生存意義。這不能不說是一種十分微妙的語言解釋觀念轉變。

當然，目前對這種解釋觀念的轉變還不宜作過高的評價。從學術批判的角度來看，布爾特曼和蒂利希的語言解釋觀念不僅受制於信仰主義，而且其特有的存在主義哲學觀點也不是能被學術界普遍認可的。但在意識到這些侷限性的同時又應當承認，這種注重現實文化背景，致力於闡發「語義生成基礎」的探索傾向，是順應宗教語言研究發展趨勢的。在筆者看來，如果宗教信仰可看作人類精神生活的一種異化，宗教語言便肯定是日常語言的一種變異、一種神化。換言之，若宗教信仰之謎在於文化活動本身，那麼，宗教語言的謎底也理應寓於世俗生活。因而，如何從上述微妙的學術觀念轉變中提煉出一些極待反省的方法論問題，就宗教語言的本質——功能加以更深入的探討，這對當代宗教學來說應是一個極有價值的課題。

第五章 當代宗教對話

宗教對話是當代宗教學研究面臨的一個新課題，也可以說是一個前沿領域。目前看來，它所涉及的主要是這樣一些內容複雜且頗有爭議的學術嘗試：（1）「各宗教間的對話」（Interreligious Dialogue），這種嘗試涉及的範圍很廣，像佛教與基督教的對話，基督教與印度教的對話，猶太教與基督教的對話，基督教、猶太教和伊斯蘭教三方對話，等等。（2）「本宗教內的對話」（Intrareligious Dialogue），譬如，佛教各宗派間的對話，新教各宗派間的對話，基督教內部天主教與新教的對話，等等。（3）「宗教與意識型態的對話」（Religion-Ideology Dialogue），比如，有些基督教學者試圖與馬克思主義學者展開對話。（4）宗教對話的基本理論或方法論問題。

可見，當代宗教對話作為一種新嘗試，就性質而言是跨宗派、跨信仰、跨文化、乃至跨意識型態的。在這短短的一章顯然不能就上述複雜內容展開面面觀，我們的討論重點將放在學理上，主要考察一下相關的文化與學術背景，幾種有代表性的理論觀點，最後落腳於現存的主要學術問題。

第一節　從衝突到對話

作為一種學術嘗試，跨信仰、跨文化的宗教對話被提到當代宗教研究的日程，應當說是晚近的事情。據擔任過國際宗教史協會秘書長的埃里克·J. 夏普（Eric J. Sharpe）的說法，宗教學儘管從其產生之日便致力於各宗教間的比較研究，但宗教對話直到本世紀50年代末才成為宗教學界的「一種流行觀點」。

在第十一屆國際宗教史大會（東京，1958年）上，馬堡大學教授弗禮德禮希·海勒提交了一篇論文，名叫「宗教史作為走向宗教統一的途徑」。海勒尖銳地指出，西方宗教傳統歷來對世界上的其他宗教持排斥態度，總以為自己是完全正確的。而宗教學的比較研究卻表明，各種宗教在信仰與實踐上是十分接近的。對信仰上的排他性來說，學術研究是最好的預防劑。「宗教科學的最重要的任務之一就是闡明各種宗教的統一性」。「無論任何人，凡認識到了各種宗教的統一性，都應當在言行方面以寬容的態度認真地看待這種統一性。因此，科學地洞察這種統一性要求在實際上做到，友好地進行交流並在倫理道德上共同作出努力，要求『友誼』和『合作』。」*

海勒的上述講演後來被列為這次會議論文集的頭一篇。夏普指出，這種安排在會議組織者看來是適當的，因為海勒的這篇論文道出了宗教學亦即比較宗教研究中新近流行的一種看法：改善諸多不

---

* 《第十一屆國際宗教史大會會議記錄，東京與京都，1958》，第19頁；轉引自夏普：《比較宗教學史》，上海人民出版社1989年版，第353、325頁。

同的宗教傳統之間的關係，此乃宗教學研究唯一正當、也是最終的理由。假若不能促進基督教、印度教、伊斯蘭教、猶太教等各類信徒之間的相互理解，不能發現改善他們關係的『理論鑰匙』，所謂的比較宗教研究或宗教學還有什麼存在之必要呢？以海勒為代表的這樣一些觀點雖然從一開始就受到質疑，許多學者從根本上懷疑：作為一種客觀研究的宗教學「應否或能否」介入帶有濃厚主觀色彩的宗教對話，但宗教對話作為一種新的學術嘗試畢竟被推到前台了，也不容再受到忽視了。

關於宗教對話是如何成為一個不可忽視的學術問題的，約翰·希克側重從宗教哲學角度做過概括。他指出，直到最近，世界上現存的任何一種宗教幾乎都是在不了解其他宗教的情況下發展的。* 當然，歷史上有過幾次宗教大擴張運動，使不同的信仰相接觸。例如，公元前後之交佛教的擴張，7世紀到8世紀伊斯蘭教的擴張，19世紀基督教的擴張等。但是，不同宗教信仰在上述擴張運動中的相接觸、相作用，大多都是「衝突」而不是「對話」，這顯然不能促使各宗教相認識或相理解。只是近百年來，有關世界各宗教的學術研究才為如實地理解他人的宗教信仰提供了可能性。當代比較宗教研究使越來越多的人意識到：各種宗教傳統無一不「自稱為真」，即自身揭示了或代表著真理，可所有這些關於真理的主張不僅是不相同的而且是相衝突的。這樣一來，如何解釋各種宗教關於真理的諸多相衝突的主張，也就成了一個不可迴避的問題。希克認為，這個問題在今後宗教哲學家們的議事日程上將占有突出的位置。

---

* 希克是在《宗教哲學》一書中提出此觀點的。該書有1963、1973、1983、1990年版，在第三版裡希克仍持此看法。

希克接著指出，上述重大問題事實上可藉非常具體的方式提出來。譬如，一個人生在印度，他可能是一個印度教徒；如果他生在埃及，就可能是一個穆斯林；假如他生在錫蘭，可能是一個佛教徒；可一個生在英格蘭的人，便很可能信基督教。然而，在一些根本問題上，諸如終極實在的性質、神或上帝的創造方式、人的本性與命運等等，所有這些宗教的說法均不相同，甚至互不相容。那麼，神或上帝究竟是有人格的還是非人格的呢？神或上帝能否道成肉身呢？人生是否有輪迴呢？神或上帝的話語到底記載於何處，是《聖經》還是《古蘭經》抑或《薄伽梵歌》呢？……面對諸如此類的問題，如果基督教的回答是真實的，能否說印度教的回答基本上是假的呢？如果佛教的回答是真實的，能否說伊斯蘭教的回答八成是假的呢？很明顯，在這樣一些根本問題上，站在或偏袒一方而輕易作出判斷，都是沒有多少道理的。

希克的邏輯分析提醒人們：不論你抱有何種信仰，只要你熱愛真理並「自稱為真」，便必須意識到他人也在追求真理，也「自稱為真」。現存各種宗教信仰在真理問題上的主張是多元的、有矛盾的。只要你能正視如此種種相矛盾、相衝突的真理主張，便不能仍像「井底之蛙」，坐井觀天，自以為是，而應當放棄過去的先入之見，從排斥到交往，從衝突到對話，以達成相互理解，尋求問題的真正答案。這可以說已是歷史的與邏輯的雙重客觀要求。

需要進一步指出的是，宗教對話作為一個不可忽視的理論課題而被納入當代宗教學的研究日程，其原因並非僅僅在於宗教學研究本身的進步，而且還有更廣泛、更複雜的文化與學術背景。關於宗教對話賴以出現的這種宏觀背景，美國天普大學的倫納德・斯威德勒（Leonard Swidler）教授作過比較全面的分析。他的分析主要是圍繞著兩個方面展開的：（1）地球村的形成，此可稱為外在的方面；（2）理解方式的轉變，此可看作內在的方面。

首先就外在方面來看，斯威德勒認為，在過去的一個半世紀裡有諸多外在因素促成了地球村（the global village）的形成。比如，交往的與信息的因素。在過去，絕大多數人都是在故鄉度過一生的，從出生到死亡。由於交往條件的巨大改善，人們現在可以經常出外遠遊，接觸到不同的習俗、文化和宗教。即使一個人足不出戶，外面的世界也會隨著報刊書籍、廣播電視等匯成的「信息流」湧進你的起居室。再如，經濟的與政治的因素。大多數國家或文化地區的經濟活動在過去都是自給自足的，而現在卻是相互依存的。戰爭在人類歷史上也第一次變成全球性的了，甚至連小範圍的戰爭也會危及整個地球的和平。這就導致了全球性政治結構的出現，像第一次世界大戰後出現了國際聯盟，第二次世界大戰以來又形成了聯合國。以上這些外在因素打破了人類以往孤立生存的局面，迫使著人們進行交往與合作。兩次災難性的世界大戰再加上一次經濟大蕭條留給人類的經驗教訓是，缺乏充分的交往勢必造成無知與偏見，而這又是敵視與暴力的引子。假如再爆發第三次世界大戰，那恐怕就是人類歷史的終結 。因此，正是人類自我生存之需要，使對話與合作成為避免全球性災難的唯一選擇。

與上述外在方面的變化相比，更重要的還是內在方面的實質性變化，即人類對於現實與真理的理解範式之根本轉換。在斯威德勒看來，這種根本轉換是由上面提到的諸多外在因素直接引發的。就西方社會的情況而言，如果說早期的理解範式在很大程度上是以不變性（immutability）、簡單性（simplicity）和「獨白」

（monologue）為特徵的，那麼，在過去的100多年間依存性（mutuality）、相關性（relationality）、和「對話」（dialogue）則已成為人們理解現實與真理的基本因素。也正是由於理解範式的實質性轉換，才使當代宗教對話不僅成為可能而且也顯得十分必要了。所以，斯威德勒重點就理解範式的轉換進行了多方面的分析。

（1）形而上學：從靜態的到動態的

西方哲學所繼承的是古希臘哲學傳統。到中世紀，占統治地位的是亞里士多德的形而上學觀念。按這種傳統觀念，一切現實的事物都是由「實體」（substance）和「偶然性」（accident）兩部分構成的。實體存在於事物的底層，是不可感知、不變的，而偶然性則是可感知的也是變化的。這樣一種對現實之結構的理解，顯然傾向於一種靜態的觀點。

而在過去的二百年間，人們理解現實的範式發生了明顯的變化，即從靜態的觀念轉向動態的觀點，從一元論的「實體」概念轉向多元論的「關係」範疇。於是，「相互關係」，譬如一物自身的各種內在因素之間的關係、以及該物與其環境中的諸多因素的關係，現已看作是事物自身的組成部分。也就是說，任何事物都不是孤立存在的，事物之間的相互關係是它們的本質所在。

（2）認識論：絕對真理之消解

19世紀以前，歐洲人抱有的真理觀是絕對的、靜態的、排他的、非此即彼的。如果一物某時為真，它便永遠為真。這不僅是指經驗事實，而且也包括由此而獲得的關於事物的意義和人類道德規範的認識。例如，保羅在1世紀說過，婦女在教堂裡當應沉默。假如我們把這句話看作真的，那麼，婦女在教堂裡便永遠沒有講話的權利。從根本上說，上述真理觀念是以亞里士多德邏輯學的「矛盾律」（principle of contradiction）為基礎的：一物不能在同時並以同一種方式既為真又為假。所以，真理具有排他性；A之所以為A就在於其不能被表示為非A。對歐洲哲學家們來說，這就是經典的或絕對的真理觀。

與上述情形相反，在當代西方哲學家中間占主導地位的真理觀卻是「非絕對的」（deabsolutized）、動態的、兼容的。若用一個詞來概括，可以說是「相關性的」。這種新真理觀的出現，至少與以下六方面的因素有關：

（a）歷史主義觀點，真理之所以是「非絕對的」，是因為人們總是在特定的歷史環境中認識現實、描述真理的。

（b）意向性理論，人們總是抱有一定的行為意向來尋求真理的，這也決定了他們有關真理的論斷是「非絕對的」。

（c）社會學觀點，真理之所以是「非絕對的」，還因為人們對真理的認識會受到諸多社會學因素的影響，像地域的、文化的、階級的等等。

（d）語言哲學觀念，人類語言是有其明顯的侷限性的，因此真理作為對「意義」尤其是「超驗物」的陳述也不可能是絕對的。

（e）解釋學的觀點，觀察者或認識者同時也是解釋者，所以任何知識或真理都可以看作是「被解釋的知識或真理」（interpreted knowledge or truth），而不應被看作是絕對的知識或真理。

（f）對話理論，認識者並非僅僅被動地接受外在的現實，而且也與現實進行對話。譬如，向現實提出問題，以刺激現實給予答案。但認識者們大多是以一種語言或一種對話方式來參與現實的，這就決定了他們有關現實的陳述也不可能是絕對的。

斯威德勒總結道：「顯而易見，我們對於真理與現實的理解已經歷過一場根本性的轉變。由此產生的這種新範式，就是把一切有關現實、尤其是事物之意義的陳述都理解為歷史性的、意向性的、有立場的、不完全的、解釋性的、對話式的。所有這些特性之共同點即在於相關性，也就是說，一切有關現實的表述或理解在根本上都是與表述者或認識者相關的。」*

（3）心理學：發展的與相關的

對宗教對話來說，當代心理學提供了另一塊理論基石，這就是關於人類自我之結構與發展的學說。一個人並非生來就是成熟的或得以充分發展的，而只是具備有意識的自我發展的潛力。關於嬰幼兒心理成長過程的觀察研究表明，相關性是有意識的自我得以存在與發展的基本條件。拿一個剛出世的嬰兒來說，自己與周圍的世界還談不到什麼差別。以後只有透過與他人的相互關係，他的認知能力才會逐漸得到發展，比如，慢慢學會了區分自己的身體與周圍的世界、自我與非我，學會了識別不同的東西，並把它們聯繫起來，加以概念化或普遍化。與此相應的是，他的情感能力與道德能力的不斷發展，比如，對父母、兄弟姐妹、左鄰右舍乃至整個人類懷有愛心，對既定的社會律法、行為規範、價值觀念的認同，甚至進一步對道德之根據、實在之本原的尋求，等等。因此，有些學者認為，繼「情感的自我」（the affective self）與「道德的自我」（the moral self）形成之後，還會有一更高級的心理發展階段，即「信仰的自我」（the believing self）。

---

* 斯威德勒：《絕對觀念過後》（After the Absolute： the Dialogical Future of Religious Reflection., Minneapolis, M. N.: Fortress Press, 1990），第8頁。

無論把人類自我的心理發展過程分為幾個階段，當代心理學家們大多都認為，這些發展階段雖然可劃歸於不同的層次，但它們之間並不是互相排斥的而是密切相關的。譬如說，只有認知能力得以充分發展，才能為情感與道德能力的發展奠定基礎，而情感的自我與道德的自我的進一步發展也會將認知能力納入其中，即將其提升到一個更高的發展層面。因此，就個體心理發展的全過程而言，推動著有意識的自我從一個階段走向另一個階段的動力實質上也就是一種「自我超越」（self-transcendence）的動因。關於這一點，我們大家都可以從日常生活中得到體會，比如，一般人都想知道的更多一些，做的更好一些。可以說，所謂自我發展或自我實現也就是自我超越，而自我超越這個概念的核心含義即在於依存性、相關性以及對話，因為我們是透過尋求「他者」（the other）而超越自我的。

（4）倫理學：依存性、相關性與對話之焦點

任何一種宗教或意識型態都旨在闡明人生的終極意義，並教導人們如何生活。因此，最後考察一下依存性、相關性以及對話在倫理學上的集中反映，這對我們顯得尤為重要。斯威德勒建議，我們的這種考察可沿著「相關心理學」提供的思路展開。

相關心理學是把人的發展置於多種多樣的關係之中來加以認識的，所有的關係就本質而言是相互依存的。」單方面的關係」（one-way relationship）是不存在的。人們不可能總是「給予」而沒有「所得」，也不可能總是「獲得」而沒有「所給」，也就是說，假如在人類生活中缺乏相互依存性的關係，那將造成誤解甚至帶來毀滅。更重要的是，這樣一種依存性的關係是我們一生下來或一步入人生便參與其中的，而我們的自我也就是由它塑造出來的。在斯威德勒看來，相關心理學的上述觀點在心理學上應當使我們意識到這

樣兩個關鍵性的概念：所謂的「依存性」存在於各種關係之中；而當我們對此缺乏這個的認識時，擺脫僵局的出路即在於「對話」。

倫理學關於依存性的模式是建立在「公平交往」（a just exchange）的基礎上的。然而，人際關係總是充滿矛盾的。當一個人在其所處的關係中遇到重重困難時，他又能做些什麼呢？他應當做的第一件事情就是追究這種不公平的或被破壞了的倫理關係之根源，至少先從自己這一方重建某種信任，以開闢對話的可能性。正如一位天主教神學家、家庭問題專家卡托尼（Margaret Cotroneo）指出的那樣，所謂的對話環境就是要求每一方都有可能當場向他人陳述自己的要求與期望。因而，對話是一個互相抱有義務或責任的過程。由此而恢復的對話既是一種「給予」（a form of giving）也是一種「要求」（a form of asking）。一方面，人們在這種對話中提出某種要求，這表明各方還在十分關注他們所處的關係及其所失去的東西，另一方面，各方相互給以信任，其目的就是為了透過這樣一種互利互惠的給予來尋求重新平衡各種關係的可能性。所以說，「透過要求而給予就是一種對別人提出要求之權利，即要求別人對自己的需要與期望給以互利互惠的考慮。因為這種權利是以要求的形式提出來的，所以，它是一種對別人能還以可信賴的給予的承認。在對話中這種要求從根本上說就是『我』的立場（對動議權的信任），因為它邀請對方給以回應。」*

* 以上觀點可具體參見《天主教倫理學的來龍去脈》（A Contextual Catholic Ethics, Ph. D diss. by Margaret Cotroneo, Temple University, 1983），第213～248頁。

照斯威德勒的看法，只有透過上述意義上的對話，才有可能建立一種新的信任、新的選擇自由，從而使陷入重重困境的倫理關係得以糾正，重新獲得新的平衡。

綜上所述，這場理解範式之根本轉變，不僅深及對現實之終極結構、對真理的再理解，同時也涉及到對人類自我之發展、對倫理行為的再認識。而理解範式上的所有這些重大變化都是以依存性與相關性為基礎的，並毌庸置疑地反映出了對話的必要性。可以說，若無對話，倫理行為就會變得僵化甚至走型，自我發展難免受到阻礙而不能充分實現，我們關於現實的認識也會因把某種觀點絕對化而導致偏頗。一言以蔽之，尋求真理便必須走向對話。

斯威德勒最後指出：「假若上述這些對所有探求事物之意義亦即真理的人來說是真實的，那麼，宗教信仰者和那些獻身於意識型態的人……就更是千真萬確了。宗教信仰和意識型態是描述整個生活的，並給整個生活開處方的；它們是神聖的、囊括一切的，正因為如此，與其他非神聖的制度相比，它們愈發傾向於消除一切外在者，也就是說，要嘛使其皈依要嘛判其有罪。因而，虛心地對待不同的真理主張，並承認關於真理的諸多特殊觀點具有互補性，這種需要在宗教領域顯得尤為迫切。」*

* 《絕對觀念過後》（英文版），第21頁。

第二節　排他論

只要論及宗教信仰對待真理問題的態度，不管我們從「史」入手還是由「論」展開，恐怕都繞不開「排他論」。因為這種理論傾向不但是各種宗教信仰共有的一種傳統立場，同時又是後來的一些主要觀點得以相互區別的「座標系」，也就是說，其他觀點主要是相對於傳統的「排他論」而言的。

所謂的排他論（Exclusivism）就是認為，信仰之真諦繫於某一種特定的宗教。因而，人透過宗教信仰所追求的終極目的，諸如超越，救贖、生存意義、存在根據、宇宙本原等等，只有委身於某一種特定的宗教信仰方可完全達到。宗教信仰是多種多樣的。儘管不能說其他宗教信仰不包括真理的成分或因素，但相比之下只有這種特定的宗教傳統才稱得上是絕對真實的。可以說，在真理問題上所持有的這樣一種絕對化的態度，是宗教信仰的本性使然，是各大宗教傳統尤其是一神論宗教的自發立場。關於這一點，可從幾種主要的一神論宗教的教義或經典那裡得到印證。

譬如，按猶太教權威哲學家摩西・本・邁蒙尼德（Moses ben Maimonides, 1135～1204年）的概括，猶太教的信條主要如下：（1）創造主創造並管理自然界及一切受造之物；（2）創造主乃獨一無二真神；（3）創造主無形無體無相；（4）創造主乃是最先的與最後的；（5）創造主係唯一值得敬拜之主，此外別無可敬拜之物；（6）先知一切話語皆真實無誤；（7）摩西預言是真實的，他是先知中最大的一位，其前其後均無一人勝過他；（8）猶太教傳統律法係最初神向摩西所傳，並無更改；（9）律法永不改變，亦不會被取代；（10）創造主洞察世人一切思想行為；（11）創造主向遵守律法的人賜予獎賞，對踐踏律法的人降以懲罰；(12)救世主彌賽亞必將再臨，應每日盼望，永不懈息；（13）最終死人將復活。猶太教的經典主要包括律法書、先知書、聖錄三大部分，再加上公元2～6世紀形成的口傳法典《塔木德》，但在早期的猶太教徒中間還沒有公認的成文信條，邁蒙尼德所概括的上述13條被後來的教徒們廣泛接受，成為有權威性的基本信條。這些信條顯然是以相信創造主的唯一真實性、預言與律法的絕對權威性為基礎的，自然也就對其他宗教信仰抱有拒斥態度。

同樣，伊斯蘭教教義也明顯反映出絕對性與排他性。伊斯蘭教教義中有五個基本信條：（1）信阿拉，即相信阿拉是宇宙萬物的創造者、恩養者和唯一主宰；（2）信天使，即相信天使是阿拉用「光」創造的一種妙體，為人眼所不見。天使只受阿拉的驅使，執行阿拉的命令，各司其職；（3）信經典，相信《古蘭經》是「阿拉的言語」，是透過穆罕默德「降示」的最後一部經典；（4）信先知，相信自「人祖阿丹」以來，阿拉派遣過許多傳布「阿拉之道」的使者或先知。穆罕默德是最後一位使者，是最偉大的先知；（5）信後世，即相信人要經歷今世和後世，終有一天「世界末日」將來臨，一切生命都會停止，世界得以總的清算。那時，所有死去的人都會復活，接受阿拉的裁判，行善者進天堂，作惡者下火獄。

就基督教而言，作為一種傳統立場的排他論也有其充分的教義或經典根據。比如，有的學者作過統計分析，基督教中的排他論者最重視的是這樣兩段經文：「除他以外，別無拯救」(《使徒行傳》4：12）；「基督和彼列有什麼相和呢？」(《哥林多後書》6：15)。此外，排他論者常引用的經文大致可分為如下四類：（1）肯定耶穌基督的救恩具有特殊性與排他性（如《約翰福音》1：8；

14：6；17：3；《哥林多前書》3：11；《約翰一書》5：11～12)。（2）強調人性之罪惡，人是絕對不能靠自己得救的（如《羅馬人書》1：18；1：20；2：12；2：15；2：23；3：9；3：11；4：18)。（3）指出聽道與悔改的重要性（如《馬可福音》1：14～15；16：15～16；《約翰福音》3：36；《使徒行傳》11：14；17：23；17：27；17：29)。（4）告戒人們上帝所指引的「永生之路」是艱難的，猶如「窄門」，並非所有的人都能找到（如《馬太福音》7：13～14）*。

排他論不僅有其「天然的」經典或教義根基，而且在神學上也不斷得以加強，形成了其「後天的」神學論證。幾大一神論宗教傳統比較起來，這種神學論證在基督教那裡顯得尤為典型。在基督教思想史上，排他論的早期代表人物是奧古斯丁（Augustine, 354～430 年)，近代有加爾文（John Calvin, 1509～1564年)，到現代則首推卡爾·巴特（Karl Barth, 1886～1968年)。

基督教排他論在神學上強調的是啟示、恩典與拯救的唯一性。自奧古斯丁以來，拯救就被論證為上帝的啟示與恩典。也就是說，只有接受上帝的啟示與恩典，人才有被拯救之可能性；人靠自己是絕無希望得救的，因為人是有罪的，是喪失了自由意志的。奧古斯丁說：「但那一部分得到上帝允許、蒙赦免、被復生、承受上帝之國的人，怎樣得救的呢？他們能靠自己的善行得救嗎？自然不能。人既滅亡了，那麼除了從死亡中被救出來以外，他還能行什麼善呢？他能靠意志自行決定行什麼善嗎？我再說不能。事實上，正因

---

* 以上分析參見吳宗文：宗教對話模式綜覽，《維真學刊》，VOLUME 1, NO. 1, 1993。

為人濫用自由意志，才能自己和自由意志一起毀壞了。……事實既然如此，試問一個受罪管制的奴隸，除了樂於犯罪之外，還能有什麼自由呢？凡樂意實行管制者的意旨的，就有一種自由。因此一個作罪的奴隸的人，就自動地去犯罪。但在作善事上，他卻沒有自動力。要等到他從罪中被釋放，成為公義的僕人時，他才能自動地去行善。這就是真的自由，因為他在行善時感覺快樂，同時也是一種管制，因為他順從上帝的旨意。但一個賣給了罪、作了罪的奴隸的人，從何處能得到這行善的自由呢？唯一的來處就是：『天父的兒子若叫你們自由，你們就真自由了。』（《約翰福音》8：36）在這以前，當人還不能自由去行善的時候，如何能談到意志的自由和善功呢？這不過是大言不慚，愚妄自誇。使徒要人竭力避免，說『你們得救是本乎恩德，也因由信仰。』（《以弗所書》2：8）」*

在近現代世俗文化的衝擊下，傳統的排他論觀念也隨著整個基督教神學受到了嚴重的挑戰。即使連相對保守的天主教神學家們也在第二屆梵諦岡公會議後打開了對話的窗口。耐人尋味的是，在新教神學陣營裡卻出現了當代排他論的最強有力的論證者，他就是卡爾・巴特。

巴特在其代表作《教會教義學》中強調指出：「只有一種啟示，那就是契約的啟示（the revelation of the covenant），就是上帝的原本意志之啟示（the revelation of the original and basic will of God）。」「若沒有耶穌基督，離開了耶穌基督，我們便根本無從談

* 奧古斯丁：《教義手冊》，30；引自《西方哲學原著選讀》上卷，商務印書館1989年版，第220～221頁。

起上帝與人，以及上帝與人之相互關係。」* 重申拯救只能來自上帝的啟示，並進一步指出只有透過耶穌基督才能真正獲得上帝的啟示，找到得救之途徑，這可以說是巴特的排他論觀念的精神所在。

巴特的排他論觀點是以其整個「上帝之道神學」為強硬後盾的。在巴特看來，神學之首要任務即在於闡明神與人之間的無限距離。神或上帝是什麼呢？所謂的神或上帝就是「完全的他者」（Wholly Sther）。因此，對人來說，「上帝在天上，而你在地上」**，而絕不像理性主義者或自然神學家們認為的那樣，可以憑藉理智或經驗來認識上帝。上帝就是上帝，人就是人。「只有上帝自己才能談論上帝」（dass von Gott nur Gott selber reden kann），也「只有透過上帝才能認識上帝」（Gott wird nur durch Gott erkannt）。人作為有限的被造物，既沒有能力談論上帝，也無法擁有關於上帝的知識。那麼，關於上帝的信仰又是何以可能的呢？這正是巴特想以其辯證神學方法闡明的一個根本問題。他一再強調，從人到神無路可通；可從神到人卻有道路，這就是上帝對人的恩典、給人的啟示。只有透過上帝的恩典，人才有了信仰的天賦；也只有透過耶穌基督，人才可能接受上帝的自我啟示，亦即「上帝之道」（Word of God）。所以說，信仰之本性在於恩典與啟示。

上述觀點不僅使巴特根除了自然神學的認識論前提，同時也使他對傳統宗教概念抱有鮮明的否定態度。照巴特的看法，傳統的宗

---

* 巴持：《教義教會學》（Church Dogmatics IV , 1, Edinburgh： T. & T. Clark, 1956），第45頁。

** 巴特：《論〈羅馬人書〉》（Epistle to the Romans, New York, 1960），第10頁。

教是與信仰之本性——恩典與啟示相背離的，因為它們在很大程度上是以「人的觀點」來理解上帝，並企圖靠「人的努力」來消除人與上帝之間的疏離或無限距離的。這顯然是對恩典與啟示的一種敵對、一種挑戰、一種傲慢自大。人自以為信仰了宗教便找到了上帝。事實上，人非但找不到上帝，也根本不想真正認識上帝。「自然的人」是有罪的，這罪就是不信，而不信也就是指人信仰的是自己，是自己的能動性。正是就上述意義而言，傳統宗教的特徵在於其罪惡性與不可能性；其所以「有罪」是因為以某種人為的偶像來取代上帝的位置，其所以「不可能」，就是因為任何人為的努力均無法實現人與上帝的和解。當然，巴特並不袒護基督教，同樣也批評傳統神學家脫離恩典與啟示去論證信仰的企圖。與此同時，他否認基督教較之其他宗教有任何優越性，是什麼一切宗教之「頂峰」或「最終實現」。巴特想要肯定的只是：耶穌基督具有唯一性，上帝也正是透過這唯一的事件才向人類啟示出真理，賜給了人與神和解的唯一途徑。由此可見，巴特所力主的排他論觀念就實質而言是一種「唯基督論」。

第三節　兼容論

顧名思義，兼容論（Inclusivism）是一種多少帶些折衷色彩的理論傾向。構成這種傾向之出發點的是如下判斷：宗教信仰是多樣性的，神或上帝的啟示是普世性的，但諸多宗教在真理問題上的不同主張卻有真與假、絕對與相對之分。因此，與排他論相同，兼容論者首先堅持只有一種宗教信仰是絕對真實的，能夠使人真正得到神聖啟示，得以根本拯救。但另一方面，兼容論者又力圖超越傳統的排他論觀念，而與後面將要討論的多元論不乏共鳴之處。兼容論者大多都認為，既然有一種宗教信仰是絕對真實的，既然上帝是無所不在、無所不能的，那麼，恩典、啟示、拯救等便無疑具有普世性，無疑會透過不同的宗教而以多種方式表達出來。甚至可以說，啟示與拯救的大門是向所有的人開放著的，而不論你是否知道、是否承認這唯一的上帝或信仰。

在基督教那裡，兼容論一般被看作是天主教神學家、哲學家們自第二屆梵蒂岡公會議後採取的一種新對話姿態，最著名的代表人物是卡爾・拉納（Karl Rahner, 1904～1984年）和漢斯・昆（Hans Kung, 1928～）。

拉納可被當之無愧地選入本世紀最有建樹的神學家、宗教哲學家之列。他所建構的「基礎神學的人類學」不但為天主教正統神學注入了新的活力，使其贏得了戰後天主教神學泰斗的稱號，而且受到基督教思想界的普遍重視，被看作是不屬於個別教派的共同思想財富。和巴特的排他論觀念一樣，拉納之所以被推舉為兼容論的主要代表，也是因為有他的整個神學體系作為邏輯根據。拉納的主要著作有：《世界中的精神》（1939年）、《聖言的傾聽者》（1941

年）、《基督信仰基礎教程》（1979年）、《神學論集》（1954～1984年）。從這些論著來看，拉納的學術思想是一以貫之的。他的基礎神學的人類學及其內含的兼容論觀念，早在《聖言的傾聽者》一書中即已形成了。

拉納認為，神學不同於科學。所有的科學都是建立在「人—邏各斯」之上的，神學的基礎則是「神—邏各斯」。就整個方法而論，神學又可分為兩種：（1）對聖言的單純傾聽、承納或信仰；（2）對聖言與信仰的形而上反思。後一種神學就是傳統意義上的「經院哲學的思辨神學」，而第一種神學可稱作是「基礎神學的人類學」。這二者相比，更根本的還是基礎神學的人類學。因為這種神學所探究的是：人對聖言之傾聽是何以成為可能的，或者說有無先驗的條件，而這種素樸的亦即非反思性的自我理解又是何以構成神學研究的前提的。對以上觀點，拉納有一個簡要的總結：「這種『基礎神學的』人類學就是本來意義上的宗教哲學。我們所研究的東西，假如關涉的是人，便是人類學；假如我們把人理解為一個不得不自由地在其歷史中傾聽自由的上帝可能發出的福音的生命，它便是『神學的』人類學；假如人對自己的自我理解是他得以傾聽事實上已經發生的神學的前提，它便是『基礎神學的人類學。』」*

為建構上述意義上的基礎神學的人類學，拉納藉助海德格爾生存哲學的語言，試就「人傾聽聖言之能力」加以形而上的分析，以推進托馬斯・阿奎那的正統神學思想。他首先指出，人是

---

* 拉納：《聖言的傾聽者——論一種宗教哲學的基礎》，三聯書店1994年版，第193頁。

這樣一種存在者：他的思考與行動絕不可能停留於此在，而是必然要向「畢竟在」（Sein uberhaupt）發出追問。個別事物的統一性何在？整個現實的終極根據何在？「在者之在」究竟是什麼呢？這種追問就本性而言是必然屬於人之此在的。反之，若無這等追問，人就不成其為人了。因此從根本上說，「人對聖言之傾聽能力」也正是作為人之此在的問題而不能不予以窮根究底的。為論證這一點，拉納提出了如下三個「基礎神學的人類學」的基本命題：

（1）人的本質就是精神，就在於對「畢竟在」的絕對開放性。所以說，對「畢竟在」認識的超驗性，這是作為精神的人所具有的基本素質。

（2）人是這樣一種在者，他是在自由的愛之中而佇立於一個可能啟示的上帝面前的。也就是說，人在自由的愛之中是始終對上帝的福音開放著的，這樣人也就必然始終在傾聽著上帝的言說或沉默。

（3）人還是這樣一種在者，他必然在自己的歷史中傾聽著可能以人的言詞形式來臨的、歷史性的上帝啟示。*

主要就是依據這幾個命題，拉納演繹出了其兼容論的基本觀念：

（1）「天生的基督徒」

由上述三個命題勾勒出來的「基礎神學的人類學」，對思考人生有決定性的理論價值，即有助於一個人以理智在生存論上作出

---

* 以上三個命題參見拉納：《聖言的傾聽者——論一種宗教哲學的基礎》，三聯書店1994年版，第72、120、182頁。

抉擇，能否在自己一生或人類歷史中與上帝相遇。照拉納的推斷，人既然就本質而言是一種必然對「畢竟在」窮根究底的存在者，那麼，把人理解為「天生的聖言傾聽者」亦即「天生的基督徒」，便自然構成基礎神學的人類學對人的一種本質規定性了。因此，假定一個人深信：上帝的位格是否有「此時此地的」歷史性，神聖之道即聖言是否有自我啟示性等，對這些問題的思索應是人生的基本態度之一；假定他深信：聖言對人生具有決定性的意義，即從根本上決定著人之此在；假定他還深信：作為人生之根據的聖言必定會在人的歷史中顯現出來即「去蔽」……總之，假定他能不帶任何偏見地思考所有這些問題，深信自己可以而且不得不考慮一種「歷史性的宗教」，那對他來說，相信神聖的羅馬天主教會即是上帝或聖言的真正啟示場所，便不會存在什麼困難了。由此可見，拉納的兼容論觀念首先強調的是羅馬天主教信仰的基本精神：「教會之外，別無拯救」。

（2）「匿名的基督徒」（Anonymous Christians）

這是在拉納的中、後期著述裡十分突出的一個著名觀點。首先值得注意的是，「天生的基督徒」與「匿名的基督徒」這兩個提法間的關係。從拉納的思想軌跡來看，前者應當理解為「原本」，而後者則是「擴版」。因此，討論拉納的兼容論觀念時，不能像有些學者那樣撇開「原本」而只提「匿名的基督徒」。實際上，拉納兼容論觀念的特徵在於。在強調「天生基督徒」的前提下認可「匿名基督徒」的存在。

如前所述，人作為一種精神性的、有自由的、歷史性的存在者，只要力求實現自己的先驗本質，力求追究「畢竟在」，那他就是一個「天生的基督徒」，或更準確些說是一個「天生的天主教徒」。這是拉納神學信念的基本結論。可這一結論非但不具有絕對的排他性，反而是對上帝的啟示、恩典與拯救之普世性的論證。就天主教與其他宗教信仰的關係而論，雖然前者是啟示的真正處所，是拯救的唯一途徑，但這一處所或途徑是開放著的，亦即並不排除其他宗教的信仰者們也有得以拯救的可能性。這主要是因為：一方面，不論人們是否以基督教的形式來傾聽聖言，上帝的啟示、恩典與拯救是無所不在的，是賜予生活在不同文化背景、歷史境遇下的所有人的。另一方面，拉納並不否認其他宗教也在不同程度上具有真理性與合理性。這表明其他的宗教信仰也內含著與上帝溝通的能力，它們的信仰者們也在有意識或無意識地尋求著上帝。所以，相對於「明確的基督教或基督徒」（explicit Christianity or Christians）而言，這些宗教可稱為「匿名的基督教」，其信徒也是「匿名的基督徒」。

最後要指出的是，「匿名的基督徒」出於「原本」也必定歸於「原本」，拉納並不認為「匿名的基督徒」因有得救的可能而無認識聖言之必要。他始終強調，基督教是一種「歷史性的宗教」，其歷史性的起點就是拿撒勒的耶穌。因而，「匿名的基督徒」可比作生活於「基督教史前史」中的古猶太人和其他宗教的信徒。按《新約》的說法，他們在客觀上可被拯救，但在主觀上也要重建信仰，歸順耶穌基督。拉納的兼容論在邏輯上最後堅持的是這樣一個觀點：匿名的基督徒有反省信仰之真諦的必要。「對以前的匿名基督教來說，需要透過反省而得以自我實現，這種需要在於：（1）恩典和基督教有其道成肉身的與社會的結構；（2）對一個人來說，以一種更清晰、更純正、更有效的方式來領會基督教，顯然較之一個僅僅作為匿名基督徒的人有更大的可能性得以拯救，這在其他事情上也一樣。」*

把漢斯・昆與拉納放在一塊討論是一件很耐人尋味的事。這兩位大名鼎鼎的天主教神學家雖然都被視為兼容論的主要代表，當代普世教會運動的有力推動者，但二人的思想路數與理論境遇卻可以說迴然不同。在戰後的天主教神學界，拉納是正統學派的承繼者，深受羅馬教廷的賞識，漢斯・昆則是理論勇氣過人的改革家，他敢於向羅馬教廷的絕對權威挑戰，他的每一部力作都猶如重磅炸彈，一次次震動著天主教經典神學大廈的基礎。這就不難理解，漢斯・昆為什麼會是一個頗有爭議、毀譽參半的人物，為什麼會被羅馬教廷革除大學教席，而這之後他為什麼仍矢志不渝，一直堅持說「我還是個基督徒」。

漢斯・昆的創作精力如同其理論勇氣一樣過人。他的著述很多，而且最有影響的著作，像《論教會》（1967年）、《做基督徒》（1974年）、《上帝存在嗎？》（1978年）、《論永生》（1982年）等，都是長篇大論。下面的評介僅限於晚近出版的一本小冊子《我為什麼還是個基督徒》（1986年）。此書雖小卻不失代表性。漢斯・昆親口講，它是為那些不敢讀或沒空讀他的許多長篇大論的人而寫的，他盡量言簡意賅，使他那些長篇大論能融為一爐。由此來看，選此書來討論似乎更易貼近漢斯・昆的思想風格。

與拉納不同，漢斯・昆兼容論觀念的前提或出發點主要不是學理的而是現實的。

---

* 拉納：「基督的與非基督的宗教」（「Christian and Non-Christian Religion」, in John Hick and Brian Hebblethwaite, eds., Christianity and Other Religions, Glasgow：Collins, 1980），第76～77頁。

他首先指出，我們正處於「一個價值觀念危機的時代」。時至今日，可以說已沒有任何權威了。以往傳統的價值觀念、生活方式無一例外地遭到了徹底的質疑或挑戰。這種全面的價值觀念危機，導致了現代社會的諸多衝突。對此，人們還一時找不到什麼解救辦法。

所以說，「在這個迷失了方向的時代，人們為了委身，渴望一個根本的方向，渴望有一套根本的價值觀」*。而這正是漢斯·昆所關注的主題。他不僅要向基督徒，而且更希望向非基督徒證實，人們渴望的這一根本的價值觀當來自於基督教信仰。

為什麼這麼說呢？漢斯·昆認為，無論基督徒還是非基督徒，或許都不會否認如下三點討論前提：

（1）面對當前的價值觀念危機，若對價值標準缺乏某種最低限度的共識，人類便不可能共同生存。

（2）在倫理觀上，如果承認很難或不可能靠理智來確立絕對權威，那我們就不能輕率否認傳統宗教的特殊功能。問題在於，除非接受一位無條件的絕對權威，我們就不會認可絕對的道德或絕對有約束力的倫理，不會接受無條件的義務，也不會有十分人道的行為。反言之，如果沒有真宗教來履行上述功能，則必為假宗教或準宗教取而代之。

（3）一個人無論是否基督徒，都不能不承認：人的尊嚴、自由、公義、和平等價值觀念，在歷史上都是由基督教精神塑造出來的。也就是說，這些觀念若沒有基督教所作的努力，在東

---

* 漢斯·昆：《我為什麼還是個基督徒》，香港：基督教文藝出版社，1989年版，第12頁。

方與西方都不會真正確立起來＊。

漢斯・昆清醒地意識到，在當今文化背景下重新肯定傳統的基督教價值觀，不但會遭到非基督徒的反對，即使連教會內的某些人也會產生疑惑。正是為了回應這種現實，為了和這些反對者或疑惑者們進行坦誠的對話，他提出了其兼容論的核心觀念——「名義的基督教」與「真正的基督教」。

漢斯・昆是那樣坦誠地相告：當把基督教作為一種根本價值取向來加以思考時，如果有人，無論是基督徒還是非基督徒，拒斥任何專制的教義，指責某些教會領袖、神學家、信徒們傲慢自大、不容異端、虛情假意，以及律法主義、機會主義的行徑，我不但不反駁，而且會站在他們一邊；如果有人批判基督教在歷史上的一連串失誤，像迫害猶太人，組織十字軍，焚燒女巫，審判伽利略等無數的科學家、哲學家、神學家，批判教會在奴隸、種族、戰爭、婦女、社會等問題上一而再、再而三的失責失誤，教會與某些社會制度、意識型態混淆不清，甚至在某些國家與當權者們同流合污，使宗教信仰變成了貧窮百姓的鴉片……所有這些批判也都是合情合理的，我絕不想否認，更無意為基督教的歷史辯護或粉飾。

不但如此，漢斯・昆還一再強調，我作為一個神學家有責任道出真理，也有責任指出基督教、尤其是我自己信仰的天主教教會本身的「瘡疤」，即使這樣做可能不識時務，甚至會受到處罰。我以赤誠之心難以想像，在大量有爭議的問題上，基督教所信仰的耶穌基督會像羅馬天主教當局那樣獨斷專行。譬如，宣布人工避孕是死罪，不讓再婚的信徒領聖餐，禁止神父們結婚，對女性不授聖職，

＊　以上幾個觀點參見同上書，第14～15頁。

在墮胎、同性戀、婚前同居等複雜問題上一律作出硬性裁決。又如，在普世教會範圍內，使宗派成為婚姻的障礙，宣布新教禮儀無效，阻止與新教和睦相處，共同建立教堂，一起舉行普世教會的禮拜，對所有的神學家、神職人員強加「通喻」，不論道理。再如，接二連三的教會內部財務醜聞，主教選舉公然違背古老的傳統，不讓全體神父或信徒參與，再三違背梵二會議有關主教年齡的限制（75歲）。如此等等的黑暗面，可以不費力氣地描述下去。

不過，在面對現實，承認上述這一切的前提下，漢斯．昆要反問：難道這一切就是「基督教」嗎？同樣，無論基督徒還是非基督徒恐怕都不會否認，這一切所代表的只是歷史上的、表面上的、亦即名義上的基督教。作為一個德國人，他不無感觸地指出，正如在晚近的德國歷史上出現的大量失誤與暴行，並不完全就是「德國」一樣，上述這一切雖然都掛以基督教的名稱，而且，基督教界也有不可推卸的責任，但就原本的或真正的意義來說，它們卻與耶穌基督毫無聯繫，反而是屬於假基督或敵基督的，是耶穌被釘上十字架的部分原因所在。因此，漢斯．昆同樣坦誠相告：正因為我深知上述這些基督教的黑暗面，也充分了解世俗的或自然科學、歷史學、哲學、心理學、社會學所提出的批判基督教的主要理由，所以我仍然主張把基督教作為當今這個價值危機時代的根本取向。當然，這不是指「名義的基督教」，而是指「真正的基督教」。

那麼，何謂真正的基督教呢？或者說，基督教的根本取向又何在呢？漢斯．昆回答：就在於《聖經》，就在於《聖經》中記載的上帝。從新舊約裡可知，猶太教和基督教信奉的上帝，並不像哲學家們談論的那樣是抽象的、不確定的、隱匿的，而是具體的、很確定的，是透過耶穌基督而在以色列人的歷史中活生生地顯露出來的。因此，這位亞伯拉罕、以撒和雅各的上帝，這位耶穌基督的上帝絕不是想像出來的，不像埃及的人面獅身怪物那樣專門勒死過路人，也不像羅馬門神雅努斯那樣模稜兩可、兩面三刀，更不像福禍女神提喀那樣不可臆測、反覆無常。猶太教和基督教信仰的上帝是為了人類的，是與人類同在的。他給人類帶來的是安寧、幸福與生命，而不是恐懼、不幸與死亡。可以肯定，舊約時代雖然還帶有異教的神秘色彩，但早在那時上帝就顯示出他是人類的解放者、庇護人，拯救者、恩賜者。

漢斯·昆繼以上分析後強調指出：「除了這位上帝以外，再沒有別的上帝了！這位獨一無二的上帝是起先的也是末後的，是猶太人和基督徒所公共崇拜的，也是回教徒所祈求的阿拉。這種事實對於戴維營協議及最近謀求中東和平所作的努力，都不是無關重要的。再者，這個實體更是印度教徒在梵天，佛教徒在涅槃，中國人在天或道中所尋求的。」* 可以說，漢斯·昆的兼容論觀念在這段話中已體現得淋漓盡致。

在漢斯·昆看來，無論是否相信以上這些，也無論是否作為基督徒，我們一般都會同意，在當今這個價值危機的時代，基督教的本取向是一個答案。同樣不能否認的是，無論對一個人、一個政黨還是一個教會、一個社會，這個答案無疑會使人們在危機之中重新獲得新的方向、新的意義、新的精神支柱，從而為我們的生活方式增添新的內涵。當然，這個答案並非一種外在的逼迫而是一種自我的抉擇。

* 漢斯·昆：《我為什麼還是個基督徒》，香港：基督教文藝出版社，1989年版，第25～26頁。

作為普世教會運動的一員猛將，漢斯・昆的兼容論觀念及其批判精神也同樣強烈地反映在對基督教本身的認識上。他指出，據《新約》中的「哥林多前書」，耶穌死後20年，基督教本身就開始分裂，開始分黨結派了。從那以後就有了屬彼得的宗派，屬保羅的宗派，屬亞波羅的宗派，甚至還有屬基督的宗派等等。今天的情形依舊如此，而且各宗派仍然相互排斥，自恃絕對正確。

比如，天主教是屬於彼得的宗派，由於彼得掌有首席權、鑰匙權和牧職權，天主教便以為自己是所有宗派中最正確的。新教則是屬保羅的宗派，保羅是名副其實的使徒，是他傳揚了耶穌基督的十字架，而且他比其他使徒更辛勤。同樣，屬於亞波羅宗派的東正教、屬於基督宗派的自由教會也各有值得榮耀的傳統、必須堅持的信條。

對於上述宗派現象，漢斯・昆尖銳地指出，假如保羅能看到我們這些奉耶穌基督之名而受洗的基督徒，竟在紀念耶穌基督的聖餐上大鬧分裂，他會說些什麼呢？他又會選擇哪一個宗派呢？從「福音書」和「哥林多書」的有關經文來看，保羅對彼得、亞波羅等人的名字是避而不提的。更令人深思的是，他也不恭維自己的追隨者。他雖然建立了自己的教會，可並不希望任何團體依賴於某一個人，因為所有的基督徒追隨的並不是某個人，他們受洗乃是奉被釘上十字架的耶穌基督之名。所以說，「儘管每一宗派的特別形式、特別傳統和特別教理都那麼合理，保羅卻不禁要問：基督是分開的嗎？這樣一來，就使所有這些特別的宗派都處於相對地位。」* 換

---

*　漢斯・昆：《我為什麼還是個基督徒》，香港：基督教文藝出版社，1989年版，第68頁。

言之，如果保羅的這句話對當代普世教會運動有什麼重大啟示的話，那就是「任何教會的名字、職務、威望、特色，都不容許用來分裂教會！」*

透過以上評介可以看出，漢斯．昆與拉納的兼容論觀念是既有聯繫又有區別的。明顯之處在於，他們二人的出發點都植根於天主教信仰。但不同的是，漢斯．昆顯然較之拉納更現實、更開放、也更激進。關於他們兩個人的關係，當代著名的宗教思想家麥奎利（John Macquarrie）有這樣一段評論：「昆在自己的著作中所關注的，是要顧及非天主教徒，甚至顧及非基督徒。因此，他的神學傾向於一種有些通俗的風格，缺乏拉納的那種深度。然而在某些問題上，昆卻具有比拉納更加清晰的見解。例如，我認為，他關於基督教與非基督教宗教關係的論述，就比拉納的論述更具有悟性，也更具有辯證性。」** 上述評價確能反映出漢斯．昆的學術風格。

最後值得一提的是，儘管拉納從一開始就對漢斯．昆的激進立場持批評態度，可漢斯．昆卻一直尊崇著拉納。拉納在其死前出版的一部著作《教會之合一——真正的可能》（與Heinrich Fries合著）中講：「我們所敢的要多過所能的」。此話被漢斯．昆視為普世教會運動的座右銘。我們可以這樣評論：拉納做到的，漢斯．昆也做到了；拉納說到而沒做到的，漢斯．昆似乎也做到了。

---

* 漢斯．昆：《我為什麼還是個基督徒》，香港：基督教文藝出版社，1989年版，第67頁。

** 麥奎利：《二十世紀宗教思想》，上海人民出版社1989年版，第509頁。

第四節　多元論

多元論（Pluralism），也稱「相對論」（Relativism），從這名稱便可感知，一定和當今仍在盛行的多元論或相對主義的人文思潮有關。雖然有的學者從學理上尋根溯源，認為這種神學上的多元論如同其他觀念也有其思想源頭，譬如，早期教父奧利金（Origen，約185～254年）的「普救論」（Universalism），但就嚴格意義而論，這是一種新觀點，應當看作是本世紀下半葉以來一批基督教自由派神學家、哲學家為擺脫傳統的排他論觀念，為適應當代社會與思想的多元化趨向而積極採取的一種對話立場。

從晚近的研究文獻來看，凡提到宗教對話理論中的多元論，幾乎都以約翰・希克為例，把他看作是該理論的急先鋒，甚至稱為開拓者。的確，作為當今美國宗教哲學界的幾巨頭之一，希克自本世紀60、70年代以來就一直活躍於宗教對話研究領域，緊緊抓住我們在第一節裡提到的基本問題，就宗教對話理論進行著廣泛的比較、批判與建設。在他看來，就基督教與其他宗教的對話史而論，排他論觀念所代表的是「拒絕階段」，兼容論觀念則屬於一種過渡性的立場，可視為「覺醒階段」的標誌。真正現實的或成熟的對話態度理應是多元論的。與其他對話態度相比，這種多元論的確立實質上是一種「認識範式轉換」，其意義完全可以比作一場神學上的「哥白尼革命」（Copernican Revolution），即由「托勒密式的神學」（Ptolemaic Theology）轉換為「哥白尼式的神學」（Copernican Theology），從「以基督為各宗教的中心」轉換為「以神為各宗教的核心」。這些觀點廣泛反映在希克所編撰的大量專著或資料集裡。

希克有關宗教對話理論的主要論著有：《神與信仰的宇宙》

（1977年）、《神有諸多名稱》（1980年）、《基督教與其他宗教》（1980年，與Brian Hebblethwaite主編）、《宗教多元論的問題》（1985年，主編）、《三種宗教：一個神》（1989年，主編）等。若想對希克的多元論觀點有一個概要的了解，最適宜的讀物還要數那本收錄「哲學基礎叢書」的《宗教哲學》。該書不僅語言簡練，而且已印過四版（1963、1973、1983、1990年），第三版中有關宗教對話理論一章新加了很重要的一節，「宗教多元論的一種哲學架構」（A Philosophical Framework for Religious Pluralism）。因此，藉這本影響廣泛的論著可大致把握希克多元論觀點的來龍去脈，尤其是宗教哲學根據。

《神與信仰的宇宙》已被看作是一部名著。在這部觀點新穎的學術著作裡，希克卻向讀者重複了那個古老的傳說，「盲人與大象」。

「一群盲人從未見過大象，有人把一隻大象牽到了他們跟前。有個盲人摸到的是一隻腿，就說大象是一根活的大柱子。另一個摸到的是象鼻子，他說大象是一條大蛇。下一個盲人摸到的是一隻象牙，他就說大象像是一隻尖尖的犁頭。就這樣一個個地摸著講著……當然，他們都是對的，可每個人提到的只是整個實在的一方面，而且又都是以很不完美的類比表達出來的。」*

希克想用這個古老的傳說形象說明其多元論的基本學理。他指出，我們就這群盲人能說些什麼呢？顯然，我們並不能斷定哪一種說法是絕對正確的，因為我們並沒有一種終極的觀點可用之評價盲

* 希克：《神與信仰的宇宙》（God and the Universe of Faiths, London：Macmillan, 1977），第140頁。

人對大象的感受。同樣，對各種宗教信仰在真理問題上、在神性觀或終極實在的認識上所堅持的不同主張，也不妨作如是觀。因為從這個古老的傳說中似乎不難引出這樣的寓意：我們，亦即所有的人，在上述根本問題上都猶如「盲人」，都深受個人的或文化的概念之限制。

當然，以上說法是比喻性或形象化的。在這種說法的背後，希克還有其深層的宗教哲學反思。這種反思在他的代表作《宗教哲學》中有一個概要的總結，也就是我們前面提到的「宗教多元論的一種哲學架構」一節。

希克在這一節裡首先指出，在那些偉大的宗教傳統、尤其是那些神秘化的教派或教義中，普遍存在著一個重要的差異——兩種不同的「實在」（the Real），即「實在、終極或神性本身」（the Real or Ultimate or Divine an sich）和「人類所概念化或經驗到的實在」（the Real as conceptualized and experienced by human beings）。這一普遍性的差異意味著：終極實在是無限的，而無限的終極實在又是超出人類的思想與語言能力的。正因如此，人所崇拜的對象，若是可經驗或可描述的，那並不是指作為無限實在的終極本身，而是指有限的感知者處於關係之中的終極。為具體說明上述差異，希克提供了多方面的例證。

譬如，在佛教那裡可看到「無屬性的梵」（Nirguna Brahman，舊譯「無德的梵」）與「有屬性的梵」（Saguna Brahman，舊譯「有德的梵」）之分。前者因無屬性而超越於人類思想範圍，後者則指人們能經驗到的「自在天」（Ishvara），亦即整個宇宙的創造者與管轄者。在基督教那裡也有類似的區分。比如，著名的神秘主義神學家、哲學家愛克哈特（Meister Johannes Eckhart，約1260～1327年）

明確區分了「神性」(Deitas)與「上帝」(Deus)。

又如,道教經典《道德經》一開頭就講:「道可道,非常道」。猶太教神秘主義哲學則以「絕對無限的上帝」(En Soph)區分於「聖經中的上帝」(the God of Bible),認為「絕對無限的上帝」是人所不能描述的,是絕對的神聖實在。而在伊斯蘭教的蘇非派那裡有一個與「絕對無限的上帝」相似的概念,即「真主」(AI Haqq),它作為實在本身所指的就是,潛藏於「自我啟示的阿拉」下面的神性之淵源。

再如,有不少當代著名思想家也對上述差異進行了探討。蒂利希提出了一個概念,「高於一神論之神的神」(the God above the God of theism)。懷特海(A. N. Whitehead)及其過程神學的闡釋者們就「上帝的兩種質」作出了區分,即「原初的性質」與「後來的性質」(the primordial and consequent natures of God)。考夫曼(Gordon Kaufman)最近又提出了「兩種神」的概念,即「真正的神」(the real God)和「可交通的神」(the available God)。

以上這些說法儘管不能等同於各種宗教傳統中普遍存在的那種差異,但它們之間顯然不乏某些相似性。希克據上述分析指出:「如果我們假定實在是一,而我們人類關於實在的感知卻是多種多樣的,我們便有根據作出這樣一個假設:不同的宗教經驗之源流所表示的是,對同一無限的,超驗的實在的形形色色的意識,也就是說,實在之被感知所以有諸多特殊的不同方式,是因為不同的文化史業已或正在形成不同的人類心智。」*

* 希克:《宗教哲學》(Philosophy of Religion, N. J.: Prentice-Hall, Inc., 1983),第119頁。

上述假設的根據何在呢？希克力圖從康德的認識論中發掘其可能蘊涵的宗教哲學意義。他認為，康德哲學雖然並沒有有意探討過上述假設涉及到的問題，卻為提出這種假設留下了一個哲學思考的架構。如所周知，康德認識論有兩個基本概念，「物自體」與「現象」。它們分別指「本體的世界」，即「世界本身」(the world as it is an sich)，和「現象的世界」，也就是「向人類意識顯現出來的世界」（the world as it appears to human consciousness）。對康德的思想有不同的解釋也有大量爭論。希克傾向於這樣一種解釋，所謂的「現象世界」就是指人所經驗到的「本體世界」，因為按康德的說法，形形色色的感性經驗是透過一系列範疇而統一於人類意識的。這樣一來，人所感知到的外界便是一種「共同產物」（a joint product），亦即世界本身與感知者的選擇、解釋和統一的結合。

希克進一步分析道，康德雖然主要是在心理學意義上探討人類意識的，但是他的基本原則同樣也適用於生理學意義上的反思。譬如，拿所有的聲波、電磁波來說，像光波、無線電波、紅外線、紫外線、X射線、伽馬射線等等，雖然無時不在波及著我們，可我們的感官能反映的只是其中很小的一部分。同時，人的經驗也停留在一定的宏觀或微觀水平上。我們所經驗到的一張結實耐用的桌子，從微觀角度來看猶如一個紛紜複雜的宇宙，它是由不斷高速運動著的電子、原子、誇克等構成的。這表明「世界本身」是錯綜複雜、豐富多彩的，而人所經驗到的世界反映的不過是一種特殊的選擇，也就是人特有的生理器官與心理資質所能感知到的。的確可以說，世界顯現於人的方式，也就是我們居住於其中並與之作用的方式。

由上可見，康德就「本體世界」與「現象世界」而作的劃分有很寬泛的含義，問題在於能否用之解釋前述假設呢？希克認為，假如能用來解釋「終極實在」與「人對終極實在的不同意識」二者間的關係，那就可以說，「神性的本體」是唯一的，而「神性的現象」很可能是多種多樣的。因此，我們可以進一步假設：「神」（God）和「絕對」（the Absolute）是兩個基本的宗教概念，人們往往是藉二者之一來經驗「實在本身」的。在這兩個基本概念中，「神」是指人們所經驗到的「實在本身」是「有位格的」，這個概念所統轄的是各種形式的一神論宗教；所謂的「絕對」則是指經驗到的「實在本身」是「無位格的」，它在各種形式的「非一神論的」（nontheistic）宗教信仰中占主導地位。這兩個概念的進一步具體化，便形成了這樣或那樣的「神之意象」和「絕對之觀念」。

具體些說，有關神的諸多意象是在不同的宗教歷史中形成的。例如，希伯來文《聖經》裡的稚赫威（Jahweh），是和猶太人相關的。他是猶太人歷史的一部分，猶太人也是他的一部分，不可能把他從這種特殊的、具體的歷史關係中抽象出來。又如，印度教所崇拜的「黑天」（Krishna）則是一位與雅赫威完全不同的神，他不但存在於另一個不同的信仰團體，而且有著不同的宗教精神氣質。如果再去比較一下濕婆（Shiva）、阿拉、耶穌基督、等等，也不難得出相同的結論。以上所有這些關於神的意象都有不同的位格，而神聖實在也正是以這些不同的位格才在不同的宗教生活源流中被人們所思想、所經驗到的。因此，「這些不同的位格在部分意義上是神聖實在在人類意識裡的具體化，在另一部分意義上則是人類意識本身的具體化，因為人的意識是由特殊的、歷史的文化形成的。從人這一端來看，它們是我們關於神的不同意象；從神性的一端來看，它們是與人類的不同信仰歷史相關的神之位格。」*

希克認為，上述結論同樣也適用於那些以「非位格的」形式出現的絕對觀念，也就是人們在那些「非一神論的」宗教信仰中所經驗到的終極實在，例如，梵、涅槃、空、法、法身、道等等。因為若按前述假設，這些觀念所經驗到的也是同一無限的、終極的實在，只不過它們藉助的是不同的概念形式，即非位格的終極實在概念。

最後還有一個複雜的問題，就是關於終極實在歷來就有一些神秘的意識，而這些意識據說是直覺的，是不以人的感知器官為媒介的，或者說出於異常的感知。比如，印度教中講的「解脫」、佛教中講的「頓悟」，以及西方神秘主義的很多說法。希克的回答是，像這樣一些關於實在的直覺性意識，也還是屬於人的有意識的經驗，它們同樣也受人類心智所具有的解釋傾向的影響。因為所有的人都不可能擺脫文化的薰陶，人是文化的一部分，是在其文化之中來接受或發展某些特定的、深層的解釋傾向的，正是這些解釋傾向有助於形成他們的經驗。這一點在各種宗教文化所形成的神秘主義那裡皆有明顯的反映，無論是印度教、佛教文化的，還是基督教、伊斯蘭教、猶太教文化的。所以，形形色色的神秘主義意識即使有不可忽視的共性，但它們所經受的很可能是一些特殊的亦即有差異的經驗，而這些差異理應歸因於不同的宗教傳統所沿用的概念體系

---

* 希克：《宗教哲學》(Philosophy of Religion, N. J.： Prentice-Hall, Inc., 1983)，第120頁。

與沉思方式。說到這裡，希克想否定的是這樣一種較為流行的觀點，即各種神秘主義意識只是在用不同的宗教語言表述著完全相同的經驗。

綜上所述，希克指出：「作為有別於徹頭徹尾的懷疑論的一種選擇，下述假設是可行的也是有吸引力的：世界上的諸多偉大的宗教傳統所體現的是，人類對同一無限的、神聖的實在的不同感知與回應。」*

* 希克：《宗教哲學》(Philosophy of Religion, N. J.： Prentice-Hall, Inc., 1983)，第121頁。

第五節　宗教眞理之爭

讀過前面幾節可能會留下這樣的印象，現有幾種主要的宗教對話理論之間存在著很大分歧，而這些分歧又難以避免激烈的爭論。可以說，分歧與爭論之所以不可避免，就在於「宗教對話理論」所涉及的是一系列根本且敏感的問題，其中既有現實的也有邏輯的。

比如，如何認識當代世俗化、多元化的文化格局對傳統宗教信仰的衝擊？應否或能否固守傳統的信仰？應否在人生根本信仰上持開放與革新態度？如何對待諸多不同的宗教信仰，尤其是一個人或一個團體所繼承的信仰？有無「終極的或宗教的真理」，其本質或特徵又是什麼，是普遍的、超驗的、超自然的抑或特殊的、歷史的、文化的？有無可能對「終極的或宗教的真理」本身進行理性的批判並加以概念的描述？對於諸多「自稱為真的宗教真理主張」有無可能辨別真偽，辨別的標準又是什麼呢？等等。

由這樣一些重大問題所引發的分歧與爭論，不但在短時期內是不可能解決的，甚至會長久存在下去。可這並不意味著，我們對此沒有思考的必要性與可能性。這裡所做的只是一些初步工作，即嘗試著去歸納一下：現存的主要分歧、爭論及其焦點問題到底何在？

前幾節的討論表明，有關的論爭首先是在幾種不同的宗教對話觀念之間展開的。譬如，兼容論尤其是多元論本身就是相對於傳統的排他論立場而提出來的。但總的看來，排他論觀點受到的尖銳批評主要來自多無論者。

排他論的基本神學觀念在於堅持啟示、恩典與拯救的唯一性。這種觀念所構築的是一種相當狹隘的信仰胸懷，即唯有皈依某種宗教才是唯一的選擇，才能得以信仰的真諦，比如，天主教或新教，甚至是某某宗教中的某個宗派。因而，排他論者大多是以「教會為中心」的，一般都傾向於認為某某教會之外別無真正的啟示與恩典，當然也別無真正的拯救。

上述狹隘立場是眾多批評者們詰難的焦點。首先，為什麼或能否認為上帝或神的啟示與恩典僅此一種方式，只顯示於一種文化背景，甚至只賜恩於某一群人或某個信仰團體呢？有這樣一個頗帶現代文化色彩的比方。現代生活中充斥著廣告。精明的廣告商們總是看準消費者的口味來製造商業信息的。誰能相信上帝或神竟如一個廣告商。上帝或神若是無所不能、無所不知的，他肯定會針對不同的文化或不同的人群而選擇行之有效的啟示方式。因此，如果存在著多種多樣的神聖啟示，那麼這些啟示也會具有不同的內容與特徵，因為它們總是透過形形色色的文化外衣表現出來的。

由此來看，真正的宗教信仰大可不必鼓勵有理智、有創造力的人類就神聖啟示展開競爭，而是應當體現著不同形式的神聖啟示或救恩之道。巴特等人的排他論觀點之所以用某一形式的神聖啟示來比照多種多樣的宗教信仰，就在於他們假定啟示的形式是唯一的。可這個假設的問題是，無限的上帝或神應有能力選取不同的啟示方式，以使生活於各種文化背景下的人們既能接受巴特等人認定的那種啟示，同時也有可能接受其他形式的神聖啟示。而這一點恰恰是排他論者難以接受，也難以解釋清楚的。所以說，「全能的上帝或神與啟示方式的單一性」，是排他論者首先面臨的一大難題。

與此相關，「全能的上帝或神與拯救途徑的唯一性」，是排他論者面臨的又一大難題。在排他論那裡，強調拯救的唯一性，實際上就是在主張一種「有限的救贖觀」，亦即只有歸順某種宗教、加入某某教會，方能找到拯救的唯一途徑。

對於這樣一種有限的救贖觀，不少批評者指出，假若上帝或神是全能、全知而且是至善的，那就很難相信：除某一特定宗教或教會之外的信仰者們是注定不能得救的，甚至是注定要受嚴懲的。而這唯一的原因就在於，他們從未聽說過排他論者所堅持的那種特定宗教的啟示或福音，沒有可能按其啟示來尋求拯救之唯一途徑。

值得排他論者加以反省的是，這世上有諸多不同的宗教信仰，而除了作為少數的他們之外還有無數善男信女們，這些其他宗教的信仰者們無疑也在誠實地生活著，也在尋求終極之真理，也已委身於上帝或神，追隨著其他的先知聖徒。況且，他們所信仰的宗教也有其神聖的啟示，令他們相信自己能夠得以拯救或解脫。更需要反省的是，真正值得人去認識去崇拜的上帝或神，肯定是既愛世人又願意萬人得救的。可排他論者心目中的上帝或神卻似乎是愛心不足或能力有限的，他僅僅把神聖的啟示侷限於某一特定的時間、人群或文化，而無意或不能向所有的人指明得救之可能或途徑。起碼在基督教那裡，這種有限的救贖觀是明顯背離《聖經》中的普世救恩觀念的。

任何一種以調和為主調的學說，似乎總難免來自左右兩方面的夾擊。兼容論觀點也是如此，既受到對立論的指責，也得不到多元論者的讚許。大家已經了解，所謂的兼容論觀點明顯具有兩面性：一方面承認宗教信仰的多樣性，承認上帝或神的啟示與拯救的普世性；另一方面又竭力堅持神聖的啟示、恩典與拯救的唯一性，即只有一種宗教傳統是絕對真實的，所以有兼容甚至兼併其他宗教信仰之絕對根據。顯而易見，這前一部分觀點對排他論者來說是難以接受的，後一部分觀點則會招致多元論者的批評。

首先，排他論者認為，拉納尤其是漢斯・昆的觀點是對基督教信仰的一種動搖甚至否定。假若像他們主張的那樣，其他宗教信仰也有一定的合理性，也在一定程度上包含著真理的成分，那麼，耶穌基督還有無可能作為信仰的唯一對象或絕對保障呢？更令排他論者難以容忍的是，假如異教徒們不信耶穌基督，甚至在對基督教精神一無所知的情形下照樣可以得到恩典、獲得拯救，那麼，還有無必要把宣教視為一項神聖使命呢？或者說，傳布福音還有什麼必要呢？

總的看來，以上批評涉及到的是排他論與兼容論的一個基本分歧，即「神聖啟示與拯救的唯一性」和「認識與信仰某種啟示與拯救方式的唯一性」。這在基督教那裡具體表現為，「耶穌基督拯救人類的必然性」與「人們認識耶穌基督的必要性」。兼容論者大多或公開或暗地裡承認，上帝的啟示與拯救具有唯一性、必然性、普世性，這並不絕對取決於人們是否有所認識。而排他論者的偏頗之處即在於，誤把「信仰的本體」與「信仰的意識」絕對等同起來。可以說，試圖澄清這一邏輯上的混淆，這是兼容論者得以立論的一個前提，也是他們超越排他論的一種嘗試。而排他論者的批評則重在強調，這二者對信仰來說就是一回事兒，是絕對不可分離的。

相比之下，多元論者並沒有糾纏於某一宗教或宗派的具體信念，而是從學理上對兼容論者提出了更廣泛或更帶有一般性的批評。不論拉納等人如何鋪墊、作何解釋，匿名的基督徒」或「準基督徒」（pre-Christians）之類的說法已被看作是兼容論者的特色理論，是其論點中的一個核心概念。在主張多元論的批評者們看來，這概念本身就意味著一種邏輯混亂。

既然兼容論者不否認宗教信仰的多樣性，也承認諸多宗教信仰並存的合理性，那麼，所謂「匿名的基督徒」的說法在邏輯上很有可能演繹成一個普遍適用的「托詞」。這托詞既可被各種宗教用以自我辯護，也可用作相互指責。正如基督教可以聲稱自身的傳統是唯一真實的，而把其他宗教的所有信徒看成是體現著上帝恩典的「匿名基督徒」，為什麼伊斯蘭教不可以堅持認為絕對真理在自己手裡，並把基督徒、猶太教徒、印度教徒、道教徒等等也統統稱為「匿名的伊斯蘭教徒呢」？若按這種邏輯演繹下去，也就有了「匿名的猶太教徒」、「匿名的佛教徒」、「匿名的儒教徒」……顯然，這種後果對跨宗教、尤其是跨文化的宗教對話來說是毫無助益的，至多是為各宗教的自我封閉、相互排斥提供了一種時髦的口實。

由上述邏輯混亂還會引出一個問題。這就是：如果像兼容論者主張的那樣，這世上只有某種特定的宗教傳統是絕對真實的，而其他宗教的信徒們即使對之聞所未聞也不會喪失恩典，失去得救之可能，為什麼還要把他們稱為「匿名的某某信徒」，為什麼還要費勁去論證兼容論觀念，想方設法地從根本上改變他們原有的宗教信仰呢？對於這類問題，儘管拉納和漢斯・昆等人一再作出論證，就宗教真理或價值觀念的絕對性力陳這樣或那樣的理由，可這些理由似乎並不足以消除「匿名的基督徒」之類概念在邏輯上的缺陷。問題恐怕就出在，兼容論觀念本身仍明顯留有排他論的基本因素，而這也正是被多元論一方的批評者們抓住的一個主要把柄。

因此，一旦上述批評得以成立，兼容論觀念不但不會有助於推動各宗教間的對話，反而會被看作是繼排他論之後的又一重障礙。或許正是在這種意義上，以希克等人為代表的多元論者認為，兼容論觀念誠然較之傳統的排他論前進了一步，但這只能算作一種「過渡性的立場」，有必要對之實現一場更開放的觀念超越。

作為一種開放的主張，多元論自然也免不了來自保守派勢力、尤其是排他論者的激烈反擊。這種反擊主要是在本宗教或本宗派內部展開的。在基督教那裡，希克等人的開放觀念對排他論者來說無異於一種大逆不道的行徑，即離經叛道。因此，以排他論者為主角的批評者們發出了一連串的指責：

首先要指出的一點，多元論者是在否定《聖經》的絕對權威。《聖經》紀錄的是上帝的話語，是信仰的唯一根據；而承認其他宗教和基督教處於平等地位，也分有神聖啟示，這實際上是對《聖經》的貶低，將其僅僅看作是諸多形式的神聖啟示之一。這種做法必定使多元論者曲解經典，背離傳統教義。

例如，希克等人大談特談「神性的本體」與「神性的現象」之分離，將耶穌基督與其他宗教信仰的對象相提並論，這不但是在迎合其他宗教，而且是把「道成肉身」曲解為諸多神話傳說中的一種。又如，在救贖論上，多元論者所引用的經文大多是有關「普世救恩之可能性」的，而從根本上忽視了何以才能得救、最終能否得救等重大啟示。更明顯的一點是，《聖經．新約》一再強調地獄的存在是永恆的，是上帝之神聖公義的體現，即揚善必要懲惡。可多元論者卻對此視而不見，一味誇大上帝神性中博愛的一面。這不能不說是一種片面的神性觀。

以上提到的只是一些批評要點。顯然，由這些基本批評意見可以擴展出更多的內容，以致對多元論作出徹底的否定。這裡對此略而不論。

與上述具體的教義之爭相比，更值得我們重視的還是關於多元論的一般學理批判。有越來越多的宗教哲學家們意識到，多元論在當代宗教對話理論中的形成及其廣泛影響，不光是對各宗教的傳統教義構成了挑戰，更重要的意義還在於從本體論與認識論上提出了諸多值得深思的問題。歸納起來，這些問題集中於兩點：宗教信仰能否就「終極之實在」作出真理性的論斷？各種宗教信仰又是如何表達各自的真理主張的？

由第四節的評介來看，對於頭一個基本問題，以希克為主帥的多元論者是給予肯定的，而這種肯定的回答又是以他們有關第二個問題的闡釋為邏輯根據的。希克等人的多元論觀點植根於康德哲學。康德在對人類認識能力所作的歷史性批判中劃分了「物自體」與「現象」，希克則藉此引出了「神性的本體」與「神性的現象」之區別，並藉康德之口把前者定性為「先驗的」，將後者歸類於「後驗的」，亦即「可經驗的」。正是據此，希克遠溯各種宗教傳統，近覽一些神學突破，以求反覆論證：「神性的本體」固然不二，可人們所能經驗到的神性現象卻是多種多樣的，因為這多樣性的經驗及其表達是不可能游離於「諸多宗教傳統之源流」以外的，亦即不可能不留有個體的、歷史的、尤其是文化的烙印。所以說，各種宗教理應平等對話。

我們再次梳理希克等人的宗教哲學基本觀念，因為關於多元論的一些思辨爭論即暗含於其中。不過在切入有關的本體論與認識論問題之前，還有必要再祛除一重疑障，這就是多元論觀念的「道德外衣」。希克等人適應多元化的文化格局，敢於衝出原有信仰的藩籬，力主以誠相待、平等對話，使各宗教間的關係化干戈為玉帛。這無疑是值得肯定的，也的確得到了很多學者的認同。但有批評者不無道理地指出，這種真誠與平等的對話態度本身並不應看作是多元論得以成立的充足理由。道理很簡單，能否平等對待其他宗教是一回事，而一種對話理論能否成立則是另一回事。譬如，一個人可以也應當尊重他人的信仰或觀點，可這並不一定意味著也同意該人的信仰或觀點。一句話，對多元論所主張的對話態度與對話理論可分別加以探討。

有關多元論觀念提出的本體論與認識論問題的學理之爭，可透過希克的那個比喻具體體現出來。如前所見，希克為形象地說明其多元論主張，曾把「神性的本體」比作「大象」，而把能經驗「神性現象」的信仰者們比作「盲人」。由此引發的一大爭論就是，能否從這種類比中得出與希克相反的結論呢？有批評者認為，這是完全可能的。盲人摸象的結果非但不能說明他們所表達的感受都是對的，反倒證實這些說法都是錯的。因為大象並不是什麼「一根柱子」、「一條大蛇」、「一只尖尖的犁頭」等等，他們摸到的就是一隻大象，即使說出某種感覺或者把所有這些感覺加在一起，那也必錯無疑。在信仰問題上也是如此。除非有人能真正說清楚終極之實在本身是什麼，我們對此便一無所知。換言之，除非有人能就終極之實在本身說些什麼，否則希克等人的假設又從何說起呢？這和盲人與大象的關係一樣。如果有個盲人假定，他實實在在感受到的是一隻大象，那他肯定早就知道大象是什麼。

爭論遠遠不止於此。如果以上批評沒有指錯對象的話，那麼，多元論者很可能走向一種可怕的結局，即重蹈不可知論的覆轍。多元論的出現及其影響，既為各宗教間的對話鋪平了道路，同時也為神論者與無神論者之間的對話提供了可能性。從跨文化、跨意識型態的晚近對話動向來看，也確有不少觀念開放的西方神學家、宗教哲學家致力於這方面的嘗試。比如，和一些沒有任何宗教背景的學者，像科學主義者，人本主義者，馬克思主義者，就信仰或真理問題展開廣泛的討論。這可從近些年來哲學，宗教學以及其他人文學科的國際會議所討論的主題中部分反映出來。對於這種對話趨向，一些批評者是深感疑惑的。

這些批評者指出，把科學主義、人道主義、甚至馬克思主義看作是與各種宗教平行的或類似的信仰，拉在一起進行對話，這本身就很值得商榷。比如說，基督教徒、猶太教徒、伊斯蘭教徒等都是一神論者，他們深信有一位真正的神，這是他們的人生寄託，是全部意義之源泉。反之，科學主義者、人道主義者、尤其是馬克思主義者則明確否認上帝或神的存在，他們認為人生的真正意義就在於自我創造或實踐活動本身。顯而易見，以上兩種主張雖然都可能是理智的，但它們涇渭分明、截然不同。這樣也就產生了一個難題：希克等人當然盡可假定「終極之實在」的存在，並強調人類有關終極實在之經驗的可能性與多樣性，可透過他們所倡導的跨信仰、跨文化的對話，誰能知道這「終極之實在」到底是什麼呢？這種不會有結果的「盲人對話」只能表明，多元論者距離不可知論僅有一步之遙。綜合以上批評意見，多元論者有可能在邏輯上落入這樣一種二難境地：假如認為「神性的本體」與「神性的現象」是不能同一的，因而不可能就神或終極實在本身形成任何明確的觀念，也不可能就神或終極實在本身加以言語的表達，那麼，所謂的有神論與無神論又有什麼界線可言呢？反過來說，假若神或終極實在本身是可經驗的，也可用某些觀念加以描述，那麼，無論信仰者還是批判者都不會如同盲人，他們可以作出明確的判斷，並據此進行理智的選擇＊。

＊ 關於這種「二難」的討論，可參見拜爾尼：「希克的世界宗教哲學」（Peter Geach,「John Hick's Philosophy of World Religions」, Scottish Journal of Theology 35, no. 4, 1982）。

第六章 宗教與文化

對宗教學來說，「宗教與文化的關係」恐怕是一個大得不能再大，複雜得也不能再複雜的話題了。如果我們巡視一番晚近的學術動向，有理由作出如下判斷：宗教研究與文化研究的緊密結合已成為一種趨勢，已被推到了人文研究的前沿，而在這二者的結合點上展開的諸多理論嘗試，似乎正在孕育著一種新方法論觀念。這就是廣泛藉助當代人文研究的成果，尤其是對「宗教」與「文化」兩個基本範疇的重新理解，著重強調宗教與文化之間存在的那種錯綜複雜的內在關係對於全面而深入地探討宗教現象的關鍵性意義。

由這種學術背景出發，我們在最後一章試作兩方面的探討：第一，從當代人文研究的前列學科選出幾位代表人物，以他們在宗教與文化研究中闡發的基本觀點作為評價對象。比如，馬林諾夫斯基對原始宗教的文化功能分析，韋伯關於近代文化起因的宗教社會學考察，湯恩比對文明型態與宗教傳統的歷史哲學批判，道森所主張的宗教文化史觀，還有卡西爾對神話——宗教思維方式的文化哲學解釋。第二，透過以上研究實例的比較，試析它們共有的學理依據，看看能否從中歸納出值得重視的方法論問題，以啟發我們尋求一種更成熟的宗教研究整體觀。

第一節　宗教與原始文化

原始宗教研究歷來深受重視，特別是到19與20世紀之交出現了許多名家名著。但馬林諾夫斯基（Bronislaw Malinowski, 1884～1942年）卻敢於向眾多名家挑戰，以其倡導的文化人類學的功能分析方法積極推動著一場學術觀念變革，即由形而上學的抽象思辨走向經驗主義的具體分析，以賦予原始宗教研究更強烈的實證性與現實感。

作為文化人類學功能學派的創始人，馬林諾夫斯基想要追究的一個基本問題就是：宗教信仰在原始文化中究竟占什麼地位，具有什麼功能。他在具體闡述自己的觀點之前，首先以功能學派的眼光審視了以往原始宗教研究中提出的主要學說。泰勒（Tylor）認為，原始宗教是一種原始的「萬物有靈論」，馬累特（Marett）則以為，應當稱之為「前萬物有靈論」；馮特（Wundt）指出，原始宗教信仰出自「恐懼情緒」，而在繆勒（Müller）看來，它源於「語言失誤」；豪爾（Hauer）曾把原始宗教歸結為「天賦的本能」，杜爾凱姆（Durkheim）則把它看作「社會的自我啟示」。馬林諾夫斯基指出，如此種種學說不僅各持一端，讓人無所適從，更重要的問題是它們存在著一種根本缺陷，即把原始宗教信仰誤解為超越於整個人類文化結構之上的某種東西。這種東西雖然也能滿足人類的某些需要，但這些需要都是獨立的，是與人類文化中的生存現實毫無關係的。

因此，要想真正揭示原始宗教的文化地位與文化功能，最好首先放棄這樣一些形而上學的玄想，直接面對文化事實，即直接考察原始文化中的「生命過程」。這是因為，只要涉獵一下人文科學的有關資料，就會發現原始宗教活動的大多數信念、儀式、行為等都是跟生命過程息息相關的。換言之，人生的每一生理階段，尤其是每次重大轉機幾乎均有相應的宗教需要。這樣，馬林諾夫斯基便一反傳統觀念，另闢蹊徑，沿著生命過程的展開，逐一考察了原始文化中的出生、成年、婚姻、和死亡等生命現象。在這其中他有重點考察了「成年禮」和「喪禮」。下面我們就以這兩部分的分析為例，勾勒出馬林諾夫斯基的原始宗教文化功能觀。

馬林諾夫斯基指出，在原始文化生活中，凡是信奉「成年禮」的地方都有一些相似之處。每當一批社會成員步入成年時，首先都要經過很長一段預備期或隔離期，此後才正式舉行成年禮。這種成年儀式一般包括如下三個特點：第一，經受肉體靈試。譬如，劃傷一部分皮膚或打掉一顆門牙；稍重的還要實行「割禮」，即切割包皮；像澳洲的有些部落還有更殘酷的「割禮」，即割開溺管。在做這類靈試時，受試者一般都要裝作當場死去旋即復活的樣子。第二，接受傳統與神話。就是由首領把本部落所沿襲的傳統、信奉的神話系統地傳授給參加儀式的年輕人，使他們了解本部落的「奧秘」或「聖物」。這一點雖然不如前一方面富有戲劇性，但更重要。第三，親近超人的力量。前兩個方面的用意均在於，透過不同的手段使入世的青年跟某種超人的力量相溝通。譬如，北美印第安人有「訓育神」或「守護神」，澳大利亞土著人有「萬物之父」，美拉尼西亞人則有「神話英雄」等等。

問題在於，這些習俗具有什麼社會作用呢？它們對於原始文化的存在與發展又有什麼功能呢？前面提到，藉助這些習俗，入世青年都要經歷十分嚴格的準備、靈試和訓導，而所有這些最後又都集中於一點，這就是透過某種超自然力量的認可來接受本部落的神聖傳統。眾所周知，在原始文化生活的狀態下，傳統對於社會具有無上的價值。只有嚴守前人留下的習俗與知識，才能維繫秩序與文明。原始社會還沒有現代意義上的科學，它們的組織、知識、習俗和信仰等等都是由列祖列宗的慘淡經驗積累而成的寶貴財富。所以，原始道德以效忠傳統為重為聖；這種以傳統為聖的社會也會因世襲權勢而得以鞏固。因此，有關成年禮的信仰與儀式為傳統套上神聖的光環，打上超自然的烙印，這對原始文化生活來說的確具有「生存的價值」。「這樣，我們便可以確定種種入世儀式的主要功能了：它們對於原始社會傳統中的最高勢力和價值來說，是一種儀式性的、戲劇性的表達；它們有助於把這種勢力和價值銘刻在每一代人的心裡，在此同時，它們對於傳授部落的知識，保障傳統的延續，以及維持部落的內聚力也是一種極其有效的手段。」*

不僅如此，成年禮中的生理事實與原始文化裡的宗教信仰二者之間也有著深刻的關係。不難看出，有關成年的宗教儀式除了將青年入世這一生命轉機神聖化外，還有一種不可估量的社會作用。這就是把生理過程轉化成社會過程，在體格成熟之上再加上成人意識，從而使年輕人認識傳統，親近聖物，享有權利，克盡義務。可以說，所有宗教儀式的創造行為也正在於此。正是這類富有創造性的行為使個人生活具有了社會意義，它們的社會功能即在於創造社會心理與社會習俗，從而裨益於原始文化生活的延續。

再來考察一下原始文化生活中的「喪禮」。馬林諾夫斯基指

---

* 馬林諾夫斯基：《巫術、科學與宗教》(Magic Science and Religion, in SCIENCE RELIGION AND REALITY, The Macmilian Company 1925)，第40頁。

出，我們可從多種角度去探討宗教的根源，但在所有這些角度中恐怕要數死亡相信最為重要了。死亡是人生的根本轉機，是整個生命過程的終結。以往的大多數學者都認為，原始文化生活中的宗教啟示主要得之於死亡這一事實。這種傳統觀點基本上是正確的。人類根本無法掙脫死亡的陰影，至於那些熱愛生命、充分享有生活的人就更畏懼死亡了。人因生命而有複雜的情感。歷經漫漫人生旅程，這種情感在生命終結之時反映得尤為強烈，於是也就觸發了相應的宗教情緒。

原始部落對待死亡的態度，要比常人的想像複雜得多，而且也和我們現代人的態度相近得多。有不少人類學家認為，在死亡問題上原始人的主要情感是對屍體的反感、對鬼魂的恐懼。著名學者馮特也把這種雙重態度視為原始宗教行為的核心觀念。而實際上，原始人所抱有的情感是複雜的，甚至是矛盾的。他們一方面對死者厚愛，另一方面又對屍首反感；一方面懷戀死者的人格，另一方面又畏懼物化了的屍體。以上兩方面的情感似乎總是同時並存，合而為一的。這種情形在行為的自然流露中和喪禮的基本程序上都可以得到證實。最親近的親屬，像失去了兒子的母親，失去了丈夫的妻子，失去了雙親的子女等等，不論在喪前還是在葬後都懷有真誠的眷戀也抱有深刻的恐懼，總是兩情相融，難解難分。

世界各地的喪禮十分相似。臨終前，親屬們，有時包括當地的居民，總要一直守在臨終者的跟前。於是，死亡這一個體的生命行為變成了一項公共事務或一種部落行為。按常規，這時要有一點遠近親疏之分，有的守在跟前，有的操持後事，或許還有人事先要到某個神聖的地方進行一些宗教活動。例如，美拉尼西亞的某些部落是由姻親來籌辦喪禮的，宗親則需迴避；而澳大利亞的有些部落則採取相反的方法。人死後，先要洗屍，修面，裝裹等等，有時還要把口竅填滿，把手腳捆束起來，然後再讓人們向遺體告別舉哀。舉哀時，人們不但不能躲避屍體，反而要滿懷深情地向屍體表達敬意。有些儀式為了表示眷戀之情，還要撫摸屍體，甚至把屍體放在親人的腿上加以撫摸。當然，這一類的行為總會令人反感，可這是生者的責任，是不得不付出犧牲精神的。最後一項儀式就是裝殮，常見的方式有土葬、穴葬、火葬、水葬、野葬等等。

馬林諾夫斯基認為，考察至此便真正接觸到了喪禮中最重要的宗教因素，這就是處置屍體的兩種截然相反的方式。一是想要保存屍體，使其完整無損，至少也要保存好部分屍體；一是想把屍體拋棄，甚至將其徹底毀滅。木乃伊和火葬，就是上述兩種傾向的極端表現。有些學者把這兩種傾向看作某一信仰的偶然產物，或看作某種文化的歷史產物，從而把這些做法一概歸結為文化傳播的結果。這是不對的。因為在所有的喪事習俗中，死者的親朋好友都明顯地表現出雙重心態：對死者的眷戀和對死亡的畏懼。這種雙重心態最明顯、最極端的一種表現形式就是，美拉尼西亞人所信奉「分食人肉習俗」（sarco-cannibalism），即懷著虔敬的心情來分享死者的屍體。這種禮儀確實充滿了恐怖氣氛，參加者過後一般都是大吐大泄。但與此同時，它又是一種傳統的盡忠盡孝的行為。後來，雖然由於白人政府強令禁止，當地土人不敢公開舉行這種儀式了，可他們來說，分食親人的屍體是一種神聖的職責，寧可觸犯刑律也要暗地裡盡職盡責。在澳大利亞的有些部落則流行著另一種習俗，把死者的脂肪塗在活人的身上。所有這些儀式，其目的都在於既想維持活人與死者之間的聯繫，又欲斷絕這種關係。所以，喪禮歷來就被看作不祥的活動，接觸屍體也被看作污濁而危險的行為。一般說來，人們參加過這些儀式都要淋浴淨身，以便跟屍體接觸後不留任何痕跡。可是，喪禮之為喪禮總要讓人們克服畏懼心理，充滿愛慕之情，而且還要堅信人有來生，靈魂不死。

根據這些分析便可以討論宗教信仰的社會功能了。馬林諾夫斯基指出，前面的分析注重的是人們面對死亡、接觸屍體時所產生的直接情感，因為這些情感從根本上支配著人們的行為。但更值得加以注意的是，和這些情感相伴而生的還有靈魂觀念，即相信死者復活，人有來世。然而，靈魂又是什麼東西呢？信仰靈魂有無心理根源呢？馬林諾夫斯基回答說，原始人害怕死亡，這大概屬於人和動物都有的一種本能。原始人不願承認死亡是生命的終結，不願相信死亡是生命的消失，於是便產生了靈魂觀念。至於這種觀念的經驗來源，泰勒作過探討。在他看來，靈魂觀念是一種令人安慰的信仰。它使人相信生命的延續，即相信人死後還有生命。但是，這種信仰也不是沒有困難的。顯然，當人們面對死亡的時候，總是懷有希望與恐懼交織而成的雙重心理。一方面，人們可以藉助希望而得以安慰，產生長生不老的強烈慾望；另一方面，他們又總是擺脫不了恐懼的徵兆，因為感官證明逝者長逝，屍體也已腐爛了。這種本能的恐懼似乎可使人類在任何文化發展階段上均能感到死亡的威脅。馬林諾夫斯基認為，有關死亡現象的宗教信仰就是這樣應運而生的。它們的社會功能即在於，促使人們去「選擇自信的信念、自慰的觀點和具有文化價值的信仰，即相信生命不朽，相信靈魂獨立於肉體，相信死後生命延續，在形形色色的喪禮中，在悼念死者並跟死者的交流中，在祖靈崇拜中，宗教信仰均為得救觀念提供了內容與形式。」*

由此可見，原始文化生活中的靈魂觀念並非古代哲學的抽象產物，而是情感啟示的直接結果。人類有關生命延續的信念乃是宗教信仰的一大貢獻。正是因為有了這樣一種頑強的信念，每當生之希望與死之恐懼劇烈衝突時，人們才會選擇有利的一面，選擇了生存而不是屈服於死亡；也正是因為有了上述信念及其效果，人們也就相信了靈魂的存在。所以說，靈魂觀念就其本質而言，是生命慾望特有的豐富情感，而絕不是渺茫的夢幻或錯覺。這種強烈的慾望，這種深厚的情感，也正是靈魂觀念的真正根源。這樣一來，我們便可以把喪禮看作宗教行為的典型，把靈魂觀念看作宗教信仰的原型。如同其他各種宗教儀式，喪禮不假外求，行為本身就是目的。喪禮儀式上的各個環節均是為了表達人們的悲哀與損失的。人們的自然情感為喪禮所認可，並透過喪禮表達出來，這就藉助於自然事實產生了社會效果。因此，對原始文化生活來說，喪禮本身就有著十分重要的社會功能。

那麼，喪禮的社會功能具體表現在哪些地方呢？據馬林諾夫斯基的基本看法，有關生命現象的一切宗教儀式的社會功能都在於維護神聖的傳統。例如，有關食物的禮儀，其功能在於透過「聖餐」或「獻祭」而使天人一體，也就是使人與某種左右作物生長的超自然力量合為一體；再如，圖騰制度的主要功能在於使人的選擇與人

---

* 馬林諾夫斯基：《巫術、科學與宗教》（Magic Science and Religion, in SCIENCE RELIGION AND REALITY, The Macmilian Company 1925），第50頁。

的環境彼此協調。整個喪禮事實上也具有類似的功能。原始社會人口稀少。一個部落失去一個成員，尤其是一個重要成員，無疑是一種巨大的損失。而前面討論過的那些強烈的情感衝動，像恐懼情緒，拋棄屍體，甚至銷毀死者的所有遺物等等，又都是客觀存在的。因此，如果沒有行之有效的辦法來抑制這些消極的衝動，那是十分危險的。有時甚至會擾亂正常生活，瓦解社會組織，乃至動搖整個原始文化生活的物質基礎。

在這種情況下，宗教信仰的基本功能即在於順應人類自我保護本能中的另一種傾向，促使出於生命慾望的積極衝動得以神聖化、條理化，從而使人們的心理得到安慰，精神得以完整。同時，有關喪禮的宗教信仰不但使個人精神得以完整，而且也使整個社會得到鞏固。透過喪禮，人們與死者保持著一種關係，相信靈魂不死，相信靈魂有善有惡，此外再加上追悼、祭禮等等，這樣宗教信仰便能幫助人們最終戰勝恐懼、灰心、失望等社會離心力，使深受死亡威脅的群體生活得以統協、得以延續。「一言以蔽之，宗教在這裡為傳統和文化戰勝遭到挫折的本能作出的消極反應提供了保障。」*

總之，馬林諾夫斯基認為，原始宗教並不是超越於文化結構之上的某種抽象觀念，而是原始文化生活的重要組成部分；原始宗教所能滿足的需要也不是與現實的生命活動毫不相干的，而是和人類的基本需要，即生理的與心理的需要有著內在的聯繫。因此，只要正視生命現實，沿著生命過程的展開去追究原始宗教的活動線索，

---

* 馬林諾夫斯基：《巫術、科學與宗教》（Magic Science and Religion, in SCIENCE RELIGION AND REALITY, The Macmilian Company 1925），第51頁。

我們就會發現：在原始文化生活裡，生命過程中的每一次重大轉機，都會引起情感的紊亂，精神的衝突和人格的解組。所以，任何形式的宗教信仰均是適應個體的或社會的某些基本需要而形成的。它們的主要功能在於，使人類情感裡、精神上、人格中的積極因素予以傳統化、標準化、神聖化，從而既使個體的心理得到滿足，又使社會的生活得以鞏固。

最後需要指出的是，雖然馬林諾夫斯基長期潛心於原始宗教與文化關係問題的研究，但他對自己的研究成果卻抱有更高的期望。他自信，上述基本結論不但適用於原始宗教研究，而且也適用於一般意義上的宗教研究。這種意圖在下面這段引文裡得到了較充分的反映：

「宗教的需要出於人類文化的延續，這種文化延續是指超越死亡之神並跨越代代祖先之存在，而使人類的努力和人類的關係持續下去。因此，宗教在倫理方面使人類的生活與行為神聖化，而且還有可能成為最強大的社會控制力量。在其教義方面，它為人類提供了強大的內聚力，使人類成為命運的主人，消除了人生的苦悶。凡有文化必有宗教，因為知識產生預見，但預見並不能戰勝命運；因為人們終生互助互利所形成的契約般的義務觸發了情感，而情感則反抗著生離死別；因為每每跟現實相接觸便會發現一種邪惡而神秘的意志，另一方面又有一種仁慈的天意，人們對於這兩者，必須親近一方而征服另一方。儘管文化對於宗教的需要完全是派生的、間接的，但歸根結底宗教卻植根於人類的基本需要，以及滿足這些需要的文化形式。」*

* 馬林諾夫斯基：《文化》(Culture, Typewritten Manuscript，北京大學圖書館藏)，第108頁。

第二節　宗教與近代文化

大多數讀者知道，馬克斯·韋伯（Max Weber, 1864～1920年）對當代學術界最重要的影響在於其世界宗教系列比較研究。這方面的著作在他去世後結集而成三卷本的《宗教社會學論文集》（1920～1921年），其中主要包括：《新教倫理與資本主義精神》、《新教教派與資本主義精神》、《儒教與道教》、《印度教與佛教》和《古代猶太教》等。所有這些論著均致力於一個主題：透過考察宗教觀念與資本主義精神的關係，以闡明西方近代文化的起因。這個主題又是韋伯透過從總體上反省世界文化現象擇定的。

《宗教社會學論文集》的第一卷，是在韋伯去世那年修訂出版的。韋伯在為這套文化比較系列專著所作的「導論」中指出，一個於近代歐洲文明中成長起來的學者，在研討任何有關世界歷史的問題時都不免會反思：在西方文明中表現出來的那些特有的文化現象，究竟應當歸咎於哪些因素的綜合作用呢？在韋伯看來，西方文化現象的獨特性在於「理性化」。譬如，唯有西方才具有理性化的科學。誠然，在許多文明中，尤其是在印度、埃及、中國和巴比倫，都不乏具有高度精確性的知識。可是，埃及的天文學缺少數學基礎，印度的幾何學也沒有推理證明，而它們所缺少的這些知識都是古希臘文化的產物。中國自古以來就有高度發達的歷史學，卻未曾有過修昔底德那般嚴謹的史學方法；印度出現過政治學的先驅，但印度的所有政治學說都缺乏一種可與亞里士多德政治學相比的系統方法和理性概念。

又如，在藝術和建築領域也是如此。世界各地幾乎都有復調音樂、器樂合奏和多聲合唱等等。但是，真正理性化的音樂是以三個三度選置的三和弦為基礎的全音程構成的。就此看來，西方音樂中的半音和等音、以弦樂四重奏為核心的管弦樂隊、低音伴奏、記譜系統，還有奏鳴曲、交響樂、歌劇，以及表現上述所有這些風格或形式的主要樂器，像風琴、鋼琴、小提琴等等，又均屬西方文化所特有的現象了。在建築方面，尖頂拱門在世界建築史上向來就是一種裝飾手段，無論在古代西方還是在亞洲地區都是如此。但是，合乎理性地把哥德式拱頂作為分散壓力和覆蓋空間的方式，作為雄偉建築物的鮮明特點，並將其推廣到雕塑和繪畫領域來作為一種藝術風格的基礎，所有這些做法在除歐洲之外的其他地方都是未曾出現過的。

再如，在政治領域，封建統治階級的組織形式在世界各地都是大同小異的。然而，西方意義上的封建等級制國家，恐怕只是西方文化史上的特有現象。至於由定期選舉產生的議會，以及在議會監督下的內閣政府，就更是西方文化的獨特產物了。事實上，如果國家是指一個擁有理性化的成文法，並為理性化的規章律法所制約、由訓練有素的行政官員來管理的政治聯合體，那麼，恐怕只有在西方才能發現完備上述諸種基本性質的國家形式。

韋伯認為，上述那些或大或小的文化差異尤為深刻地反映在西方現代社會中「最決定命運的力量—資本主義」那裡。究其原委，西方文化現象的普遍理性化源於西方資本主義的理性化。常見有些人把資本主義視同為注重金錢、追逐利潤，在韋伯看來這是一種素樸的誤解。幾乎可以說，這類慾望是一切時代、所有國家的人共有的，諸如侍者、車夫、妓女、貪官、士兵、貴族、賭徒、乞丐、藝術家等等概未例外。由此可見，所謂貪婪的慾望壓根就不等同於資本主義，更不是資本主義的基本精神。其實在相當大的程度上，倒不如說資本主義是對這種非理性的慾望的一種抑制，至少可以說是一種合理的緩解。所謂的資本主義經濟行為應當是指「依靠種種交換機會來指望獲利的行為，即依賴於（形式上）和平的獲利可能性的行為」*。也就是說，資本主義經濟行為在實際活動中要適於進行貨幣收支比較，至於比較的方式多麼原始則沒有多大的關係。從現有的經濟史料來看，這種意義上的資本主義和企業在所有的文明國家或地區，比如中國、印度、埃及、巴比倫、古代地中海地區、中世紀的西方等等，都是早已存在的。

然而，除此之外，在近代西方還出現了一種獨特的資本主義形式。這就是以自由勞動的理性化為基礎的資本主義勞動形式。這種勞動組織方式主要有以下三個基本特點：（1）形成了與固定的市場相協調的理性化的工業組織；（2）把勞務和家務劃分開來；（3）採取了合乎理性的簿記方式 **。可以說，這種獨特的資本主義勞動組織形式在世界其他地方出來沒有真正出現過，至多也不過是略有跡象而已。因此，就整個世界文化史的研究而言，應當考察的中心問題不是資本主義的發展過程本身如何，而是近代西方這種以理性化的自由勞動組織方式為特徵的資本主義的起源問題，即便只從經濟的角度來看也應確認這個中心議題。

那麼，究竟應當從何入手去揭示西方近代資本主義的起源呢？乍看起來，西方近代資本主義從一開始就深受科學技術的影響，它

---

* 韋伯：《新教倫理與資本主義精神》（The Protestant Ethic and the Spirit of Capitalism, New York,1958），第17頁。

** 見同上書，第21～22頁。

所具有的理智性如今已徹底有賴於一些至關重要的技術因素的可靠性。這種情形在根本上意味著兩方面的相互作用：一方面，西方近代的資本主義依賴於現代科學技術，尤其是以理性化的數學和實驗為基礎的自然科學。另一方面，西方近代資本主義的經濟利益又大大刺激了現代科學及其應用技術的發展。顯然，西方的科學並非起源於資本主義的經濟利益。十進位制的計算方法是由古代印度人發明的。問題在於，這種計算方法並沒有在印度導致現代算術和簿記方法的產生，反倒在西方資本主義的發展過程中得到了合理的利用。此外，數學和機械學的起源也不是取決於西方近代資本主義的經濟利益的。但是，這些學科的發展及其應用的確深受經濟利益的刺激，而這種刺激也是從西方近代社會結構的特性中衍生出來的。這就促使我們發問：既然西方近代社會結構中的方方面面並不是同等重要的，那麼這種刺激主要來自哪些方面呢？

當進一步考察上述問題時，韋伯認為，西方理性化的法律制度和行政體制無疑具有不可忽視的重要性。西方近代資本主義的形成與發展不僅需要理性化的科學技術，同時也需要行之有效的法律制度和行政機構。沒有後二者的維繫，或許可能出現冒險性或投機性的資本主義，也可能出現各種政治性的資本主義，但絕不可能形成由個人創辦的、完備固定資本和經濟核算的理性化的資本主義企業。雖然法律制度和行政機構只是在近代西方才處於一種相對合理的狀態，從而能夠有力推動經濟活動的發展，但還必須進一步發問：這種相對合理的法律制度和行政機構又是如何形成的呢？不可否認，資本主義的經濟利益曾經促進了它們的形成。但同樣不可否認的是，無論法律制度還是行政機構都不是經濟利益單獨作用的結果，而是多種力量綜合作用的產物。

韋伯指出，上述種種問題實質上都從不同的角度涉及到近代西方文化所特有的理性主義。「因此，我們的首要任務在於，從發生學上窮究並闡明西方理性主義的這種個別的特質，並就此範圍闡明近代西方型態的特質。」* 當然，在試圖說明這個關鍵問題時，必須首先考慮經濟狀況，因為經濟因素在歷史進程中有著根本的重要性。但與此同時，也必須考慮到來自相反方向的有關作用。經濟理性主義的形成與發展雖然部分地依賴於理性化的技術和法律，可在實際活動中某些類型的理性行為卻取決於人的能力與氣質。也就是說，假如這些類型的理性行為受到精神的妨礙，理性化的經濟行為勢必遭到嚴重的內在阻滯。值得注意的是，在西方歷史上，「那些神秘的、宗教的力量，以及基於它們而形成的有關責任的倫理觀念，在過去歷來就對行為有著至關重要、促其生成的影響。」** 在一定意義上可以說，正是為了闡明這些神秘的宗教力量在文化變遷中的決定性作用，韋伯傾其畢生精力，推出了一系列世界宗教比較研究論著。

何謂資本主義精神？這是韋伯首先想要澄清的一個基本概念。在他看來，如果「資本主義精神」一詞有什麼可理解的意義的話，它所適用的任何對象只能是「一種歷史的個體」（a historical individual），也就是由歷史實在中相互關聯的諸要素形成的「一種複合體」。顯然，對於這樣一種歷史的個體，是不能按照「種加屬差」的一般公式來規定的，而必須首先從歷史實在中逐一析取有關的要

---

* 韋伯：《新教倫理與資本主義精神》（The Protestant Ethic and the Spirit of Capitalism, New York,1958），第26頁。

** 同上書，第27頁。

素，然後再依據這些要素的文化意義構成概念整體。為此，韋伯選取了一份有關資本主義精神的史料，即美國著名作家、政治家富蘭克林（Benjamin Franklin, 1706～1790年）的兩篇文章，《給一個年輕商人的忠告》和《給希望發財致富的人們的一些必要提示》。他認為，這份史料以近乎典型的純粹性保存了資本主義精神的原貌，更難得的是它又和宗教信仰沒有直接的關係，這對研究目的來說便有了擺脫先入之見的優點。為了廓清韋伯的思路，下面把他引用的主要史料節錄幾段：

富蘭克林說：「記住，時間就是金錢。一個人靠自己的勞動一天能掙10先令，卻跑出去或閒待著半天，儘管他不過花了6個便士，但也不該只算花了這些；他實際上已經花了，或不如說是扔了另外的5先令。

記住，信譽就是金錢。要是一個人在借款到期後還把他的錢放在我的手裡，那他便把這筆利息給我了，或者說把我在這期間利用這筆錢所能掙到的全給我了。

記住，金錢有繁殖且多產的本能。錢能生出錢來，這些生出來的錢還能生出更多，以致生生不已。對於影響到信譽的最瑣碎的舉止也要留心。要是一個債權人在早上5點或晚上8點聽到你的鐘聲，那會使他半年都覺得寬心；可當你該工作時，如果他在台球房或小酒館聽到你的聲音，那他第二天就會派人來討債。

留意，不要以為你擁有的統統都是你自己的，這是許多債權人所犯的一個錯誤。若想避免這個過錯，就要堅持記帳，日後一筆一筆地記下你的收入情況……」*

---

* 韋伯：《新教倫理與資本主義精神》（The Protestant Ethic and the Spirit of Capitalism, New York,1958），第48～49頁。

在韋伯看來，富蘭克林的這些格言式的忠告或許並沒有把資本主義精神囊括無遺，但它們所表達的卻是地道的資本主義精神。這些忠告所宣揚的不僅僅是一種從商的精明，一種發跡的路數，實質上還是一種獨特的精神氣質，一種嶄新的倫理觀。它所主張的「至善」——盡力贏利，首先祛除了幸福主義或享樂主義的成分。富蘭克林把這種至善直接等同於目的本身，以至於經濟活動中的贏利不再是人們滿足物質需要的主要手段，而是成了人生的最終目的。因而，在現代經濟制度下設法贏利，只要掙得合理合法，便是精於某種「天職」（calling）的表現和結果。這樣一種美德與能力正是富蘭克林所力主的道德倫理觀的核心內容。

「其實，一個人擔負著一種天職的責任，這樣一種我們今天十分熟悉、而實際上又並非理所當然的特殊觀念，正是資本主義文化的社會倫理中最富有特點的東西，而且在某種意義上也正是資本主義文化的根基所在。」* 照韋伯看來，「這種最富有特點的東西」、「這一資本主義文化的根基」，事實上在整個西方文化傳統中又是有著深遠的宗教來源的。那麼，資本主義精神與宗教信仰二者之間的關係究竟何在呢？韋伯指出，這種關係主要在於資本主義精神與新教禁慾主義之間有著一種明顯的「親和性」（affinity）。

歐洲經過宗教改革後，主要形成了四大具有禁慾主義傾向的新教教派：加爾文宗、虔信派、循道派和浸禮宗。它們在教義上並無多大分歧，尤其是在倫理觀念上有明顯的共性。因而，韋伯就宗教倫理把它們統稱為「新教禁慾主義」，將其作為一個整體納入了自

---

* 韋伯：《新教倫理與資本主義精神》（The Protestant Ethic and the Spirit of Capitalism, New York,1958），第54頁。

己的研究過程。同時，由於英國清教曾為禁慾主義的職業觀提供了系統的宗教根據，韋伯在研究方法上還是始終如一地看中典型史料，首先透過考察著名的英國清教倫理學家巴克斯特（Rechard Baxter, 1615～1691年）的觀點，展開了對新教禁慾主義與資本主義精神之間「親和性」的歷史分析。

研讀巴克斯特的論著，首先給人留下的一種強烈印象就是，它們在討論財富問題時特別強調的是《新約》裡伊便尼派的觀點。按這種觀點，財富乃是塵世間一種最大的危險、一種永恆的誘惑。因而，財富不僅在道德上很成問題，而且與天國的重要性相比，追求財富也是毫無意義的。瀏覽其他清教學者的著述，對追求財富行為的非難俯拾即是。占有財富必然導致懈怠，享用財富勢必造成遊手好閒、陷入肉體享樂。更重要的是，財富最終會使人放棄正義的人生追求。因而，在塵世生活中，若想確保神恩的殊遇，就必須出色完成主所指派給每個人的工作。也就是說，只有辛勤勞動而非悠閒享樂才能為上帝增添榮耀。於是，虛度時光也就成了萬惡之首。應酬社交，喜好閒聊，耽於享樂，甚至包括過量的睡眠，在清教徒看來均應受到強烈的道德譴責。

韋伯指出，上述財富觀念實際上反映了清教教義對「就贖」的理解。正因本著這些觀念，巴克斯特才充滿激情地一再告誡清教徒們：「務必使自己從事一種職業，這將使你在直接服務於上帝之外的一切時間裡發現自己的工作。」「如果你未能更直接地服務於上帝，那就全身心地投入你的合法職業吧！」「在你的職業中辛勤勞作吧！」……總之，信奉上帝的人們必須盡心盡力地投入艱辛的職業勞動，無論這種職業勞動屬於體力的還是智力的。由此可見，在巴克斯特的有關論述裡，不僅僅沿襲了西方基督教教會的傳統觀點，把勞動當作禁慾的一種重要手段，而且還進一步將勞動視為人生的目的，視為上帝的聖訓。

在勞動分工問題上，巴克斯特也不再像托馬斯、路德等人那樣，把階級差別與勞動分工解釋為上帝隨意安排的結果，以為富人有免除勞動的特權。他強調，上帝已經毫不例外地為每一個人安排了一種職業，這種安排實質上就是一種道德上的絕對命令。因而，人人均須服從神意，各司其職，辛勤勞動。即便是百萬富翁也不得因富有而逃避勞動，因為他們雖然無須靠勞動謀生，但也必須和窮人一樣服從上帝的聖訓。

那麼，怎樣衡量一種職業是否有益，即能否得到上帝的讚賞呢？在巴克斯特看來，這當然要以道德為標準，衡量該種職業為整個社會創造了多少財富。除此之外，還有一個更具體、更重要的標準，這就是看看每個人透過其職業所獲利益的多寡。根據清教教理，既然一切生活現象都是上帝設定的，那麼，如果上帝賜予某個選民贏利的機緣，他理應順從上帝的召喚，竭力利用這天賜的良機。反之，要是上帝為你點明了一條合法致富的道路，而你卻有意拒絕，那就徹底背離了獻身職業的根本目的。

最後，在行為觀念上，《舊約》中的一些行為戒律也對清教徒發生了重要影響。清教十分重視《舊約》裡的摩西律法。這一部分內容充滿了對律法行為的溢美之辭，並將此視為深得上帝讚賞的行為標誌。對這部分內容，清教徒的看法是：一方面，摩西律法中確實包括一些僅僅適合於猶太民族的家規和訓條，所謂的摩西律法已在基督手裡喪失了效力就是指此而言的；但另一方面，這些律法作為成文的自然法規一直是有效的，因而必須保留。這種觀點使清教徒們有可能從摩西律法中刪除那些與現代生活格格不入的內容，充分利用其中的有利因素，形成了束身自好、嚴以律己的律法精神。而這種精神正是新教禁慾主義的本質特徵，因為新教教徒在經濟行為上表現出來的精神氣質就是合乎理性地籌集資本、組織勞動。

綜合以上幾方面的分析可見，清教徒的職業觀主要是根據新教「救贖論」中的「財富觀念」和「時間觀念」建立起來的，它主要包括如下幾點內容：（1）把勞動直接看作人生目的的求職觀念；（2）以服從神意為宗旨的分工觀念；（3）以履行天職為目標的利益觀念；（4）以嚴於律己為特徵的行為觀念。顯然，這樣一種職業觀事實上已包含著對世俗生活的一種新的、肯定的評價，即對於個人道德行為所能採取的最高評價形式，應當是看其能否在世俗職業中履行義務。這種觀點無疑會為日常的世俗活動注入宗教的意義，同時也為新教禁慾主義奠定了道德基礎。韋伯認為，新教禁慾主義的核心思想就是從上述職業觀引申出來的：「能為上帝接受的唯一生存方式，並不是指以修道僧般的禁慾主義來超越世俗道德，而是要每一個人去實現他在塵世間的地位所賦予個人的義務。那就是他的職業。」* 不難看出，這種意義上的新教禁慾主義實質上就是一種世俗化了的倫理觀。它在西方近代史上必然會直接影響資本主義生活方式的發展，從而也就對整個資本主義的進程產生了巨大的推動作用。

韋伯指出，新教禁慾主義對西方近代資本主義的直接影響大致可概括為以下幾方面：

---

*　韋伯：《新教倫理與資本主義精神》（The Protestant Ethic and the Spirit of Capitalism, New York,1958），第80頁。

第一，合理地限制消費。新教禁慾主義強烈反對非理性地使用或享用財產，嚴格限制消費，尤其是奢侈品的消費。任意動用財產，包括享用奢侈品，這些在封建頭腦看來是自然而然的事情，卻被清教徒斥為「肉體崇拜」。但另一方面，清教徒們又贊成按照理性主義和功利主義的精神來使用財產，認為這是上帝的旨意，是為了滿足個人和社會的需要。他們並不想把禁慾主義強加於有產階級，只是求人們出於合理的目的來動用資產。

第二，合法地追逐財富。新教禁慾主義把合理地追逐財富視為上帝的意願，使贏利活動合法化，並在社會心理上把贏利衝動從傳統宗教倫理的禁錮之中解脫了出來。在經濟活動中，新教禁慾主義譴責欺詐與貪婪，反對完全出於個人目的而追求財富的拜金主義行為。但是，如果財富是從事一種職業而獲得的勞動成果，那麼，這種來路的財富便是上帝祝福的標誌了。「更重要的是，在一種世俗職業中不滿足、不懈怠，有秩序地勞作，這樣一種宗教評價作為禁慾主義的最高手段，同時又作為轉生與篤信的最可靠、最明顯的證明，對於我們在此稱為資本主義精神的那種人生態度的擴展來說，無疑曾是最有力的槓桿。」*

第三，有力地推動資本積累。當前述兩種影響合而為一時，即當合理地限制消費與合法地追逐財富自由結合在一起時，一種不可避免的結果便出現了：新教禁慾主義所力主的節儉必然導致資本積累。顯然，新教禁慾主義強加給消費行為的種種合理性限制，使大量資金轉化為生產性投資成為可能，這樣也就自然而然

* 韋伯：《新教倫理與資本主義精神》(The Protestant Ethic and the Spirit of Capitalism, New York,1958)，第172頁。

地推動了資本積累。

第四，哺育了近代經濟人。在韋伯看來，近代經濟人在西方社會主要是以兩種面目出現的，即資產者和勞動者，而這兩種人又都是在新教禁慾主義的薰陶下成長起來的。首先從資產者這一方面看，在新教禁慾主義的影響下，一種特殊的資產階級經濟倫理形成了，資產者充分意識到自己受到上帝的恩寵，得到上帝的祝福。因而他們認為，只要儀表得體，道德行為不沾污點，在財產的使用上又不致遭到非議，那就可以任憑個人利益的支配，放心大膽地追逐利潤，況且自己這麼幹還是在盡一種天職。同時，新教禁慾主義還給資產者一種安然自得的信念：現實生活中的財產分配不均本是上帝的天意，其中自有上帝所要達到的神秘目的。再從勞動者這一方面看，在歷史上幾乎所有的宗教禁慾主義都主張「為信仰而勞動」，就此而言新教禁慾主義並沒有提供什麼新內容。但值得一提的是，新教禁慾主義不但極有力地深化了這種思想，而且還獨創出一種對實踐這種思想有決定性影響的力量。這就是在社會心理上認可：勞動是一種天職，是一種至善，因而也是從根本上確保每個人成為上帝選民的唯一手段。這樣一來，對一無所有的勞動階層來說，禁慾主義的新教教規就顯得格外嚴厲了。正如資產者把贏利看作天職，勞動者也不得不把勞動作為一種天職，這兩種人生態度便分別構成了近代西方資產者和勞動者的主要心理特徵。

在結束有關新教禁慾主義與資本主義精神二者關係的分析時，韋伯總結道，只要重讀一下富蘭克林的那些格言就不難看到，我們剛剛討論過的那種資本主義精神，其基本要素和這裡所分析的清教禁慾主義的內涵並無二致。可以斷定：「近代資本主義精神的一個基本要素，或者說不僅僅是指近代資本主義精神而且包括整個近代文化之精神的一個基本要素——以職業觀念為基礎的理性行為，就是從基督教的禁慾主義精神中產生出來的。」*

* 韋伯：《新教倫理與資本主義精神》（The Protestant Ethic and the Spirit of Capitalism, New York,1958），第180頁。

第三節　宗教與文化史觀

道森（Christopher Dawson, 1889～1970年）是當代著名的宗哲學家、文化哲學家、歷史哲學家和文化史學家。從傳記資料來看，他似乎和宗教文化史研究有著不解之緣。道森從小就生活在濃厚的宗教氣氛中，父親曾任布雷肯的副主教。在牛津大學三一學院讀完本科後，他曾去瑞典學習經濟，但僅僅一年後就重返三一學院改修歷史學和社會學。就在這時，道森深深地為恩斯特·特羅伊奇（Ernest Troeltsch）研討宗教與文化關係問題的著作所吸引，從此便把自己一生的學術興趣相對集中於宗教文化史研究，以求揭示文化變遷是如何跟宗教信仰形影相隨，又是如何以宗教信仰為基本動因的。他的主要著作有：《神祇的時代》、《進步與宗教》、《基督教與新時代》、《中世紀宗教》、《宗教與現代國家》、《宗教與文化》、《宗教與西方文化的興起》、《理解歐洲》、《中世紀論文集》等。

道森和韋伯一樣，也是緊緊圍繞著西方文化的基本特性來探討宗教與文化的關係問題的。但相比之下，道森考察問題的角度要比韋伯寬泛得多。如前所見，韋伯是把這個問題嚴格地限制在宗教經濟倫理與世俗經濟觀念的範圍內加以探討的。而在道森那裡卻沒有這種嚴格的限制，他想要揭示的是宗教信仰與整個西方文化的歷史聯繫。上述區別雖然可以一般地解釋為不同學科之間認識角度的差異，但深入比較一下就會發現，從韋伯的宗教社會學到道森的宗教文化史研究，實際上暗含著歷史哲學觀念的一種拓展。

基於宗教與文化關係問題的探討而樹立一種更具整體性的文化史觀，這可看作道森全部學術活動的一貫思路。相對於大多數知名學者來說，道森算是大器晚成，他的早期著作也是40歲左右才出手的，這使得其學術觀念從一開始就比較沉穩。1931年，道森在與別人結集出版的《論秩序》一書裡指出：「真正的文明實質上就是一種精神秩序，因而其準則並非物質財富，而是精神洞見。文明所追求的是一種Theoria，即一種對實在的直覺，所謂的實在既表現於形而上的思維，又反映為藝術創作和道德行為的結果。」*

譬如說，中國文明的最高境界在於，關於宇宙規律的形而上洞見與儒家的倫理觀念；印度文明的最高境界表現為，關於絕對存在的形而上洞見和印度聖人的道德理想；希伯來文明的最高境界在於，對理智世界的洞見與哲學家的倫理觀念；而西方文明即基督教文化所追求的是一種博大邃遠的精神秩序，這就是把建立一個超越所有的國家與文化的神聖社會作為人類的最終目的。因此，凡是有生機的文化均具備某種精神動力，以提供文明發展所必需的能量。而在正常情況下，這種動力又是源於傳統宗教的。

顯然，根據上述推斷，宗教與文化的關係問題對文化史研究的邏輯意義就不可小看了。道森在另一部早期著作《宗教與進步》裡強調，我在本書中想要研討的就是宗教與文化二者之間的這種重要至極的關係。在過去，社會學家往往低估或忽視了宗教的社會功能，而宗教學家又往往偏重於宗教的心理作用或倫理意義。如果真像我相信的那樣，只要在文化上富有生氣的社會都必有一種宗教，無論是公開的還是隱秘的，而這種宗教又在很大程度上決定著該社會的文化形式，那就不必懷疑：有關社會發展的全部

* 道森等：《論秩序》(Essays in Order, New York,1939)，第239頁。

問題都必須由宗教與文化的關係問題入手來重新加以研究了*。

《宗教與西方文化的興起》是道森的代表作。從該書來看，道森的前述思路有了更成熟的表達。照他的觀點，「宗教與文化的關係作為一個複雜而廣泛的關係網，將社會生活方式跟精神信仰、價值觀念聯繫起來，這些精神信仰和價值觀念又被社會視為生活的最高準則、以及個人與社會行為的最高規範；對於這些關係只能置於具體的、即它們的整個歷史實在中加以研究。」** 這也就是說，在宗教與文化二者之間事實上存在著一種較之韋伯所揭示的更為複雜、更為普遍的內在關係。道森進一步指出，宗教信仰雖然遠離社會生活，但它卻為社會生活注入了一種自由的精神因素，引導著人類走向一種更高級、更寬廣的實在境界。所以，無論對人類的整個歷史還是對個體的內在經驗，宗教信仰都會發生創造性的、潛移默化的重大影響。因此，要是把一種文化看作一個整體就會發現，在其宗教信仰與社會成就之間有一種內在的關係，「甚至連一種特別注重來世、看起來是全盤否定人類社會的價值與規範的宗教，也會對文化產生能動作用，並為杜會變革運動提供動力。」*** 正是本著這樣一條思路，道森重新考察了西方文化的起源問題。

為什麼在近代歐洲大陸會興起一種新的文化呢？為什麼近代西方人在征服自然、改造世界的過程中會取得如此巨大的成就呢？在

---

* 參見道森：《進步與宗教》（Progress and Religion, New York, 1929），「前言」。

** 道森：《宗教與西方文化的興起》（Religion and the Rise of Western Culture, Image Books edition, 1958），第12頁。

*** 參見同上書，第14～15頁。

過去的研究中，人們一般是以「宇宙進化法則」來審視歐洲文化的起源，把歐洲文化所取得的奇蹟般的成就歸結為純世俗的原因，比如，經濟擴張、軍事侵略等等。但道森認為，這種觀點在今天已經沒有什麼市場了，因為它在很大程度上是以一種「非理性的樂觀主義」為根據的，而這種樂觀主義正是其自身想要解釋的那些文化現象的一部分。現在需要深究的問題是：在歐洲文化中究竟那些因素才能真正說明西方文化的興起與成就呢？一旦涉及到這個問題，宗教信仰的歷史作用便顯得格外重要了。

由於宗教與文化之間存在著一種內在關係，諸種文化實際上分別標誌著宗教信仰與社會生活方式相互結合的一種特殊類型。總的看來，東方宗教，像中國的儒家學說、印度的種姓制度，都已融入了一種神聖的社會秩序，而這種神聖秩序又主宰著社會生活的各個方面，所以東方文化千百年來相對保持不變。那麼，為什麼世界諸種文明中唯有歐洲能在一種精神力量的不斷衝擊下而處於變化之中呢？道森在《基督教與新時代》一書裡指出，這是因為歐洲文化中的宗教觀念並不是對某種永恆而完美的偶像的崇拜，而是一種致力於化為人性、改造世界的精神。所以在西方文化中，宗教信仰既沒有被束縛於一種神聖的社會秩序，也沒有被侷限於純粹的宗教範圍，而是獲得了自由而獨立的社會地位，從而對社會生活和理智活動的方方面面都能產生長遠的影響。雖然根據基督教的觀點，世俗文化所取得的任何成就都是次要的，而這些次要的成就未必就是宗教或道德的價值之所在，因為它們有可能經過社會中介而被歪曲，帶有功利主義的色彩。但事實在於，這些成果有賴於精神力量的存在；如果沒有這樣一種精神力量，它們要嘛不會產生，要嘛會是另一種樣子。

譬如，西方工業革命乍看起來似乎完全是物質方面的成就。然而，如果沒有新教觀念所支持的道德心與義務感，西方工業革命根本就不可能發生。新教觀念儘管在很大程度上背離了天主教教義，但終歸還是對整個基督教傳統的一種解釋。

又如，文藝復興與人文主義看起來是以世俗主義和自然主義為特徵的，可事實上二者都深受西方宗教傳統的影響。愈是深入考察人文主義的起源，便愈會清楚地認識到：真正推動人文主義興起的基本文化因素不僅是精神的，而且顯然是基督教的。照19世紀的一些思想家來看，文藝復興實際上是一種異教的復興。現在這種傳統看法已遭到了哲學家、歷史學家以及其他學者的一致反對。其實，文藝復興不僅起源於重新發現古典文化之價值的思想運動，而且還深深植根於聖方濟各和但丁的神秘人文主義。直到文藝復興後期，相當一批先鋒人物也還是在信守著這種神秘的人文主義。不僅如此，甚至連文藝復興時期所取得的那些純屬自然方面的成就，也理應歸功於那些信封基督教的前輩們。沒錯，人文主義是向自然的一次復歸，是對人和自然界的一次再發現。可是，這次發現的先行者，這場變革的推動力，絕非「自然意義上的人」（the natural man），而是「信仰基督教的人」（the Christian man），即經過了整整十個世紀來內心生活的苦苦修行而培育起來的幾代基督徒。文藝復興時期的傑出人物都是精神上的偉人，他們正是從自己長期的宗教生活中才獲得了征服物質世界、創造一種新的世俗文化的精神力量*。

---

* 道森：《宗教與西方文化的興起》（Religion and the Rise of Western Culture, Image Books edition, 1958），第14～15頁。

顯而易見，按照道森的分析路數，要真正揭示近代西方文化的起因所在，便絕不可忽視作為一種文化傳統的歷史積澱過程，尤其是不可輕易低估處於近代西方文化之前夜的那段以基督教文化為特徵的歷史，因為不僅近代文化所必需的精神力量，甚至包括近代文化的先驅者們都是由這段歷史孕育而成的。恐怕正是懷著這樣一種濃重的歷史感，道森才把自己的大部分精力投入了相對冷僻的中世紀文化史研究。

道森在《中世紀論文集》裡尖銳指出，「中世紀」一詞是由文藝復興以後的學者們杜撰出來的，用以涵蓋西方歷史上兩個具有重大成就的時期之間的那段空白的歷史。根據他們的觀點，只有這兩個時期，即以古希臘羅馬為代表的古典文明和當代歐洲文明，才是值得有教養的人們去回顧的。因此，在相當一段時間裡，由深受啟蒙運動薰陶的幾代學者組成的一些理性主義史學派別，對中世紀這段長達千年之久的歷史總是略而不提或是一筆帶過，他們把中世紀看作理智活動消沉、社會生活衰敗的時代，比作「處於古典文化與近代文化之間的一片曠野」。道森則指出，我是在完全相反的意義上來理解「中世紀」這個概念的，我所關心的並不是介於兩個文明之間的那段間歇的歷史，而是基督教文化研究。這種文化之所以值得研究，並不僅僅在於其自身的緣故，而是因為它是我們稱之為歐洲的這個社會學意義上的整體的根源，即一種新的文化模式與文化力量的源泉。

當然，從近現代西方史學的研究狀況來看，道森還算不上是中世紀文化史或基督教文化史研究的首倡者，但他對基督教文化史研究確有獨到見解。道森認為，世界幾大宗教就彷彿是諸條神聖傳統的河流，它們源遠流長，途經各個時代，澆灌著諸種文化。但對大多數宗教來說，若想窮究它們的源頭是相當困難的，它們的發源地往往消失在遠古時代的文化遺跡之中。因此，研究者們也就很難找到一種能從整體的角度去全面追溯其宗教進程的文化類型。但基督教文化卻屬例外。我們不但比較全面地了解基督教起源時期的歷史背景，占有教會創始者們留下的原始資料，而且也有可能較詳盡地再現基督教傳入西方社會的歷史過程。

但與此同時，對基督教文化史的研究也有一定的難度。其中最大的困難在於，現有的資料不是太少而是過多，這便導致了研究的專業化。一方面，這種專業化傾向形成了諸多獨立的研究領域，分頭促進了人們對各個歷史側面的認識，從而有力衝擊著以往史學研究對中世紀的陳腐偏見。但另一方面，這種傾向也給宗教與文化問題的研究帶來了不良的後果，即把本來應當放在一起加以綜合考察的文化因素完全割裂了。歷史學家熱衷於歷史文獻的考證，基督教學者則傾心於教會歷史的研究，其結果是，一些獨立的研究領域獲得了長足的進步，如政治史。經濟史、教義史、教會史等等，而宗教與文化在西方社會生活中的相互作用這個具有關鍵性意義的研究課題卻被冷落，被遺棄了。

更發人深省的是，按照道森的觀點，所謂的宗教首先不是一種抽象的意識型態，而是一種文化傳統或文化習俗。因此，他針對以往文化史研究中的一大缺漏指出，在中世紀文化研究領域，史學家們往往把注意力集中於一些「高層次的問題」，像政治思想、理智文化等等，但他們恰恰沒有意識到這些問題在整個歷史畫面上只占極小的一部分。實際上，真正對平民百姓和社會傳統影響最大的還是宗教創造活動，當然這種影響也很難觀察，很少記載。所以說，當中世紀後期的政治家們致力於改變社會秩序、學者們熱衷於復興古典文化時，普通百姓事實上還是在中世紀的宗教氛圍中生活著的。

要是抓住道森的上述基本觀點，那就比較容易掂量出《宗教與西方文化的興起》一書最後幾行文字的分量了。道森是這樣說的：「我一直在描述的這些世紀的重要性，是無法在它們業已創造或力圖創造的外在秩序中發現的，而只有在它們給西方人的心靈所帶來的內在變化中方可察覺，這是一種永遠也不可能被根除的變化，除非全盤否定或徹底毀滅西方人本身。」* 顯然，以上這些基本觀點就是道森之所以格外重視中世紀文化史研究，再三強調作為一種精神動力、文化傳統或文化習俗的宗教的邏輯理由。

道森的宗教文化史研究成果曾在西方學術界引起了強烈反響。《星期六文學評論》刊文指出，道森作為文化史學家是舉世無雙的。若是不讀他的著作，恐怕我們還會孤陋寡聞。《尊嚴》雜誌評論說，道森的獨特貢獻在於，一貫主張宗教知識在任何人類文化形成過程中均具有至上性和獨立性。他在《宗教與西方文化的興起》一書中已經把這種觀念運用於西方文化的具體事例。傳記辭典《20世紀作家》則是這樣評價的：道森作為一個信仰天主教的歷史學家，對當今知識界作出了卓越的貢獻。而其中最重大的一項貢獻就是他對所謂的「黑暗時代」出的解釋。正如赫克利斯（Aldous Huxley）所說，道森的工作使黑暗時代失去了黑暗，呈現出其原有的形式與意義。

* 道森：《宗教與西方文化的興起》(Religion and the Rise of Western Culture, Image Books edition, 1958)，第224頁。

這些評論都充分肯定了道森宗教文化史研究的意義與貢獻。可細究起來，道森研究成果中真正能稱得上是精到之處的並不在於他重點研究了「黑暗時代」的文化史，也不在於充分揭示了宗教信仰在文化形成中的重要意義，而在於他對宗教與文化關係問題的深刻理解，和據此而倡導的那種整體性的文化史觀。

在道森之前，專門研究過中世紀文化史的大有人在；專門探討過宗教信仰與文化形成二者關係的也不乏名家。別的不說，道森自己提到過的就有兩位，即馬克斯・韋伯和恩斯特・特羅伊奇，而且後者還可以看作道森的啟蒙老師。但相比之下，道森勝過第一類研究者的地方在於，他以宗教與文化的關係問題來帶動整個中世紀基督教文化史研究，並以這種關係把西方文化的過去、現在與未來通貫起來。這對西方傳統的文化史研究來說是一種創新，是一種方法論觀念的變革。不僅如此，道森在很大程度上也超過了韋伯和特羅伊奇的研究水平。首先，道森在一般哲學觀念上更明確地把宗教信仰視為文化傳統或文化習俗；因而其次，這就促使道森把前人的專題研究擴展為文化通史研究，更注重從整體上以宗教與文化的關係問題為發展線索，以大量互為因果的宗教、政治、經濟、思想、文學、習俗等方面的事實為歷史證據，力求較完整地勾畫出西方文化的演變過程。這也不能不說是對當代宗教與文化研究傾向的一次有力推動。

第四節　宗教與文明型態

本書的第二章評介過湯恩比關於宗教與科學的觀點。在這一節我們還是以這位當代著名的歷史學家、歷史哲學家為例，從整體上考察一下他對宗教與文明型態二者關係問題的歷史哲學解釋。湯恩比的歷史哲學思想集中反映在那部長達12卷的巨著《歷史研究》（A Study of History, 1934～1954年）。在這部巨著裡，他博論東西、說古道今，力圖透過比較研究近的6000年來的人類歷史，揭示諸種文明型態及其起源、生長、衰落、解體的一般規律，闡發自己的歷史哲學體系——文明型態理論。綜觀全貌，通貫於湯恩比文明型態理論的一個基本問題就是文明（廣義的文化）與宗教的相互關係。

歷史研究的「單位」（unit）是什麼？這是湯恩比所要探究的首要問題。他在《歷史研究》的「序論」裡開篇就批評了以往歷史研究的一大缺陷。他指出，近幾百年來，力圖自給自足的民族主權國家的發展，誘使歷史學家們誤把民族國家作為歷史研究的一般範圍。事實上，在歐洲沒有一個民族國家能夠獨立地說明自身的歷史問題。無論是作為近代國家典型的英國還是作為古代國家典型的古希臘城邦，二者的歷史都證實：「歷史發展中的諸種動力並不是民族性的，而是根於更廣泛的原因，這些動力作用於每個部分，除非綜合考察它們對整個社會的作用，我們便無從理解它們的局部作用。」所以，「為了理解各個部分，我們首先必須著眼於整體，因為只有這個整體才是一種可以獨立說明問題的研究範圍。」*

* 湯恩比：《歷史研究》（A Study of History, Abridgement of Volumes I - VI, Oxford 1947），第3頁；第5頁。

然而，這種可以獨立說明問題的研究範圍究竟是什麼呢？湯恩比回答：應當是文明社會。總括種種解說，湯恩比有關文明社會的規定性大致有如下幾點：（1）在歷史研究中，總共只有兩個可以獨立說明問題的研究範圍，一是原始社會，另一個是文明社會；（2）一個文明社會就是一個整體，它既不是一個民族國家，也不是整個人類，而是具有一定的時間與空間聯繫的某一群人類。這個整體一般包括數個同樣類型的國家；（3）文明社會主要內含三個剖面：政治、經濟、文化，其中文化乃是一個文明社會的精髓，而政治和經濟則屬於次要的成分＊。

湯恩比關於文明社會的上述解說、尤其是後兩點規定性，主要得自於他對英國歷史的實證性考察。湯恩比指出，從現代到古代，英國的歷史大致可劃分為如下幾個重要章節：工業經濟制度的建立（自1775～1880年開始）；責任制議會政府的建立（自1675～1770年開始）；海外擴張（自1550～1575年開始）；宗教改革（自1525～1550年開始）；文藝復興（自1475～1550年開始）；封建制度的建立（自11世紀開始）；宗教改革（自6世紀末開始)。先看最後一章工業經濟制度的建立，要了解英國的工業革命，既要考察西歐的經濟狀況，也要考慮非洲、美洲、俄羅斯、印度和遠東的經濟狀況。當時英國所屬的這個文明社會的空間範圍幾乎包括了整個世界。再看責任制議會政府的建立，即從經濟方面轉到政治方面，這個文明社會的空間範圍便縮小了。英、法兩國共有的政治規律顯然

＊　以上規定性依次參見湯恩比：《歷史研究》（A Study of History, Abridgement of Volumes I - VI, Oxford 1947），第35、5～11、3、7、408頁。

不適合於俄羅斯的羅曼諾夫王朝、土耳其的鄂圖曼王朝和印度斯坦的帖木兒帝國等等。繼而上溯幾個較早的章節，海外擴張不但限於西歐，而且僅僅限於大西洋沿岸的幾個國家；宗教改革和文藝復興與俄羅斯、土耳其的宗教和文化發展狀況無關；封建制度的建立也跟拜占庭、伊斯蘭教國家的封建制度無關。真正值得重視的是英格蘭人改信基督教一章，就是這一歷史事件把六個孤立的野蠻社會組合成了一個新生的文明社會，從而使英格蘭人因加入這個社會而失去了加入另一個社會的機會。

湯恩比指出，上述歷史考察可使我們得到一種「空間剖視方法」。當運用這種方法去剖視英國歷史的時候，「我們不能不劃分社會生活的一些不同的層面——經濟的、政治的和文化的，因為顯而易見，隨著我們把注意力轉向不同的層面，整個社會的空間範圍也會明顯地變化。」* 儘管如今英國所屬的這個文明社會的經濟、政治剖面已具有世界性的空間範圍，但其文化剖面的空間範圍卻是相對穩定的。而且，當我們進一步剖視英國早期歷史的時候，可以發現經濟、政治兩個剖面的空間範圍日趨縮小，逐漸與現今文化剖面的空間範圍相重合。因此，湯恩比以文化為依據，把英國所屬的這個文明社會定性為「西方基督教社會」，又將其他四個現存的同類社會取名為「基督教東正教社會」、「伊斯蘭教社會」、「印度小乘教社會」和「遠東大乘教社會」。然後，他又透過比較五個現存文明社會的「親屬關係」，一共概括出了26個文明社會：

西方社會、東正教社會、伊朗社會、阿拉伯社會、印度社

* 湯恩比：《歷史研究》（A Study of History, Abridgement of Volumes I - VI, Oxford 1947），第7頁。

會、遠東社會、希臘社會、敘利亞社會、古印度社會、古中國社會、米諾斯社會、蘇美爾社會、赫梯社會、巴比倫社會、埃及社會、安地斯社會、墨西哥社會、於加丹社會、瑪雅社會。其中，東正教社會又可分成拜占庭東正教社會和俄羅斯東正教社會，遠東社會也可分為中國社會和朝鮮社會；此外還有五個「停滯的文明社會」，即玻里尼西亞社會、愛斯基摩社會、遊牧社會、斯巴達社會和奧斯曼社會。

回顧所有這些文明社會的歷史，可看到它們大多數都是某一個或幾個文明社會的「母體」或「子體」。但是，文明社會所固有的這種歷史繼承性並不排斥它們之間的可比性。先就時間意義而言，歷史最長的文明社會不過三代，其時間長度剛剛超過6000年。這表明從時間指標來看文明社會還是很年輕的。而原始社會幾乎是與人類同年的，即使就平均估計數字來說，其存在的時間也有30多萬年了。二者相比，文明社會的歷史長度只占全部人類歷史的2%。因此可以假定：所有的文明社會在哲學上都是屬於同一時代的；再就價值意義而論，所謂的價值和時間一樣也是一個相對的概念。如果和原始社會相比，所有的文明社會都取得了巨大的成就；然而，若跟任何理想標準相比，這些成就又都是微不足道的了。因而又可以假定：所有的文明社會在哲學上都是具有同等價值的。

湯恩比在解釋自己的歷史觀時指出，他的最重要的論點有二：（1）歷史研究的可以獨立說明問題的最小範圍是文明社會；（2）就某種意義而言，所有的文明社會都是平行的、同時代的＊。這兩

＊　參見湯恩比：《經受著考驗的文明》（Civilization on Trial, Oxford 1947），第8～9頁。

個論點之所以重要，就在於它們構成了整個文明型態理論的邏輯出發點。正是由此出發，湯恩比全面展開了文明型態比較研究。

從以上評介可見，「文化」是湯恩比劃分諸種文明社會的根據。那麼，在湯因此那裡「文化」的涵義究竟是什麼呢？湯恩比廣泛吸取了現代人類學、社會學、文化學等學科的研究成果，用文化範疇來總括某一個文明社會所特有的精神活動，並把以宗教信仰為根基的價值體系視為精神活動的標誌。他認為，作為這種標誌的價值體系不但制約著精神活動，而且從根本上決定著經濟、政治乃至整個文明社會的活動。關於這一點，湯恩比曾在與日本著名學者、宗教活動家池田大作的對話中作過明確的解釋。

在談到文明社會的生機源泉時，湯恩比首先承認，自古以來，創建文明社會的一個必要條件就是生產的剩餘，即能夠生產出超過最低生活需求的物質生活資料。因為只有依靠這些剩餘的物質生活資料，人們才有可能從事經濟以外的活動，諸如政治、軍事、建築、美術、文學、宗教、哲學、科學等等。但從根本上說，生產剩餘畢竟只是一個必要條件，真正使各種文明社會得以形成與發展的生機源泉則是宗教信仰。這無論對具有3000年歷史的埃及文明還是對歷史更悠久的中國文明來說，都是如此。

湯恩比舉例說，世界上較古老的兩個文明社會是在埃及和伊拉克形成的。在當時，人們要把荒地變成良田，要把難以支配的自然環境改造成為適於生活的人類環境，就必須修建大規模的水利設施，必須使廣大民眾齊心協力，致力於一個遠大的目標。這就表明當時已有社會協作和社會權威，而這種協作性和權威性必定是從領導者與被領導者雙方共有的宗教信仰中生發出來的。顯然，唯有以這種社會性的宗教信仰為精神紐帶與精神動力，才有可能形成社會經濟活動，並出現生產剩餘現象。

所以說，「一種文明型態就是其宗教的表達方式」*。一旦某個民族對自己的宗教失去了信仰，他們的文明社會勢必走向衰落，或陷入內部的社會崩潰，或遭受外部的軍事攻擊，直到最後被一種新的文明所取代。譬如，古埃及文明、古希臘羅馬文明衰落後，取而代之的是富有生機的伊斯蘭教文明和基督教文明；又如，長期深受儒教統治的古代中國文明從鴉片戰爭以後開始解體，其結果是以共產主義為信仰的新中國文明的興起；等等。

透過以上分析可以肯定，在湯恩比那裡，以所謂的文化作為劃分文明社會的標準，實際上也就是以宗教信仰為依據。這既是他之所以用宗教來命名諸種文明型態的緣由，也是其整個文明型態理論的本質特徵所在。需要進一步點明的是，湯恩比所抱有的宗教觀念並不屬於傳統意義上的「信仰主義」，而是一種現代型態的「泛宗教論」。他所理解的宗教信仰不但包括通常所說的基督教、佛教、伊斯蘭教，而且還包括古往今來的一切人生信仰。在《選擇人生》一書裡，湯恩比將科學主義、國家主義和共產主義看成近代西歐的三大宗教信仰，並以此作為症結去探究人類文明的現狀與前途。他還明確指出：「我所講的宗教就是指一種人生態度，即在宇宙之神秘和人在其中的作用這些重大問題上給人以精神上的滿意答案，並為人在宇宙間的生存提供切實的訓誨，從而使人們能夠克服人之為人所面臨的種種困難。」**

湯恩比在《一個歷史學家的宗教觀念》中的宗教分類觀點，則

* 湯恩比和池田大作：《選擇人生》（Choose Life, Oxford 1976），第287頁。

** 同上書，第288頁。

更清楚地表明了上述泛宗教論傾向。他指出：「據我們所知，處於不同的時間與空間中的許多人類社會和團體分別信奉著多種宗教，如果我們試去通盤考察一下這些宗教的話，首先留下的一個印象會是：一種令人無從下手的無窮多樣性。然而，若加思考和分析，這種表面的多樣性就會自行瓦解，這就是按人的崇拜或追求方式至多分為三種對象或三個目標：自然、人本身、和某種絕對的實在。這種絕對的實在既不是指自然也不是指人，但它卻存在於二者之中，同時又超越於它們。」*

總之，就邏輯建構的基本思路而言，湯恩比正是發自上述泛化的宗教觀念，牢牢抓住宗教與文明的關係問題來全面展開其文明型態理論的。這突出反映在以下幾個方面：

（1）注重探討作為一種文化心理的宗教信仰與文明型態基本類型的關係。

湯恩比以宗教信仰為依據來劃分諸種文明社會的做法實際上內含著他對文化心理或文化潛意識與文明型態二者關係的獨到見解。湯恩比認為，當代深層心理學有關心理活動結構的研究已能證實，潛意識大致包括「個人的潛意識」和「種族的潛意識」兩個分層。據此他進一步推斷，在這兩個分層之間很可能還存在著由一個文明社會所共有的經驗積澱而成的「社會的潛意識」，它深刻體現著該文明社會的特有氣質。因而，留意觀察這種意義上的社會潛意識在人類精神活動中打下的印記，無疑將有助於闡明種種不同的文明類型與文明過程。不難看出，這裡所講的「社會的潛意識」事實上也

* 湯恩比：《一個歷史學家的宗教觀念》（An Historian's Approach to Religion, Oxford 1979），第16頁。

就是指「文化心理」或「文化潛意識」。這從湯恩比使用的幾個對等概念中可以得到佐證：「精神」等於「心理」，而「廣義的精神」又等於「狹義的文化」。

按湯恩比的判斷，宗教信仰就是文化心理或文化潛意識的集中體現。現存的各種主要宗教之所以能夠長期得到眾多信徒的皈依，就在於它們是跟各個主要的文化心理類型一一對應的，它們都能滿足人們切身體驗到的情感需要。而文明社會的全部活動，包括政治的、經濟的、文化的，正是靠諸種宗教信仰所喻示的生活方式來維繫的。這樣就比較清楚了，湯恩比認為，文化心理或文化潛意識標示著文明社會的特有氣質，而作為文化心理或文化潛意識之體現的宗教信仰又制約著文明社會的整個活動，因此他在識別文明型態基本類型時的邏輯思路就在於：藉助當代深層心理學的研究成果，首先揭示文化心理或文化潛意識與文明型態的重要聯繫，然後再以宗教信仰為依據來劃分文明型態的基本類型。

（2）注重研究作為一種「文化習俗」的宗教信仰與文明型態發展過程的關係。

湯恩比認為，文明社會起源與生長的基本規律是「挑戰與應戰」（Challenge and Response）。也就是說，人類之所以能夠創造文明，主要是因為面對諸多困境的挑戰進行了一系列成功的應戰。譬如，第一代文明主要起源於自然困境的挑戰，第二、三代文明則主要起源於人為困境的挑戰。那麼，「挑戰與應戰」的規律在文明社會的發展過程中是如何得以具體化或現實化的呢？照湯恩比的看法，這主要藉助於文明社會的少數創造者的「人格」。在人格心理學的研究中，人格一般是指個體的整個精神狀態，即某個人在一定的行為模式中體現出來的具有傾向性的心理特徵的總和。而湯恩比則以人格來概括少數創造者的靈魂特徵，即涵蓋他們所懷有的人生態度、善惡觀念、審美意識、創造意向等等有意識的心理活動。他在論及少數創造者的靈魂在文明發展中的作用時指出：「這些罕見且超人的靈魂打破了原始的人類生活的惡性循環，重新開始了創造工作，我們可以把這些靈魂所具有的新的特殊的性格稱為人格。只有透過人格的內部發展，少數人才能在行為場所之外，從事那些促使人類社會生長的行為。」*

湯恩比進一步強調，人格只能認作精神活動的主體，而唯一可以想像的精神活動範圍就是精神與精神之間的聯繫。因此，少數創造者的人格只有透過與其他社會成員的關係才能得到表達和發展。這種關係一般表現為：一方面，少數創造者透過神秘的心理直覺獲得人格後，被迫去改造其他的社會成員，即根據自己的創造性人格或宗教信仰把他們改造成為自己的信徒；另一方面，廣大社會成員經過模仿少數創造者的人格或信仰，可以獲得他們原先沒有的「文化習俗」，即特定的信念、思想、情感、能力等等。這樣便形成了推動文明社會向前發展的文化素質。在此，湯恩比顯然是想透過描述少數創造者的文化心理特徵向廣大社會成員的心理活動狀態的轉化，來深入說明宗教信仰在整個文明社會發展過程中的文化功能。

（3）注重考察處於文化心理分裂狀態的宗教信仰與文明型態變革過程的關係。

湯恩比所作的這種考察可看作是對前兩部分觀點的系統反證。他考察文明社會的衰落與解體時指出，在一個解體的文明社

* 《歷史研究》（英文版，I-VI），第212頁。

會中，社會成員的「靈魂分裂」（指文明社會解體時期社會成員的文化心理活動）會反映在人們的每一種行為、情感和生活方式裡。這時，每一種人類活動方式都分裂為一對相互對立、彼此衝突的類型，即面對強大的挑戰分化為被動的反應與主動的反應，但二者都缺乏創造力。

比如，文明解體時期存在著兩種對立的個人行為方式：「自暴自棄與自我克制」。這兩種方式是創造行為的替代物。前者意指「靈魂放鬆自己」，即有意識或下意識地、在理論上或實踐上奉行「道德虛無主義」。採取這種行為方式的人認為，放縱本能的慾望，就會自然而然地從「神秘的女神」那裡重獲天賦的創造能力。反之，後者是指「靈魂控制自己」，以為只有戰勝自然的慾望才是恢復創造能力的唯一途徑。同時，還存在著兩種對立的社會行為方式：「逃避責任與以身殉道」。它們是模仿行為的替代物，是某種生活態度的表達形式。逃避責任者認為，他們以往所追求的事業並不值得努力，因而放棄理想。以身殉道者則主要不是為了事業而是尋求解脫，才去甘願獻身的。上述兩種人都屬於逃避現實者。

又如，湯恩比分析了兩種對立的個人情感方式：「流離感與原罪感」。這兩種方式是對文明社會解體時期道德敗壞現象的反應，都痛苦地意識到不得不從當前盛行的邪惡勢力面前逃遁。前者由於認識到自我無力控制環境，就屈服，就相信整個宇宙、包括自身完全是受一種既非理性又無法征服的外在權力的支配。後者則深感靈魂不能控制自身，不能成為自己的主人，道德意義上的邪惡就源於自己的內心。這時兩種對立的社會情感方式表現為：「雜亂感與劃一感」。它們是文明社會生長時期所形成的「風格感」的代替物，儘管二者的反應方式不同，但都喪失了對形式的敏銳感覺。所謂的雜亂感是指靈魂將自己投入無所不包的熔爐之中。它在語言、文學和藝術等領域表現為「混合性語言」的流行，題材的雷同，以及風格的混雜；在哲學和宗教中，主要表現為把各種學說、觀念拼湊起來的「調合主義」。而劃一感則以傳統風格的喪失作為機會，轉而傾向於某種普遍的、永恆的格調。

另外，湯恩比關於兩種對立的生活方式的分析，即「復古主義與未來主義」（個人的）、「冷漠與神化」（社會的），也富有寓意，耐人尋味，有興趣的讀者可參閱《歷史研究》一書的有關章節。

第五節　宗教與文化符號

恩斯特・卡西爾（Ernst Cassirer, 1873～1945年）是當代德國著名的文化哲學家。他的文化哲學體系內容豐富，廣泛涉及到語言、神話、宗教、藝術、科學、政治等諸多「文化符號形式」。其中，「神話—宗教研究」* 又處於顯要地位，是展開「文化符號」哲學批判的第一步。因而，這部分研究工作有其特殊的意義。

就總體而言，卡西爾對「神話——宗教」所作的文化哲學批判有如下兩個顯著特徵：

（1）在研究對象上，提倡一種以文化為視角、以人學為主旨的宗教文化觀。在卡西爾的眼中，神話—宗教首先是文化的一種基本形式，或曰一種基本符號。這種意義上的神話—宗教與語言、藝術、科學等等文化現象比肩而立，相得益彰，共同構成了同一文化整體，展現著人類文化創造活動的多樣性與豐富性。正如卡西爾在其名著《人論》的結語裡所說：「一種文化哲學是從以下假設出發的：人類文化世界並非零散事實的簡單總和。它試圖把這些事實作為一個體系、一個有機整體來理解。在此，我們所感興趣的是人類生活的廣度，我們專心研討的是諸種特有現象的豐富性與多樣性，我們欣賞的是以『多彩畫法』與『復調音樂』表現出來的人性。」** 就是基於這種構想，卡西爾把神話—宗教

---

*　這是卡西爾本人的一種特殊提法。他認為，神話和宗教並無本質區別，二者實際上屬於同一種思維方式，即「神話的思維方式」。

**　卡西爾：《人論》（An Essay on Man, Yale University Press, 1944）第222頁。

作為整個人類生活的一個重要方面、作為全部文化現象的一種基本形式納入了文化哲學的批判視野，展現人類文化的豐富內涵。

同時，在卡西爾的文化哲學中有這樣一個重要的限定：所謂的文化實質上就是人性的創造過程。因此，全部文化活動或符號形式的演變經歷無非就是一個塑造人性、創造自由的歷史進程。如果說作為一個整體的文化規定了「人性的圓圈」，體現了「人類自我解放的歷程」，那麼，神話—宗教便是人性的「一個扇面」，是人類走向自我解放的「一個階段」*。這樣，對神話—宗教現象的文化批判在卡西爾那裡也就有了一種非同尋常的認識論意義：正因神話—宗教是人類文化現象裡最原始、最複雜、最難認識的一種形式或符號，所以有關研究成果也將更具體，更深刻地揭示出人類的本性。借用卡西爾在上述引文裡比喻，神話—宗教研究可以說是整個文化哲學批判為人性塗上的「第一筆色彩」，譜出的「第一重音調」。

（2）在研究方法上，主張一種以思維方式為線索、以深層情感為根基的符號功能論。卡西爾的神話—宗教研究方法是其整個文化觀的必然結果。按他的看法，構成同一文化整體的諸種活動形式儘管在歷史上有先有後，可在邏輯上並無主次之分。所有這些文化活動形式都有其特殊的符號體系與符號功能，彼此之間既不可還原也不能取代。「在所有的人類活動和人類文化形式中，我們發現的是『多種功能的統一』。藝術給我們一種直觀的統一；科學給我們一種思維的統一；宗教和神話則給我們一種情感的統一。藝術向我們打

---

* 卡西爾：《人論》（An Essay on Man, Yale University Press, 1944）第第68頁；第228頁。

開了『生活形式』的世界；科學為我們揭示了一個規律與原則的世界；宗教和神話則起始於人類意識到生命之普遍存在與根本同一。」* 因而，卡西爾在其文化哲學批判中對諸種文化形式是分而治之的，在他的思想體系裡分別有科學符號論、藝術符號論、神話—宗教符號論等等。

在神話—宗教研究裡，卡西爾首先是把神話—宗教作為一種特殊的思維方式來看待的。他認為，既然神話—宗教原來就是一種基本符號、一種思維方式，與之相關的文化批判便理應摒棄形而上學的思辨，同時也應當捨棄科學思維的知識範式，轉而以符號形式研究為功，力求闡明神話—宗教這種符號活動本身在現實的文化過程或人性創造中的功能。而要達到這個目的，則必須依據神話—宗教現象的基本特徵，探討神話—宗教思維的深層結構。卡西爾指出，作為宗教之雛形的神話有其固有的感知方式。就整個人類經驗結構而論，神話所反映的原初情感事實上處於較之理性更深的層次，是知覺與概念的源頭和根基。因此，只有追至這一更深的經驗層次，才有希望發現神話—宗教思維的本質與動因。

以上兩個總體特徵作為根本，實際上貫穿於卡西爾的整個神話—宗教文化批判之中。接下來，我們就根據這兩個特徵，去追述卡西爾神話—宗教文化批判的邏輯起點。

卡西爾對神話—宗教的文化批判始於「神話與語言研究」，而這一起點的認定又來自於他對近代哲學基本觀念的反省。眾所周知，西方近代哲學就主流而言是以理性批判為特徵的，而這種理性

---

* 卡西爾：《國家的神話》（The Myth of the State, Yale University Press, 1946），第37頁。

批判又是以科學思維為依托的。但卡西爾認為，這個在近代哲學那裡被看作不可動搖的邏輯支點，恰恰是值得推敲的。科學固然是人類文化的最高成就，可同時也是人類在其理智發展過程中邁出的最後一步。換言之，科學並非人類文化的一個「起點」，而是一個「終點」。「遠在人生活於科學世界以前，他就生活在客觀世界裡了。甚至在發現科學方法以前，他的經驗也並不表現為一團雜亂無章的感覺，而是一種有組織、有頭緒的經驗。他具有一種明確的結構。但是，使這個世界具有統一性的概念，跟我們的科學概念既不是屬於同一類型的，也不是處於同一層次的。它們是神話的或語言的概念。」* 文化哲學的首要任務就是要抓住這個問題去進一步追究科學概念的根基或源頭，即神話概念或語言概念的形成過程。上述任務被卡西爾稱為神話—宗教研究或語言研究的「總目標」。

在卡西爾看來，窮究神話或語言概念的形成過程，實際上也就是考察這兩種概念在歷史發展過程中是如何相互聯繫的，以及這兩種發展過程在哪些本質特徵上是相互吻合的。顯然，要達到上述目的，並把神話—宗教思維與科學思維明確劃分開來，必須藉助於邏輯學和認識論。根據傳統的邏輯學觀點，概念是這樣形成的：先要匯集一些相似的對象，接著就是去異存同，加以反省。這樣，關於某類對象的概念就在意識裡形成了。不言而喻，由此形成的概念就是認識對象的本質屬性的總和。那麼，如何理解並確定屬性呢？問題就出在這裡。大家知道，形成概念必須預先界定屬性；換句話說，必須先有作為種差的屬性，才會有辨別事物、歸納對象的尺度。然而，種差難道不是後於語言才存在，並藉助於語言命名

* 《人論》(英文版)，第208頁。

（naming）才得以認識的嗎？

如果上述質疑能夠成立，可引出一系列值得深思的問題：語言命名的規則和標準是什麼呢？驅使語言把一些特定的概念歸為一體、賦以名稱的是什麼呢？促使語言從印象之流中進行選擇、加以思考、給出意義的又是什麼呢？一旦提出這些問題，傳統的邏輯學便一籌莫展了，因為它對「類」概念起源的解釋，正是以眼下追究的東西為前提的。如果再考慮到，就其概念綜合形式而言，最初的語言概念及其指稱意義並不是由認識對象簡單規定的，而是給語言創造的自由發展留有充分的餘地，眼下所要追究的問題就變得愈加困難，同時也愈加緊迫了。不過可以肯定，即便是早期語言的自由創造活動也是有其自身規律的，而問題即在於如何揭示這一規律。因此，卡西爾認為首先還是來看看這一規律跟科學概念的形成過程有無關聯。

在形成一般概念時，科學思維的目的在於：把個別事物從「此時此地」的現存狀態中析取出來，打破個別材料的孤立性，以便把該事物和其他事物聯繫起來，歸入一種秩序或同一體系。對理論知識而言，概念的邏輯形式只不過是判斷的邏輯形式的鋪墊而已，而所有的判斷均旨在消除意識內容中的個性幻覺，把個別事物納入一般概念，看作是規律的個例。唯其如此，個別事物才是可認識、可理解、可在概念上把握的。就此而論，凡是真正的判斷都是「綜合的」（synthetic），因為判斷所要實現的就是一個由部分到整體的綜合過程。該過程是透過一系列相繼的認識活動實現的：首先是規整個別的感覺或觀念，隨後把現有的整體歸入更大、更複雜的整體，最後再由這些複雜的整體構成全部事物的整體。因而，追求整體的意向即是科學概念形成過程中的「生命原則」。這一原則必定是「推演的」（discursive），它總是驅使理智從特殊事物出發，按經驗導向通覽整個存在領域。透過這種推演式的思維過程，特殊事物便獲得了確定的特質和理智的意義。這大致就是科學思維的知識範式。

顯然，著眼於科學概念的形成過程，是無法弄清語言概念的原初結構的。只要還沒有做到這一點，現有的邏輯原理就仍處於沒著沒落的狀態，就不可能取得長足的發展，因為理論知識的全部概念無非是想以語言為基礎，構成一個較之低級的語言邏輯更高級的邏輯層次。邏輯原理首先必須確立的一個前提就是：命名先於概念的構成及其理解。人類正是透過命名過程才把一個甚至連動物也有的感官世界改造成了「一個心理的、觀念的和意義的世界」。因而，所有的理論認識都是從語言事先構成的世界始發的。換句話說，科學家、史學家、甚至包括哲學家，無一不是按照語言提供的形式而與其客觀對象生活在一起的。在過去的研究中，這個問題即便對那些長期探討語言起源的專家來說，也彷彿是一棵「猴謎樹」（Monkey Puzzle），想要爬上這棵樹的人總是「望樹興嘆」。卡西爾認為，以往的研究之所以在語言起源問題上陷入絕境，根本原因就在於始終囿於傳統的邏輯觀念，用科學思維來比照語言概念的原初結構。與此相反，假如我們轉向神話思維，把語言概念的原初結構放到整個神話概念的形成過程中加以比較，那麼，面對那株無法攀援的「猴謎樹」，我們的心中就會重新燃起希望的火花。

語言概念和神話概念可以歸為一類，這是卡西爾把二者加以比較研究的基本前提。在他看來，這個前提是有事實根據的。語言概念和神話概念實際上反映著同一類「理智理解形式」，而這種理解形式的基本思路恰恰是和科學思維相反的。

科學思維的顯著特徵是「推演性」，即追求「存在的整體」或「理智的同一」。而神話思維卻與之相反。神話思維不僅不能自由地支配直觀材料，使之處於聯繫與比較中，反而倒被突然直覺到的事物所感染、所吸引。它總是駐足於直接的經驗，眼前的事物如此之博大，以致其他一切事物都萎縮了。在這種情況下，自我便會全身心地生活於這個唯一的對象中。我們此時此刻發現的，不是直覺經驗的推廣而是它的終結；不是趨於存在整體的擴張而是趨於集中的衝動；不是外延的分類而是內涵的凝聚。總之，「將所有的力量集中於唯一的一點，這就是全部神話思維和神話法則的先決條件。」*

卡西爾解釋道，我們在上述情形裡看到的便是神話—宗教的原初現象。當代語言學家、宗教學家烏西諾（Usener）曾把神祇觀念的演變過程大致劃分為三個階段：「瞬間神」（momentary gods）、「功能神」（functional gods）和「位格神」（personal gods）。他認為，「瞬間神」可看作是最原始的神祇意象。這類意象帶有原始思維概念的含混性，大多形成於危機關頭的心理需要或特殊情感，是個別現象在絕對的直接性中被神化的結果，而在這種神化過程中甚至連起碼的類概念都不存在，以致於原始人眼前所見到的那個事物本身就是神。卡西爾對上述觀點是充分肯定的，稱其「邁出了驚人的一步」；但同時又指出，根據文化人類學和比較宗教學的晚近研究成果，已有可能把烏西諾的觀點再向前推進一步了。

著名的文化人類學家科德林頓在《美拉尼西亞人》一書裡提出了一個非常重要的概念「瑪納」（mana）。在他看來，作為一種超

* 卡西爾：《語言與神話》（Language and Myth, New York: Dover Publications Inc., 1953），第33頁。

自然力量的瑪納，就是整個美拉尼西亞人宗教觀念的根基。這種超自然的力量時而存在於物體中，時而呈現人身上；時而進入某物或某人，時而又轉入他物或他人。因此，它被當地人看作一種彌漫於萬事萬物之中的、既可敬又可畏的神秘因素。後來，人類學家們又在世界各地的原始部落中發現了大量類似於瑪納的原始神祇概念，像阿爾昆金族的「瑪尼圖」（manitu）、蘇茲族的「瓦肯達」（wakanda）和易洛魁族的「奧蘭達」（orenda）等等。雖然研究者們目前對瑪納一類概念還沒有達成共識，但起碼可以肯定這類概念是現今已知的最早的神祇意象，它們還不包含任何個性特徵或人格因素。卡西爾指出，在早期的神話中，神祇的客觀形式的確是從個別的直覺經驗中創造出來的。因而，我們應當從早期神話的這種直覺創造形式中尋找解開語言概念形成之謎的鑰匙。

接下來需要考慮的問題是：具有永恆性的概念是如何在動態過程中形成的呢？帶有模糊性、波動性的感覺和情感又是如何構成客觀的語言結構的呢？卡西爾認為，上述問題還是可以從瞬間神的產生過程中得到啟發。從起源來看，瞬間神是一時的產物，依賴於某種純個別、純具體、不復重現的境況而存在。但它在形成之後便獲得了某種實體性，這就使它遠離了賴以生成的偶然條件。也就是說，一旦擺脫了瞬間的恐懼或希望，它就成了一種獨立的存在，獲得了形式和延續性，並按其自身的規律存在下去。這時對當事人來說，它就不再是一時的產物，而是一種客觀的、超人的力量了；人們對它頂禮膜拜，而這種人間崇拜又使之獲得了越來越確定的形式。因而，瞬間神的意象即使在其賴以產生的直覺經驗逐漸淡化乃至完全消失之後，也還會長期保留下來。

與神祇意象相比，最早的口頭語言也具有同樣的功能。像神或鬼一樣，言語也並非人類自身創造的結果，而是作為某種有其自身根據的客觀實在而存在、而產生意義的。每當瞬間產生的張力和情感在言語或神祇意象中找到了宣洩的途徑，人類精神便出現了一次轉折，作為某種純主觀狀態的內在刺激被轉化成為神話或言語的客觀形式。在此之後，一種日趨進步的客觀過程才有可能出現。隨著人類自主活動範圍的逐步擴大，人類的神話世界和語言世界也以同樣的節奏不斷得以組織，不斷形成越來越確定的形式。

一般說來，在上述過程中，語言概念的發展與神話概念的發展似乎總是並行不悖的，而二者的實際走向又主要是由人類自主活動的線路所規定的。因此，「神話創造形式所反映的，並非事物的客觀特徵而是人類實踐的形式。」* 在原始生活中，各種神祇的功能一般都侷限於非常有限的範圍。不僅每個行當有各自的神，甚至每項活動的各個階段也有特殊的神或鬼，這些神祇統轄著原始部族的整個活動範圍。在原始語言中也可看到同樣的現象。原始語言往往不是用一個詞來理解一個完整的行動的，而是把該行動分為若干行為，分別用不同的動詞來指稱。依卡西爾所見，不僅在起源時期語言和神話相輔相成，一起形成了原初的概念，而且「語言和神話均已超出了這樣一種瞬間的、為感官所限的直覺，即使它們均已打破了最初的桎梏，它們也還會長期難解難分地絞在一塊。事實上，它們的聯繫十分緊密，以致根據經驗材料無法斷定二者在走向一般法則和概念的過程中何者率先，何者只是亦步亦趨。」**

---

* 卡西爾：《語言與神話》(Language and Myth, New York: Dover Publications Inc., 1953)，第41頁。

** 同上書，第42頁。

卡西爾在上述認識的基礎上進一步指出，透過探討語言概念和神話概念的共同根源，我們已經看到，二者之間有著密切的關係。那麼，這種關係在二者共同建立起來的概念結構中又是如何反映出來的呢？卡西爾回答：語言意識和神話意識之間的原始聯繫主要是透過如下事實反映出來的，所有的語言結構同時也表現為神話實體，這樣一來「福音」（Word）事實上也就成了一種原始的力量，而所有的「存在」（being）和「作為」（doing）皆源於此。因此，所有的神話宇宙起源說無論其追究到哪兒，在其中我們都可以發現神祇的所言所語總是處於至高無上的地位。

例如，普羅斯（Prenss）曾在尤多多印第安人那裡搜集到不少經文，他認為其中的一篇跟《約翰福音》的頭一段十分相似。他的譯文是這樣的：「In the beginning, the Word gave the Father his origin.」（創世之初，聖父的血統來自福音）。當然，無論這兩段話如何相似，都不會有人以為尤多多印第安人的創世說跟聖・保羅的思想有什麼直接聯繫。但它卻說明了一個事實：這兩者之間肯定存在著某種間接的聯繫，這種聯繫貫穿於神話——宗教思維的始終，而且似乎早已透過神話——宗教思維的最高成就進入了純理論領域。卡西爾據此斷定，對於那些福音崇拜的事例，只要不滿足於簡單地類比它們的內容，而是識別它們共有的形式，我們便能更準確地把握上述聯繫得以建立的基礎。

卡西爾認為，已有大量神話學和民俗學的材料可以證實，語言概念和神話概念在起源上是互為交織、相輔相成的，這種錯綜複雜的聯繫絕非出於偶然，而是深深紮根於神話——宗教思維形式之中。卡西爾結合語言問題，進一步闡明了神話——宗教與科學兩種思維方式在功能上的根本差別。

科學思維總是趨於推演、綜合、以及系統的聯繫，即總是依據某一公式，在某一給定的特殊現象和其他類似的或相關的現象之間建立起聯繫，把這些現象統統納入存在的整體。因而，對科學思維來說，語詞本質上就是觀念化的東西，是一種「記號」或「符號」，是實現上述目的的工具。至於語詞所指的對象，在科學思維看來也不是物質的實體，而是語詞本身建立的關係。由以上特點來看，科學思維的基本功能就是以語言概念為手段來實現思維的普遍化或觀念化。

反之，神話——宗教思維則趨於集中、凝聚、以及個別的特性。因而，神話——宗教思維所理解的事物並非間接的東西，而是其自身的呈現；它們總是被看作純粹的表象，並在意象中得以具體化。所以說，神話——宗教概念的形成過程本質上就是將個別事物加以實體化的過程。這樣一種思維方式在語言問題上必然走向科學思維的反面。在神話——宗教概念領域，除了現實中給定的事物，其他任何東西都談不上意義或存在。這裡根本就沒有什麼「關聯」和「外延」，所有的思維內容都被直譯成直覺對象的專有名稱。於是，用來指稱思維內容的語詞就不再是某種單純的、約定俗成的符號了，而是與其對象同處於一個不可分割的整體之中。凡是用名稱來確定的東西，不僅僅是實在的，而且就是大寫的「實在」。由此可見，神話——宗教思維的基本功能就是透過語言概念來實現思維的個別化或實體化。

根據卡西爾的觀點，辨明神話——宗教思維的基本功能有著非同尋常的意義。他指出，不僅語言經歷了上述實體化的過程，而且所有的文化活動形式，不論是技術性的還是理智性的，也都經歷了這樣一個過程。以技術領域為例，當人類開始使用工具時，並沒有把自己看作是工具的制造者，而是把工具看成一種有其自身根據，有其自身力量的存在物。因而在原始生活中，工具非但不受人們意志的支配，反倒成了統治人的神或鬼。由於人們感到自身的生存依賴於工具，便出現了種種崇拜工具的宗教儀式或神話傳說。像斧子、錘子、鋤頭、魚鉤、矛和劍等等勞動工具，都曾成為原始部族的崇拜對象。這說明，原始部族向來就把工具看作「天賜之物」，以為工具起源於某些「文化英雄」。根據這一點可以斷定，在人類的早期生活中，把所有的文化價值歸之於「救主」的觀念是相當普遍的，在技術工具方面是這樣，在理智工具方面也是如此，因為這二者本來就不存在什麼明確的界線。

卡西爾之所以要把神話——宗教思維的實體化過程推而廣之，是為了提出其整個神話與語言研究的一條重要結論。他深信，在這種實體化過程中蘊含著一個制約著所有的符號創造形式或文化活動形式生成演變的辯證規律：「沒有哪種符號形式起先就是作為個別的、可以單獨識別的形式而出現的，相反，諸種符號形式最初無一不是從神話這一共同的母體中派生出來的。所有的精神內容，無論其多麼真實地呈示著獨立而有系統的領域和各自的『原則』，唯有把它們置於神話之中，並以神話為基礎，對我們來說才是切實可知的。理論的、實踐的和審美的意識，語言的和道德的世界，群體的和國家的基本形式——所有這些起初都是跟神話——宗教概念息息相關的。這種聯繫如此之重要，一旦諸種個別形式從原初的整體中顯露出來，從此便有別於尚無差異的背景而表現出具體的特性，它們就彷彿拔去了自己的根，喪失了某些自身固有的本性。這些形式只是漸漸地才表明：這種自我分離是自我發展的一部分；這種否定孕育著一種新的肯定的萌芽；正是這種分離才形成了一種新的聯繫的開端。」*

卡西爾的整個文化哲學思想有這樣一個鮮明主旨：從「理性的批判」轉向「文化的批判」，以突破傳統認識論模式的侷限，更深入地反省人性，反省作為人性之特徵的文化。這個主旨在上述神話——宗教研究裡可謂得到了充分的體現，即符號創造形式或文化活動形式尋根。

---

* 卡西爾：《語言與神話》(Language and Myth, New York: Dover Publications Inc., 1953)，第44頁。

第六節　論宗教文化觀

綜觀前幾節的評介可見，宗教研究與文化研究之融合已並非當代人文研究領域的個別現象，由這種融合形成的諸多新嘗試也已在方法論上提出了大量值得深思的問題。比較前述幾位思想家在一些前列學科的探討，他們儘管在宗教與文化研究中持有不同的認識角度與解釋方法，然而所有這些認識角度與解釋方法不僅不是毫不相干或彼此排斥的，反而是互為關聯、相輔相成的，它們實際上已從不同的側面或層次展露出了同一個研究主題的豐富內涵與巨大潛力，從而在學術取向上初步達成了某種一致的方法論觀念。

據現有的文獻資料，這種初露萌芽的方法論觀念尚無確定的名稱，我們可暫稱之為「宗教文化觀」。因為這種新方法論觀念的基本精神即在於，廣泛借鑒當代人文或社會科學的大量成果，尤其是對「宗教」與「文化」這兩個基本範疇的重新解釋，著意強調宗教與文化之間存在的那樣一種由來已久、錯綜複雜的內在關係，對於全面而具體地研討宗教現象的關鍵性意義。

從學理上講，這也就是把宗教與文化的關係問題推到了首要位置，作為整個研究過程得以起始、展開與回歸的「元問題」或「基本關係」。在這一「元問題」或「基本關係」裡，所謂的「文化」與「宗教」已在很大程度上排除了以往眾說紛紜、莫衷一是的雜多含義，重新獲得了一種最基本的規定性：前者所涵蓋的是「人類歷史活動的整體」，後者則意指「一種基本的歷史現象或文化形式」。這樣一來，「宗教」與「文化」便構成了一對相互依存的「關係範疇」。筆者認為，這對基本的「關係範疇」在前述幾位思想家那裡既是一個新的邏輯出發點，同時又推出了一個富有觀念革新性質的解釋意域。為說明上述特點，我們可簡要歸納一下他們對「文化「與」宗教」關係問題的把握。

在馬林諾夫斯基看來，所謂的文化人類學就是研究文化的特殊科學。「文化實質上是由兩大部分構成的——物質的和精神的，即業已形成的環境和業已改變的人類機體。文化的實在就存在於這兩方面的關係之中，正如我們所見，片面強調其中的任何一方都勢必導致社會學上的形而上學，即陷入無聊的臆想。」*而在作為一個整體的文化中，文化要素、文化功能、和文化制度三者之間存在著不可忽視的關係。若想規定任一文化要素，唯有把它置於作為一種制度的文化背景中，闡明它所處的地位，揭示它所起的功能，因為文化功能是文化要素的特徵，是文化需要的反映。依據這樣一種功能分析原則，馬林諾夫斯基是把原始宗教視為一個基本的文化要素，納入整個原始文化生活當中加以探討的。他針對以泰勒、馬累特、繆勒、杜爾凱姆等人為代表的近現代宗教觀念指出，宗教絕非超越於整個文化結構的抽象觀念，而是一種相伴於「生命過程」、有其特定功能的人類基本需要。這種需要既是生理的又是心理的，既是個體的又是社會的，歸根到底是文化的。

韋伯和道森對文化的理解大致上可併做一類，這是因為他們二人所關注的是同一個問題，即西方近代文化的起因。所以，韋伯與道森都是把整個西方世界作為一個文化整體來加以歷史探討

* 馬林諾夫斯基：《文化》(Culture, Typewritten Manuscript，北京大學圖書館藏)，第130～131頁。

的。他們對宗教的看法也有明顯的類似之處，這主要表現在兩人都把宗教看成一種基本的文化特性，都注重揭示宗教信念在西方文化起源過程中對文化心理產生的重大影響。但相比之下，道森的研究規劃顯然要比韋伯複雜得多。韋伯十分謹慎地反覆驗證宗教經濟倫理與世俗經濟倫理之間的歷史聯繫，而道森則盡可能勾畫著宗教與文化這張錯綜複雜的「歷史關係網」。他在廣泛考察基督教的教義、儀式和制度對中世紀政治、經濟、學術、藝術等領域的歷史意義的基礎上，突出強調作為一種文化氛圍的宗教信仰對社會下層的長遠影響。儘管由於史料等方面的嚴重限制，道森自嘆可以說的太少、太淺，但這項工作畢竟向後來的研究者們提示了一個非常有價值、有潛力的研究方向。

相對於以上三人來說，湯恩比可稱得上是一個集大成者。湯恩比的整個文明型態理論是以一種新的歷史觀念為邏輯前提的，即「歷史就是文明」（在此文明特指繼原始文化之後的文化）。他堅持認為，像傳統歷史研究那樣單就各個國家而論歷史，是根本無法觸及歷史之本性的。歷史的載體本來就是文明，歷史的意義即寓於作為歷史之現象的文明之中；而宗教信仰則是文明社會的本質體現，是文明過程的生機源泉。於是，在湯恩比規模龐大的歷史哲學體系中，馬林諾夫斯基一帶而過的宗教信仰與文化結構的關係問題真正被提到了研究日程；韋伯和道森側重考察的西方近代文化起源問題也被融入一種文明通史，在全盤涉及文明的起源、生長、衰落和解體的系統研究中獲得了前後關係。此外，像宗教與文化類型的關係問題，宗教與文化變遷的關係問題，以及宗教作為一種文化心理或文化潛意識的基本功能等問題，都可以在湯恩比那裡找到較詳細的論述。

最後，我們在卡西爾的文化哲學中看到的是一種更抽象的觀念。卡西爾是一個人本主義哲學家，他首先關心的是一種「文化的批判」。相應於此，文化的本質問題也就在卡西爾的整個文化哲學體系中顯得格外突出了。照卡西爾來看，所謂的文化哲學實質上就是一門「人學」。人是文化的主體，是一種「符號的動物」。因而，本義上的文化就是一個人性自我創造與人類自我解放的過程，就是一種符號創造活動；而宗教則是文化整體中的一種基本形式，人性創造中的一個重要側面，人類自我解放中的一個必要階段，符號思維過程中的一種原初型態。這樣一來，隨著卡西爾文化哲學意識的不斷深化，神話——宗教研究也就顯得越來越關鍵了，以致最後成了「人性尋根」或「符號形式探源」的第一個步驟。

學術觀念更新的動因總是匿於歷史發展的宏大帷幕之後。同樣，「宗教文化觀」在當代人文研究領域的萌發，也有其特定的歷史背景。據筆者的分析，在與之相關的歷史背景中最值得重視的就是，西方現代文化危機的出現和學術界所作的整體性反省。

按斷代史研究的一般觀點，西方現代史是從20世紀初算起的。這便意味著：西方的現代是在第一次世界大戰的炮火聲中拉開序幕的，從那以後，整個西方世界陷入了一個長達幾十年的動蕩時期。在這一時期，殘暴的世界大戰、劇烈的社會矛盾、空前的經濟蕭條、嚴重的道德敗落等等，無一不在預示著一場社會總體危機。

除了眾所周知的宏觀社會狀況外，這段時間整個西方資產階級在社會心理狀態方面的急劇轉向，可看作是反映當時社會危機的「一面鏡子」。美國哈佛大學歷史學教授H．斯圖爾特．休斯講過：「在20世紀頭十年裡，在西歐和中歐一些比較『先進』的國家裡，人們的心情普遍都帶有清醒的樂觀色彩。確實，一般人都懷著比過去任何時候都高的期望。因為在前一個世紀裡，人類，尤其是歐洲的人類似乎一直在穩步前進。歐洲人展望即將到來的新時代，總傾向於認為過去的進步將伸展到無限的未來。」* 這裡所講的「普遍心情」的確反映了西方資本主義上升時期的社會狀況，它基於科學技術的巨大飛躍、經濟活動的日益繁榮和相對穩定，對資產階級的理想和資本主義的前途抱有一種積極樂觀的心態。所以，研究者們常把這種社會心理狀態定性為以理性主義為基礎的樂觀心理。

然而，歷經動蕩年代，這種樂觀的心理狀態分崩離析了。第一次世界大戰留了的心理創傷尚未癒合，繼之而來的30年代經濟大危機和第二次世界大戰又給整個西方世界以更沉重的打擊。此情此景之下，對社會危機的關注，對傳統信念的反省，對科學與理性之力量的懷疑等等，也就自然成了一種社會思潮。正是在這樣一種激劇動盪的歷史環境中，西方資產階級一度形成了以憂慮與悲觀為特徵，以非理性主義為基礎的社會心理狀態。

無論從宏觀的社會狀況，還是就微觀的社會心態而言，20世紀上半葉的西方世界所面臨的社會危機實質上是一種「文化的危機」。西方文化究竟向何處去、其前景又如何？這是自第一次世界大戰以來就日漸深重地困擾著整個西方的一個時代難題。因而，它迫使研究者們不分國度地把西方社會作為一個整體來反省，以尋求擺脫文化危機的根本出路。事實上，未等第一次世界大戰的槍炮聲停息.，第一部全面反省西方文化危機的理論著作便面世了，它就

* 休斯：《歐洲現代史》，商務印書館1984年版，第19頁。相近的分析可參見布萊克等：《二十世紀歐洲史》上冊，人民出版社1982年版，第15～16頁。

是德國歷史哲學家斯賓格勒（Oswald Spengler, 1880～1936年）寫的《西方的沒落》。該書一出版就吸引了西方各界讀者，並在整個西方學術界誘發了一場近半個世紀之久的西方文化命運之爭。大體上說，現代意義上的文化研究就是在這種歷史背景下起步的。

可從後來的趨勢來看，這種初起於西方文化命運之爭的現代文化研究，其學術視野與理論價值均已超出了原有的狹隘範圍，而對整個現代哲學、人文科學產生了深遠的影響。擇要而言，其積極意義首先在於：「歐洲文化中心論」的破除與「世界文化多元論」的確立。對絕大多數近代西方學者來說，「歐洲文化中心論」不能不說是一種潛移默化的思維方式。正如日本著名學者中村元所說：「西方人堅信歐洲精神的絕對優越性，對此容不得絲毫懷疑，這時他們的視野所及自然只有唯一的西方思想。」* 這種歐洲文化中心論雖然是基於近代歐洲在科學上的領先地位、尤其是經濟和政治上的霸主地位而形成的，但它畢竟只是文化一元論的一個典型，因而其文化根據也並不比其他種種文化一元論深刻多少。

文化一元論是一種由來已久的文化現象，其淵源似乎可以一直追溯到原始部族出於生存需要而美化自身、排斥異族的文化心理**。直到世界工業體系形成之前，這種原始的文化心理不但沒有消失，反而依仗著千百年來的文化隔離狀態廣為蔓延。如同任何文化習俗均有其文化根由一樣，破除文化一元論也必需特定的文化氛圍。今天看來，這種氛圍最早是在西方出現的。19世紀後期以來現

---

* 中村元：《比較思想論》，浙江人民出版社1987年版，第43頁。

** 關於這一點，可參見本尼迪克特：《文化模式》（Patterns of Culture, London, 1936），第一章。

代工業的掘起，文化交流的疏通，人文研究特別是考古學、人類學、神話學和語言學的長足進步，都為這樣一種氛圍的形成提供了必要條件，而歐洲社會於近現代之交面臨的文化危機，則進一步加快了認識進程，促使整個西方從自我中心的迷夢中驚醒過來。因此，西方人文科學在第一次世界大戰之後圍繞著西方文化前途問題的討論，呈現出一派文化比較研究的新局面，而且這股勢頭至今方興未艾，以致可以視為整個當代哲學、人文研究領域的一場重大的邏輯轉向，一個基本的理論生長點。

在這樣一種學術背景下，作為文化整體中的一種基本現象、一種價值觀念、一種主要傳統的宗教信仰勢必成為當代哲學、人文研究諸多領域齊相關注的一個理論焦點。於是，關於宗教現象的學術批判便顯得格外重要了，而宗教與文化的關係問題則被一批著名學者推到了這種學術批判的關頭，被看作整個宗教研究觀念得以更新的起點與歸宿，宗教文化觀的萌發也就成為一種邏輯之必然。

從前面評介的幾個研究實例來看，上述文化與學術背景在道森、湯恩比那裡反映得最直接、最明顯。道森就是因關注當代西方文化危機而從事宗教與文化研究的，這可以從其早期著作裡找到明證。他在《論秩序》一書的「總序」裡開宗明義：「西方文明眼下正處於其歷史上最緊要的關頭。在各個生活領域，傳統原則業已動搖乃至信譽掃地，而我們還不知道何以取而代之。有些人認為，歐洲一度為所欲為，我們的文化已經開始步入了一個不可避免的衰落過程；而其他人則相信，我們還只是剛剛著手去實現現代科學所蘊含的諸種可能性，我們就會看到一種新的社會秩序的興起，它將大大改觀世人已知的一切。但有一點是確定無疑的：舊秩序已經名存實亡了。」道森針對上述兩種觀點指出：「本書幾篇論文的主旨即在於，力圖正視由這種新環境產生的問題，並考察天主教所主張的秩序與新世界二者相合作和相衝突的種種可能性。」* 這短短幾句話不止說明了一部早期著作成書的背景與意圖，同時也道出了道森一生的研究思路，他的主要論著都是按照這一思路寫下來的。

在道森看來，現代文明的真正弊端並不在於科學與技術的迅述發展，而在於與之相關的那種錯誤的哲學觀念，即偏重經濟活動，忽視精神秩序。因此，人類在征服物質環境的同時也就放棄了追求精神秩序的理想，以致新興的經濟力量不受制於任何高層次的社會目標或道德目的而放任自流。這樣一來，經濟活動在現代人的心目中就不再是整個社會的一種功能，反而成了一個僅僅按照純經濟規律運行的獨立領域；隨之金錢和商品也被人格化了，變成了全部社會生活賴以生存的抽象原則。道森指出，上述錯誤的哲學觀念及其後果並非一時所致，其歷史根源可追究至西方文化被人性化或理性化的那個時期，即文藝復興時期。事實上，早在文藝復興時期，由人性化與理性化造成的離心傾向就開始分化著西方文化的精神統一和精神力量。從那以後，西方心靈便開始輕視關於「絕對」的沉思，轉而偏重或然性的知識。這就使「人」成為衡量一切事物的尺度，並企圖使人世生活擺脫神聖力量的束縛，其結果必然是，理智活動與社會秩序最終喪失了精神原則，各類活動，諸如政治、經濟、科學、藝術等等成了各行其是的獨立王國。所以說，「當今世界混亂之原由，或在於否定精神實在的存在，或在於想把精神秩序與日常生活事物當作互不相干的兩個獨立領域。」**

---

*　道森等：《論秩序》(英文版)，第5頁。

**　同上書，第6頁。

湯恩比作為一個歷史學家，對19世紀與20世紀之交西方社會的激烈動盪和社會心態的急劇轉向有著深切的感受。他指出，「該《研究》的作者（指《歷史研究》——筆者注）生於公元1889年，在有生之年親眼看著西方人開始從一種情緒回復到另一種情緒。」* 在19世紀末，英國中產階級絕對想像不到西方近代史的尾聲竟會孕育著一個悲劇的時代。他們打著如意算盤，夢幻著一種太平而美滿的現代生活已在降臨，而且必將無限延續下去。實際上，當時德國和北美的中產階級也抱有同樣的世界觀。而到1924年，一種截然相反的社會情緒已在深受災難的西方世界逐漸抬頭了。

那麼，為什麼前一代西方中產階級懷有的期望遭到了如此嚴重的挫折呢？為什麼他們會這樣悲觀失望呢？他們究竟錯在哪裡呢？從學術活動與現實生活的基本關係來看，正是這些問題觸發了湯恩比歷史哲學體系的創作動機。湯恩比在追溯自己的學術生涯時明確說過，他的歷史哲學理論在研究主題和基本論點上都深受斯賓格勒的啟發。可另一方面，他又對斯賓格勒關於西方文化危機的悲觀結論極為不滿，認為它們是教條主義的、機械決定論的。因而，他撰寫《歷史研究》這部歷史哲學巨著的根本目的就在於，反駁斯賓格勒的先驗方法，透過歷史地探討整個人類文明的演變模式、特別是西方社會的生機源泉——基督教信仰，為危機重重的西方文化指明一條真正出路。

和道森、湯恩比一樣，卡西爾也在以自己的文化哲學思考回應著現實生活的迫切需要。在其學術活動的鼎盛時期，卡西爾作為一個猶太學者無疑對當代西方文化危機不乏切身體驗。德國納粹一得

* 《歷史研究》（英文版，VII-X），第307頁。

勢，他便憤然辭去漢堡大學校長職務，開始了長期的流亡學者生活，直到別世於異國他鄉。他在美國為其符號形式哲學而作的簡介《人論——人類文化哲學導論》一書中，幹脆把自己的全部文化哲學理論稱為「人學」，以期藉助抽象的哲理去引導人們深入反思當代人類文化困境。《人論》是卡西爾生前出版的最後一部著作。在該書裡，卡西爾本人一向重視的神話—宗教研究已被提到了諸種文化形式或文化符號哲學批判之首位，這足以體現出他對此項研究的重視程度，以及賦予宗教與文化關係問題的深邃立意。此外，如果我們不是把學術活動看作脫離現實生活的主觀思索，那麼就其活動年代而言，馬林諾夫斯基和韋伯等人的宗教與文化研究也應當放到前述歷史大背景中才能獲得一種比較貼切的解釋。

本義上的學術批判旨在發現理論創造的合理邏輯趨向。那麼，「宗教文化觀」作為一種新的方法論嘗試，對當代宗教研究有無可能產生推動作用呢？在回答這個問題前，筆者想先提出一點看法，即如何從根本上理解學術觀念的更新或發展。學術發展史是一個方法論觀念不斷更新換代的過程。就實質而言，學術發展史中的分期問題主要不是一個時間的概念，而是一個邏輯的概念。也就是說，不同時期的學術探討之所以彼此有別，主要不是因為它們處於不同的年代，而是由於產生了不同的觀念。若由此來看。不論對一個時期、一股思潮還是一個學派、一位思想家，來自學術發展史角度的評價所注重的應是它或他的基本學術觀念，而並非具體的或個別的論點或結論。根據這種分析，能否認為作為一種新方法論傾向的「宗教文化觀」會給我們帶來以下幾方面的啟發呢？

（一）在學術背景上拓寬視野

我們是在一種什麼樣的背景下來研討宗教問題的呢？當然，身為中國學者，促使我們思考的首先是國內的宗教現狀。但我們的學術視野不應狹窄，更不該把宗教研究僅僅看成一個老問題，而應當把這個問題放到全球性的社會現代化過程中來加以反省。也就是說，對於宗教問題的研究，不只是國內理論界長期以來的一個薄弱環節，同時又是現代化過程中產生的一個新問題，是一次帶有普遍性的價值觀念挑戰，是國際學術界共同面臨的一大難題。這並非誇大其詞，當代宗教與文化研究的有關成果可使我們意識到問題的複雜性。

如前所述，「宗教文化觀」的萌發直接起因於對當代文化危機的反省。但它並非僅就「危機」而論「危機」，而是緊緊圍繞著宗教與文化的關係問題來考察整個西方文化的生成演變過程。這種歷史考察中最發人深省的一項研究成果，就是指出了宗教信仰與所謂「現代化」二者之間的關係問題。像韋伯、道森這樣一些思想家的研究工作的確說明了一個歷史事實：基督教信仰不僅與西方文化有著一種特殊的內在關係，而且在近代西方社會發展亦即所謂「現代化」的產生過程中起過不可漠視的、甚至是至關重要的推動作用。然而，一旦反觀當代西方文化現實，卻不能不陷入一種邏輯困惑：假若基督教信仰真為現代化的形成提供過基本精神動因，那麼，這種動因為什麼會隨著現代化的出現而失去重大歷史功能，或者說會被現代文化所「遺棄」了呢？這是否意味著：就宗教與文化的關係而言，西方社會的過去與現在恰成矛盾或悖論，而這一矛盾或悖論又是產生於所謂的現代化呢？

上述矛盾或悖論，為我們反省當代文化的特徵與困境提供了一個基本角度。基督教信仰曾是西方文化的本體（蒂利希）、生機源泉（湯恩比）、最高規範（道森），是資本主義的精神動因所繫

（韋伯），可從現代化到後現代化卻構成了一個不斷對之反叛、否定、拒斥乃至遺棄的過程。正像宗教文化觀的倡導者們指出的那樣，這一過程的背後深含著值得反省的歷史哲學觀念。在西方思想發展史上，文藝復興與啟蒙運動一般被看作是現代文化的起點與標誌，因為前者揚起了人本主義的旗幟，後者繼而高奏起理性主義的進軍號，這二者一起推動著對以基督教信仰為特徵或核心的傳統文化的批判運動。從那以後，人們開始把探索的目光由天國轉向塵世尤其是自然，不再以任何神聖權威去解釋一切，而是以科學理性或經驗事實來重新審視自然、社會乃至基督教信仰本身。歷史地看，由此誕生的現代文化的確給人類生活帶來了一系列重大進步。譬如，思想觀念的解放、人的地位與價值的提高、民主與法制的建立，特別是科學技術的突飛猛進、商品經濟的空前繁榮、物質生活的大大改善，所有這些都是不應否認的。但與此同時，對於文化傳統特別是基督教信仰的否定甚至遺棄，又使當代文化因失去了對終極存在或絕對價值的關切而陷入重重危機。譬如，經濟法則已成為當代生活的主宰，高科技變成了當代人的圖騰，工具理性的膨脹，哲學思維的終結，知識、藝術的商品化，審美情趣的平庸化，人生意義的匱乏，道德觀念的低落，拜金主義、享樂主義、虛無主義的泛濫，等等。按宗教文化觀的批判思路，以上所有這些現象又不能不歸結於一點，即西方文化傳統中那固有的基督教與文化之關係的嚴重異化。

需要強調指出，作為一種學術探討，我們注重的是宗教文化觀所蘊涵的方法論問題，而並非其代表人物的一些具體結論，更無意套用他們的批判思路來具體說明中國的問題。中西文化的差異是巨大的，這尤為鮮明地反映在宗教信仰之性質、地位與作用在兩種文化背景下的反差。所以說，中國有自己的國情，中國社會的現代化也肯定會有自身的特色。但這並不意味著宗教文化觀的方法論意義僅僅限於西方文化批判。如前所述，無論就文化背景還是學術傾向來看，宗教文化觀的萌發都標示著一場歷史哲學觀念的轉變。這場轉變將推動著我們把批判的目光從當代文化困境深及其歷史根源所在，並由此意識到重新反省何謂歷史、何謂文化之必要。

從現有研究成果來看，所謂的「現代化」是一個全球性或世界性的歷史現象，它所反映的就是整個人類生活從農業社會向工業社會的巨大變化。因而無論就手段還是目的而言，這種巨大變化都是以世俗經濟活動為主要特徵的。上述意義上的現代化形成於歐洲和北美，而其他地區的現代化進程則大多是在近現代西方社會的影響或衝擊下引發的。所以，正如有些學者指出的那樣，中國社會的現代化並非「自發型」的而是「誘發型」的，其進程也不會像西方社會那樣需要一個較長的時間，而是會採取突變的或革命的方式 *。假若果真如此，我們便不能不準備面對這樣一種複雜的現實：當經濟長期落後的中國遲遲起步，開始追趕世界性的現代化進程的時候、由於經濟、商業活動的迅猛發展，所謂現代化與後現代化暴露出來的問題恐怕也會一起湧到我們面前。近些年來，拜金主義的抬頭，社會道德風氣的惡化，關於精神危機的說法，以及人文研究的冷落，教育事業的困境，所謂嚴肅藝術的危機等等，似乎均可視為此類問題的徵兆。

正是在這樣一種宏觀文化背景下，關於中國當代宗教問題的研

* 參見羅榮渠主編：《從「西化」到現代化》，北京大學出版社1990年版，第1頁。

究顯得緊迫了。新中國成立後，宗教活動由於這樣或那樣的原因在中國大地上瀕臨滅絕，整個社會精神生活領域樹立起了一種新的、一元化的思想信仰。然而，改革開放十幾年來，隨著宗教信仰自由政策的逐步落實，各種各樣的宗教信仰在我們這塊古老土地上又日趨活躍起來了。這就向我們提出了一系列值得反省的問題：為什麼宗教活動能得以復甦、會贏得越來越多的信仰者呢？宗教信仰將對中國的現代化進程有何影響、有何利弊呢？在我們未來的現代化藍圖中究竟是讓宗教活動自然發展或仍像以前那樣加以限制呢？……

不必諱言，就我們現有的理論研究狀況來看，在對上述重大問題作出任何回答之前，先有必要就研究宗教的方法論問題作一番深刻反思。因為我們自己長期以來對宗教問題缺乏一種嚴謹而具體的學術研究，或把宗教現象簡單看作遠離塵世的東西，或片面理解為一種純精神、純幻覺的產物，一概打上「精神鴉片」的標籤而不予重視、不加深究。正因為這種長期滯後的理論狀況，我們更應該抱著對方法論觀念的關切，抱著唯實求新的治學態度，走向當代學術探索的前沿領域，看看能否透過批判地吸取現有的研究成果來尋求一種新的方法論觀念，以拓寬學術視野，樹立一種超前意識。這就是我們重視新興宗教文化觀的原因所在。

（二）在解釋觀念上推陳出新

前面提到，宗教文化觀的基本特徵在於：力主在宗教研究中將宗教與文化的關係問題置於首要地位，作為整個研究過程得以起始、展開，回歸的「元問題」或「基本關係」。對研究者們來說，這種意義上的宗教與文化的關係問題是一個新的邏輯出發點或解釋意域。它的確立首先會在研究對象問題上使傳統的理論觀念得以推陳出新。

歷史地看，儘管我們不能說近代宗教研究中的諸多流派從未涉及宗教與文化的關係問題，更不能講它們根本就不重視宗教信仰在文化活動中的地位與作用，但就其基本理論觀念而言，整個近代宗教研究始終沒有把宗教與文化的關係問題擺在至關重要的邏輯位置，因而也就沒有可能充分闡釋宗教現象的文化意蘊。不言而喻，這主要是由近代社會或人文科學研究水平造成的一種歷史侷限性，它對各個學派來說均是難以擺脫的。

而宗教文化觀的萌發，則使作為研究對象的宗教在現有人文研究成果的基礎上獲得了一種全方位的表達。與傳統觀念相比，所謂的宗教在上述新的解釋意域中不再簡單表現為純精神信仰或純意識型態，其諸多層面的文化意蘊得以明朗化了，像心理的、情感的、習俗的、傳統的、人格的、人性的等等。就此而論，我們能否說眾多信徒們的宗教心理尤其是情感是虛幻的呢？能否說作為一種文化習俗乃至傳統的宗教是不存在的或不重要的呢？能否說宗教信仰者們所追求的人格或人性是沒有什麼意義或價值的呢？對於諸如此類的問題，恐怕都不能輕易作出否定的回答。相反，有大量研究成果表明，宗教現象所固有的上述諸多層面的文化意蘊，是值得我們重視，需要我們加以深入探討的。

進而言之，若以宗教與文化的關係問題作為出發點或解釋意域，並意識到宗教現象的多重文化意蘊，那麼，以往我們所討論的宗教信仰與一些人類主要活動方式的關係，像宗教與政治、宗教與經濟、宗教與意識型態、宗教與科學等等，也不能孤立地、簡單地看，而應當一併納入宗教與文化「這張錯綜複雜的歷史關係之網」中重新加以全面認識了。譬如說，我們能否因為某種宗教在某一歷史階段愚昧的思想專制、殘酷的政治迫害乃至狂熱的戰爭行為，就完全否定宗教信仰在其他諸多方面的積極作用呢？反之亦然。譬如，能否只講正面的或積極的影響而不論負面的或消極的作用呢？

現在看來，不僅對宗教的社會作用或文化功能要綜合地、全面地或整體地看，而且對其某一方面的作用或功能也要抱有歷史主義的態度。例如、過去出版的一些教科書或學術論著，一講到宗教與科學的關係問題，大多以中世紀的基督教為例，認為宗教信仰是近現代科學技術的攔路虎、迫害者。而新近推出的一些研究成果則以大量歷史事實說明，《聖經》裡的自然觀對興起於16至17世紀的近現代科學起過至關重要的推動作用，是近現代科學觀念的基本來源之一。假若不能完全否定上述研究結論賴以成立的大量史實，顯然，宗教信仰與科學活動的關係問題便比我們以前的認識複雜得多了。

我們還可以在上述認識的基礎上再進一步。如果能把宗教與文化的關係問題作為新的出發點或解釋意域，一系列深層問題，譬如宗教與文化結構、宗教與文化過程、宗教與文化功能、宗教與文化心理或文化潛意識等等，也將被列入我們的研究日程。關於這些問題的研究，對我們更全面、更深入地認識錯綜複雜的宗教現象都會起到重大推動作用。總之，宗教文化觀的理論意義首先表現在有力地拓寬並深化了我們的解釋觀念，這就為當代宗教研究展現了相當可觀的發展前景。

（三）在研究方法上兼容並包

作為一種新的方法論傾向，宗教文化觀的萌發與當代社會科學或人文研究的主要邏輯趨向有著密切聯繫。因而，當代人文科學的一些主要成果，像文化學的、人類學的、語言學的、神話學的、符號學的、深層心理學的等等，被廣泛引入宗教現象的解釋，促發並充實著宗教文化觀，也就成了一種必然現象。

從一些研究實例來看，以宗教文化觀為導向的有關探討在研究方法上具有明顯的多樣性。這種多樣性主要體現在兩個方面：（1）多種研究方法的並存性。比如，社會學的方法、心理學的方法、人類學的方法、神話學的、語言學的、現象學的、文化史學的、歷史哲學的、文化神學的、文化哲學的方法等等。（2）多種研究方法的交叉性。比如，以一種方法為主，輔以其他方法，運用不同的方法分析不同的問題，或用幾種方法考察同一個問題的不同方面，等等。

這就對傳統的方法論觀念提出了挑戰：能否只用一種方法來窮盡作為研究對象的宗教信仰呢？透過反省這個問題，能否達成一點共識：所謂的研究方法是與研究對象互動的。研究方法的多樣性是研究對象之複雜性的必然要求。或者說，研究對象的複雜性主要是藉助研究方法的多樣性展現出來的。因此，如果我們能以宗教文化觀來引導宗教研究，使宗教與文化的關係問題上升為今後理論研究的出發點乃至核心議題，很可能有助於平抑或避免以往宗教研究、尤其是眾多學派、各種主要觀點在方法論上存在的一些爭論或衝突。不難理解，一旦將所謂的宗教納入現代人文研究意義上的文化整體來加以解釋，面對研究對象的多重複雜性（像宗教作為文化整體中的一種基本形式、一種歷史現象、一種重要傳統、一種價值觀念、一種生活方式等等），再加之研究課題的多重複雜性（像宗教與文化形式、宗教與文化結構、宗教與文化過程、宗教與文化功能、宗教與文化心理或文化潛意識等等），諸如「功能分析」還是「比較研究」，「歷史學方法」還是「現象學方法」，「信仰主義」抑或「非信仰主義」之類的論爭，似乎皆可暫且懸擱起來了。這也就是說，從目前的整個研究狀況來看，研究方法上的兼容並蓄是研究對象及其任務之錯綜複雜性的客觀的邏輯要求。因為只有這樣，才有可能透過理論探討集思廣益，充分揭示出宗教現象的方方面面；也只有首先做到這一步，才有可能再就方法論問題加以深刻反思。

（四）在理論對話中求同存異

對本世紀末的宗教研究來說，「地球村」的形成，不僅使跨文化、跨信仰的學術對話成為趨勢，同時也使之成為尋求全球文化未來走向的一個深層話題。顯然，圍繞這個重大課題展開的學術對話理應是開放的、多方位的。譬如，既有歷史性的也有現代時的，既有本民族的也有國際性的，既有各個學科間的也有不同學派間的，如此等等，不一而足。這樣一種百家爭鳴、互相交流，無疑會使我們對宗教現象的認識更具體、更全面、更深入、也更客觀一些。

然而，以往關於宗教問題的學術對話中存在著一個基本矛盾：一方面，所謂的學術對話必須本著追求真理的原則，讓來自不同信仰或不同文化背景下的討論者們各抒己見，充分闡釋各自對於最高價值或終極實在的見解；但另一方面，這種關乎到人生根本信仰的對話又易於使參與者們各執已見，走向極端。譬如，在關於信仰問題的理論對話中，像「真理總在自己手裡」、「上帝總站在我們一邊」這樣一些常見的先入之見，難免使一方過於自信，令對方啞然無語，乃至對話陷入僵局。這就產生了「理論對話的主觀性」與「學術研討所追求的客觀性」二者之間的矛盾。那麼，有無可能緩解這一基本矛盾呢？既然對話之必要在於文化與信仰的不同，而文化尤其是信仰上的差異又是很難消除的，這種情形下何以使關於宗教問題的學術對話「有可能」或「有意義」呢？宗教文化觀在這個問題上或許也能給我們一些啟發。

以宗教與文化的關係問題為出發點或解釋意域去研討宗教現象，似乎勢必引發一種解釋傾向——「宗教的俗化」，即從世俗文化的意義上來重新闡釋宗教信仰的特質、本質、地位和功能。例如，馬林諾夫斯基強調宗教信仰並非超越於整個人類文化結構的某種東西，韋伯指出宗教倫理與世俗經濟倫理二者之間存在著某種不可漠視的歷史聯繫，湯恩比側重以宗教信仰為依據來劃分文明社會型態，卡西爾再三論證神話——宗教思維方式屬於「一種情感化了的符號形式」等等，都是這樣一種世俗化解釋傾向的具體體現。

對於這些西方思想家的具體論點盡可見仁見智，甚至可以持完全不同的看法。但不可否認，「宗教的俗化」是在當代社會科學或人文研究發展趨勢的直接影響下形成的一種解釋傾向，其主要合理性即在於廣泛藉助當代人文科學的一些新觀念、新方法，將貌似超俗的宗教信仰置回於世俗文化整體之中，以還其原有的文化根據與豐富的文化意蘊。不言而喻，任何一種宗教信仰若有意義，其意義必定在於人，並體現於活生生的文化。既然文化活動是全部人類歷史之載體，那麼，作為一種文化形式或歷史現象的宗教信仰，其特性、本質、地位與功能也只有放到人類文化整體及其歷史進程當中，才有可能得到具體的、全面的、客觀的解釋。因此，筆者建議，在今後的宗教研究中與其爭論一些抽象的或超驗的問題，不如轉向實實在在的「宗教與文化的互動關係」，將初具型態的「宗教文化觀」在理論對話中推而廣之，逐步提煉為一種新的共同語言，以作為追求學術探討之客觀性的一種方法論嘗試。

主要參考文獻

【第一章】

- 繆勒：《宗教的起源與發展》，上海人民出版社1989年版
- 《宗教學導論》，上海人民出版社1989年版
- 弗雷澤：《金枝——巫術與宗教之研究》（上、下），中國民間文藝出版社1987年版
- 杜爾凱姆：《宗教生活的基本形式》，引自W. S. F. Pickering編：《杜爾凱姆論宗教——原著選讀與文獻提要》（Durkheim on Relion, A selection of readings with bibliographies, London and Boston：Routledge & Kegan Paul, 1975）
- 弗洛伊德：《精神分析引論》，商務印書館1984年版
- 《摩西與一神論》，三聯書店1989年版
- 《圖騰與禁忌》，中國民間出版社1986年版
- 夏普：《比較宗教學史》，上海人民出版社1988年版
- 斯特倫：《人與神——宗教生活的理解》，上海人民出版社1991年版
- 約翰斯通：《社會中的宗教》，四川人民出版社1991年版
- 阿隆：《社會學主要思潮》，上海譯文出版社1988年版
- 斯賓格勒：《西方的沒落》（The Decline of the West, Complate in One Volume, New York 1939）
- 柯林武德：《歷史的觀念》，中國社會科學出版社，1986年版

【第二章】

- 羅素：《為什麼我不是基督徒》，商務印書館1982年版
- 《科學與宗教》，商務印書館1982年版
- 霍頓：《上帝玩骰子嗎？》（Does God Play Dice？ Intel-Varstity Press, 1989；中譯本，Christian Communications Inc. of U. S. A., 1992）
- 霍伊卡：《宗教與現代科學的興起》，四川人民出版杜1991年版
- 蒂利希：《信仰之動力》（Dynamics of Faith, New York： Harper and Row, 1958）
- 湯恩比：《歷史研究》（A Study of History, Abridgement of Volume VII-X , Oxford, 1957）
- 湯恩比和池田大作：《選擇人生》（Choose Life, Oxford, 1976）

【第三章】

- 施萊爾馬赫：《基督教信仰》（The Christian Faith, Edinburgh, T. & T. Clark, 1928）
- 奧托：「萊爾馬赫《論宗教》引言」（「Introduction」 to Friedrich Schleiermacher, On Religion, New York: Harper & Row, 1958）
- 《神聖者的觀念》（The Idea of the Holy, London: Oxford University Press, 1950）
- 帕斯卡爾：《思想錄》（Pensees, trans and ed. A. J. Krailsheimer, New York: Penguin, 1966）
- 詹姆斯：《論信仰的意志及其他》（The Will to Believe and Other Essays, New York: Longmans, Green and Co., Inc., 1897）
- 《宗教經驗種種》（The Varieties of Religious Experience, Macmillian Publishing Co., Inc., First Collier Books Edition 1961）
- 榮格：《分析心理學二論》（Two Essays on Analytical Psychology, The Collected Works of C. G. Jung, Vol. VII, Bollingen Foundation, Inc., 1953）
- 《人格的發展》（The Development of the Personality, The Collected Works of C. G. Jung, Vol. X VII, 1954）
- 《尋求靈魂的現代人》（Modern Man in Search of a Soul, New York: Harcourt, Brace & Co., 1933）

- 蒂利希：《文化神學》（Theology of Culture, Oxford University Press, 1959）
- 《系統神學》（Systematic Theology, Three Volumes in One, The University of Chicago Press, 1967）
- 斯馬特：「我們的終極經驗」（Our Experience of the Ultimate, Religious Studies 20, No. 1, March 1984, Cambridge University Press）
- 普勞德富特：《宗教經驗》（Religious Experience, Berkeley: University of California Press, 1985）

【第四章】

- 艾耶爾：《語言、真理與邏輯》（Language, Truth and Logic, New York： Dover Books, 1952）
- 威茲德姆：「神祇」（Gods, in John Hicks ed., Classical and Contemporary Reading in Philosophy of Religion, Ind ed., Englewood Gliffs, N. J.: Prentice-Hall, Inc., 1970）
- 弗盧等：《哲理神學新論》《神學與證偽》（Antony Flew and Alasdair Maclntyre, eds., New Essays in Philosophical Theology, New York: Macmillan, 1955）
- 希克：《宗教哲學》（Philosophy of Religion, third edition, Englewood Cliffs, N. J. Prentice-Hall, Inc., 1983）
- 布雷思韋特：《一個經驗主義者的宗教信仰本質觀》（An Empiricist's View of the Nature of Religious Belief, in The Existence of God, ed. by John Hick, Macmillan Publishing Co. Inc., 1964）
- 蘭德爾：《知識在西方宗教中的作用》（The Role of Knowledge in Western Religion, Boston： Beacon Press, 1958 ）
- 維特根斯坦：《哲學研究》（Philosophical Investigations, New York: Macmillan, 1953）

- 范布倫：《語言之邊緣》（The Edges of Language, New York: Mamillan, 1972）
- 布爾特曼：《新約聖經與神話學》，台北：使者出版社1989年版
- 蒂利希：《信仰的動力》（英文版）
- 《文化神學》（英文版）
- 「宗教語言的本質」（The Nature of Religious Language, The Christian Scholar XXX VIII, 3, September, 1955）
- 麥奎利：《神學的語言與邏輯》，四川人民出版社1992年版

【第五章】

- 夏普：《比較宗教學史》(中文版)
- 斯威德勒：《絕對觀念過後》(After the Absolute: the Dialogical Future of Religious Reflection, Minneapolis,M.N.:Fortress Press, 1990)
- 巴特：《教義教會學》(Church Dogmatics IV, 1, Edinburgh： T. & T. Clark, 1953)
- 《論(羅馬人書)》(Epistle to the Romans, New York, 1960)
- 拉納：《聖言的傾聽者——論一種宗教哲學的基礎》，三聯書店1994年版「基督的與非基督的宗教」(「Christian and Non-Christian Religions」, in John Hick and Brian Hebblethwaite, eds., Christianity and Other Religions, Glasgow: Collins, 1980)
- 漢斯·昆：《我為什麼還是個基督徒》，香港：基督教文藝出版社，1989年版
- 希克：《神與信仰的宇宙》(God and the Universe of Faiths, London: Macmillan, 1977)
- 《宗教哲學》(英文版)
- 麥奎利：《二十世紀宗教思想》，上海人民出版社1989年版

【第六章】

- 馬林諾夫斯基：《巫術、科學與宗教》（Magic Science and Religion, in SCIENCE RELIGION AND REALITY, The Macmilian Company 1925）
- 《文化》（Culture, Typewritten Manuscript，北京大學圖書館藏）
- 韋伯：《新教倫理與資本主義精神》（The Protestant Ethic and the Spirit of Capitalism, New York, 1958）
- 道森等：《論秩序》（Essays in Order, New York, 1939）
- 道森：《進步與宗教》（Progress and Religion, New York, 1929）
- 《宗教與西方文化的興起》（Religion and the Rise of Western Culture, Image Books editions, 1958）
- 湯恩比：《歷史研究》（A Study of History, Abridgement of Volumes I-VI , Oxford 1947）
- 《一個歷史學家的宗教觀念》（An Historian's Approach to Religion, Oxford 1979）
- 《經受著考驗的文明》（Civilization on Trial, Oxford 1947）
- 卡西爾：《人論》（An Essay on Man, Yale University Press, 1944）
- 《國家的神話》（The Myth of the State, Yale University Press, 1946）
- 《語言與神話》（Language and Myth, New York: Dover Publications Inc., 1953)

- 休斯：《歐洲現代史》，商務印書館1984年版
- 布萊克等：《二十世紀歐洲史》上冊，人民出版社1982年版
- 中村元：《比較思想論》，浙江人民出版社1987年版
- 本尼迪克特：《文化模式》（Patterns of Culture, London, 1936）
- 羅榮渠主編：《從「西化」到現代化》，北京大學出版社1990年版

國家圖書館出版品預行編目資料

走向神聖：張志剛作. -- 初版. --
台北縣永和市：世界宗教博物館基金會出版，
2006〔民95〕面；　公分

ISBN　957-29564-7-7（平裝）

1. 宗教

200　95006626

走向神聖 現代宗教學的問題與方法

作　　者／張志剛
發 行 人／釋了意

編輯主任／郭玉文
企劃編輯／李逸華
美術設計／吳靜慈
封面設計／吳靜慈

法律顧問／永然聯合法律事務所
出 版 者／財團法人世界宗教博物館發展基金會附設出版社
地　　址／234台北縣永和市保生路2號17樓
電　　話／02-2232-1008
傳　　真／02-2232-1010
E-mail／books@ljm.org.tw

總 經 銷／農學股份有限公司
印　　刷／晨捷文化事業股份有限公司
初版一刷／2006年05月
定　　價／新台幣299元
ISBN／957-29564-7-7

此書繁體字版由東方出版社授權本社獨家出版發行

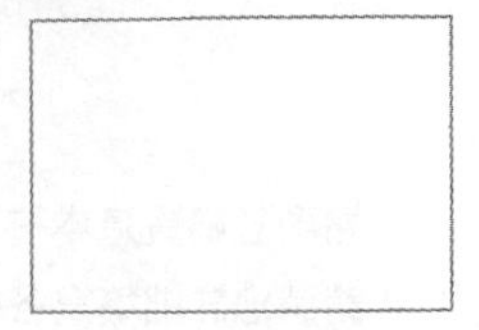
請貼郵票

宗博出版社　收

234 台北縣永和市保生路2號17樓 出版部

電話：（02）2232-1008　傳真：（02）2232-1010

請沿虛線折起

謝謝您購買這本書！

請請您詳細填寫各欄，寄回本出版社，即可不定期收到最新出版資訊及優惠專案。

此次購買的書名是：

姓名：　　　　身分證字號：　　　　性別：□男 □女

生日：　　年　　月　　日　聯絡電話：

住址：

E-mail：

學歷：1.□高中及高中以下　2.□專科與大學　3.□研究所以上

職業：1.□學生　2.□資訊業　3.□工　4.□商　5.□服務業

6.□軍警公教　7.□自由業及專業　8.□其他

您以何種方式購書：1.逛書店購書　□連鎖書店　□一般書店

2.□網路購書　3.□郵局劃撥　4.□其他

您購買過我們哪些書：

1. □ 地球書房：

2. □ 靈鷲山般若文教基金會附設出版社：

3. □ 宗教博物館發展基金會附設出版社：

您對本書的評價：

（請填代號　A.非常滿意　B.滿意　C.普通　D.不滿意　E.非常不滿意）

書名 >　　內容 >　　封面設計 >

版面編排 >　　紙張質感 >　　整體 >

此書閱讀感想與建議：

走向神聖

現代宗教學的問題與方法

走向神聖

現代宗教學的問題與方法

走向神聖

現代宗教學的問題與方法

走向神聖

現代宗教學的問題與方法